語りえぬものを語る

野矢茂樹

講談社学術文庫

はじめに

ちょっと変な本かもしれないので、使用上の注意を述べておきたい。
二〇〇八年五月号から二〇一〇年六月号まで、講談社のPR誌『本』に連載を行なった。毎回六千字である。しかも一回ごとにある程度独立した読みものにしなければならない。どうしたって、書ききれないことが出てくる。そこで本書では、本文はできるだけ連載時のまとして、さらに書き足したいことを註として付すことにした。ところが、やり始めてみると、新たに考えるべきことがいくつも出てきた。ある回など、註の方が本文より分量が多いというなんだか訳の分からないことになっている。そうして二十六編の哲学読みものに七十四個のコラム記事のような註がついたものができあがった。(おお。いま初めて勘定したのだが、あわせてちょうど百ではないか。なんか、うれしい。)

これを一本の木に喩えるならば、本文が幹であり、註が枝ということになるだろうか。まずは幹を読んでいただきたい。二度読みする余裕があるならば、最初に本文だけ二十六回分読み通し、それから次に本文を読みなおしつつ註を読むというのが理想的な読み方である。そんな余裕はないという場合でも、まずはその回の本文は最後まで読み通してしまっていただきたい。本文の途中に註が付されているが、本文を中断して註に入ると、ものによっては長大な註となるので、本文の流れを見失ってしまう可能性がある。それに、註がないと本文が読めないということもまったくない。これらは註というよりもコラムであり、それが本文のどの箇所と関連するかを示すために、註番号が付されているのである。したがって、標準的には、なんのことはないページの順に読んでもらえればそれでよい。

内容的には、続きものもあるが、基本的には各回の内容のつながりはゆるやかである。私は、本書において、私に見えてくるようになった哲学的風景を読者に伝えようとしている。賛成してもらえるにせよ、反対されるにせよ、まずは私が見ている景色をともに見てほしいのである。そのために、私はあちこち読者の手をひいて私がいま住んでいる哲学の土地をうろつかねばならなかった。ここに深い谷があり、ほら向こうにみごとな巨木が立っている。あそこまで登ると見晴らしがよく、途中にのどをうるおす湧水がある。こうして私は、百個の短い文章を経巡ってもらうことを通して、そこに一つの哲学的風景が立ち上がってくることをめざした。

相対主義の話、ウィトゲンシュタインの転回について、相貌論、論理空間と行為空間、懐疑論について、私的言語と私的体験、過去について、所与の神話の話、知覚と概念、隠喩について、そして自由と決定論について。――とりとめがないという印象を抱かれるだろうか。さしあたりはそれでもかまわない。語ることと語りえぬものを巡って、さまざまな話題を論じていく。読者はその話題のひとつひとつを楽しみ、私とともに考え、あるいは私を踏み越えてさらに考えを進めてみてほしい。だが、もし本書が成功しているならば、この本を読み終えたとき、あなたの前には一つの哲学的風景が立ち上がってくるはずである。どうか、ぜひここに来て、私とともにこれを見てもらいたい。

目次

語りえぬものを語る

はじめに……3
1 猫は後悔するか……12
2 思考不可能なものは考えられないか……26
3 世の中に「絶対」は絶対ないのか……40
4 真理の相対主義は可能か……55
5 霊魂は（あるいは電子は）実在しうるのか……68
6 行く手に「第三のドグマ」が立ちはだかる……82
7 ドグマなき相対主義へ……102
8 相対主義はなぜ語りえないのか……123
9 翻訳できないものは理解できないか……140

10 翻訳可能でも概念枠は異なりうる …… 165
11 そんなにたくさんは考えられない …… 182
12 一寸先は闇か …… 199
13 ザラザラした大地へ戻れ！ …… 214
14 意味がないという話 …… 234
15 意味はない、しかし相貌はある …… 249
16 懐疑論にどう答えればよいのか …… 263
17 語ることを、語られぬ自然が支える …… 281
18 私にしか理解できない言葉 …… 300
19 本質的にプライベートな体験について …… 320
20 語られる過去・語らせる過去 …… 341

21 何が語られたことを真にするのか …… 360
22 何を見ているのか …… 377
23 言語が見せる世界 …… 396
24 うまく言い表わせない …… 418
25 自由という相貌 …… 438
26 科学は世界を語り尽くせない …… 456

あとがき …… 477
解説 …… 古田徹也 481
語りにくいもの・いまの私には語りえないもの・永遠に語りえないもの …… 496

本文中イラスト／山下基揮

語りえぬものを語る

1 猫は後悔するか

人間はあれこれと後悔する。こんな連載、引き受けなければよかった、等々。では猫はどうか。いや、別に猫にかぎらない。人間以外の動物は、後悔をするのだろうか。

猫が鳥に襲いかかる。逃げられる。でも、惜しかった。そのときその猫は、「もう少し忍び足で近づいてから飛びかかればよかったにゃ」などという日本語に翻訳できるような仕方で後悔するのだろうか。私の考えでは、しない。いや、できない。猫は、そして人間以外の動物は、後悔というものを為しえない。なぜか。

後悔するということは、事実に反する思いを含んでいる。「ああすればよかった」というのは、そうしなかったという事実に反する思いであり、「あんなことしなければよかった」というのはそんなことをしてしまったという事実に反する思いである。ならば、事実に反する思いをもつというのは、どのようにして可能になるのだろうか。

可能性と現実

ひとつ用語を導入しておきたい。『論理哲学論考』においてウィトゲンシュタインは、可能な事実の総体を「論理空間」と呼ぶ。そこには、現実に起こった事実と現実には起こらなかったけれど起こりえたという事実が含まれている。ここで、「起こりえた」というのは目いっぱい広くとっていただきたい。私は現実には大学の教員をしているが、もしかしたら大リーガーであったかもしれない。もちろんそれがふつうの意味では「ありえない」ことなのは私が一番よく承知している。だが、能力的に実現不可能であっても、思考不可能ではない。「もし私が大リーガーであったなら」と反事実的な想像をすることは別に矛盾ではない。私が大リーグでホームランをばかすか打つ。どこに矛盾があろうか[1]。

ここで捉えられる「可能性」は、われわれが捉えうる最も広い意味での可能性、つまり論理的可能性にほかならない。それは論理的に矛盾しないかぎりは可能であると言われる。そんな可能性の総体、それが論理空間である。（『論理哲学論考』に即したより正確な捉え方については『『論理哲学論考』を読む』（野矢茂樹、哲学書房、二〇〇二年／ちくま学芸文庫、二〇〇六年）を参照していただきたい。）現実の世界というのは論理空間の中のごく一部分にすぎない。実際に起こっていることを取り巻いて、現実化しなかった可能性が広大に開けている。だが他方、われわれはただこの現実の世界を生きるしかない。ここに問題の根っこがある。

われわれが出会うのはすべて現実の世界である。可能性の世界などというものがどこかにあるわけではない。へたをすると「思考の世界」などというものを想定し、しかもそれを「心の中」に位置づけたりしたくなるかもしれない。だが、見まわしてほしい。部屋の中、あるいは窓の外。見えるのは現実に起こっているさまざまな事実である。「心の中」(実にいいかげんな言葉だと思うが、いまはそれには目をつぶって)を探ってみてもよい。軽く頭痛がする。それも現実に起こっている事実である。あれやこれや考えている。非現実的なことを考えているかもしれないが、そう考えていること、それは現実の事実である。文字を書きつける。声に出さずに語る。イメージを思い描く。あるいは脳がある状態になる。すべて、現実に起こっている事実にほかならない。

私に与えられているものは現実の事実だけである。しかし私は現実を取り巻く可能性の総体たる論理空間を了解している。だとすれば、この現実を元手に、論理空間の了解が形成されるのでなければならない。それはどのようにしてか。

分節化された世界

なによりもまず、世界が分節化されていなければならない。例えば白い犬が走っているという事実を、われわれは、〈白い〉という性質と〈一匹のあの犬〉という対象と〈走っている〉という動作といった要素から構成されるものとして捉えている。こうした構成要素を取り出すことを「分節化」と言う。

われわれはすでに分節化された世界に生きている。分節化されていない世界とは、いわば徹底的な抽象画の世界にも喩えられるだろう。そこでは、あらゆる対象の輪郭が失われ、それら対象がもっていた意味も消え去る。そんな世界。他方、われわれが生きている世界はそうではない。われわれは、〈あの犬は白い〉という事実から、〈あの犬〉という対象と〈白い〉という性質を分節化し、あるいはまた〈机の上にパソコンがある〉という事実から、〈その机〉と〈そのパソコン〉という対象と〈…の上に…がある〉という関係を、その事実を構成する要素として分節化している。あまり細かい区別をしてもしょうがないので、性質と関係をあわせて「概念」と呼ぶことにしよう。われわれは世界をさまざまな対象とさまざまな概念に分節化して捉えている。

かりに世界が分節化されていなかったなら、反事実的な思いも不可能となるだろう。犬が走っているという事実を前にして、その犬が逆立ちするという反事実的なことを考える。そのような思いが可能になるのも、〈その犬〉という対象と〈走る〉という概念が別々の要素として捉えられているからである。その犬はなるほどいまは走っている。しかし、走っている状態しかありえないのではなく、歩いていたり寝ていたり、あるいは逆立ちすることも、考えることができる。それは、〈その犬〉という対象を〈走る〉という概念以外の要素〈〈歩く〉〈寝る〉〈逆立ちする〉等々〉と組み合わせることが可能だということにほかならない。

そのためには、〈その犬〉という対象と〈走る〉という概念は別々の構成要素として区別されていなければならない。つまり、論理空間を開くには、世界が対象と概念に分節化されていなければならないのである。[2]

ただし、ここでもう少しことがらを正確に捉えておきたい。いま述べたように、論理空間を開くには世界が分節化されていなければならないが、逆に、世界が分節化されているためには論理空間が成立していなければならないのである。

机の上のパソコンを考えてみよう。なるほどいまは机の上にあるが、可能性としてはそのパソコンはさまざまな場所にありうる。例えば床の上に置く。あるいは部屋の外に持ち出す。そこで、われわれがそうした可能性を理解していないとしてみよう。そのとき、そのパソコンはその机の上にしかありえないものとなってしまうだろう。そのパソコンとその机が分離されることを、われわれは想像することさえできない。そうなってしまったら、それはつまり、そのパソコンと机は分離不可能（しかも論理的に分離不可能）ということであり、それはもはやさらなる要素に分解不可能な一つの対象ということになる。

机の色についても同じように議論される。いまはその机は茶色だが、もしその机が茶色以外の色である可能性をわれわれが理解していないのだとすれば、その机は茶色でしかありえないことになる。そのとき、その机と茶色という色は論理的に分離不可能となり、それらを別々の要素として分節化して考えることは不可能である。

さらにこの議論は、パソコンと机に対してだけでなく、机と床に対しても成り立つ。いま机は床の上にあるが、われわれはそれが他の場所、例えば外の路上にあるといった反事実的な可能性も了解している。そこでもしそのような反事実的な了解がないのであれば、その机とその床は論理的に分離不可能となり、分節化されていないことになる。かくして、パソコンと机が癒着し、机と床が癒着し、床は建物と癒着し、建物は地面と癒着して、ついには宇宙全体が論理的に分離不可能となってしまうだろう。

世界から対象と概念を分節化して捉えるためには、その対象と概念が他のさまざまな対象や概念と組み合わされる可能性が理解されていなければならないのである。したがって、世界が分節化されるためには論理空間が成立していなければならない。このことと、先に示した「論理空間が成立するためには世界が分節化されていなければならない」を併せるならば、つまり、論理空間の成立と分節化された世界の成立は、どちらが先というものではなく、厳密に同時なのである。

言葉がなければ可能性は開けない

さらに、論理空間の成立のためには、それゆえまた分節化された世界の成立のためには、われわれは分節化された言語をもっていなければならない。

言語にはさまざまな働きがあるが、その中の重要なものは、ものごとを表現するという働きである。例えば、「白い犬が走っている」という言葉は〈白い犬が走っている〉という事実を表現する。しかるべき場面で「あの犬」と言えば、それはある一匹の犬を表現する。あるいは「白い」という語はある範囲の色を表現している。逆に、ものごとを表現する働きをもったものはすべて「言語」と呼ぶことにしよう。われわれはふつう「言語」というと音声言語と文字言語だけを考えがちだが、言語の働きをもったものはさらにさまざまにある。例えば種々の図案で表わされた標識なども言語であり、鉄道路線図も言語であり、設計図のような図面も、それが実際に作られるべきものを表現しているという意味では言語である。あるいはまた、飲食店に置かれてある食品サンプルも、実物の代用品という意味で言語と言えるだろう。

もし、われわれの世界から、これら言語と称すべきものたちのいっさいがなくなったとしたら、どうだろう。私の考えでは、そのとき世界もまた未分節の状態になるしかない。そのことを示すために、「世界は分節化されているが、分節化された言語はもっていない」と仮定してみよう（背理法の仮定）。

先ほど論じたように、〈机の上にパソコンがある〉という事実が〈その机〉〈そのパソコン〉〈…の上に…がある〉という構成要素に分節化されているためには、それらの要素が〈机の上にパソコンがある〉という組合せ以外の組合せ、例えば〈パソコンの上に机がある〉といった組合せを作りうるのでなければならない。さもなければ、〈机の上にパソコンがある〉という事実はそれ以上分節化されないひとかたまりとなってしまうだろう。だが、いま、いっさいの言語がないと仮定している。〈その机〉や〈そのパソコン〉という対象、および〈…の上に…がある〉という概念を表現してくれる言葉がない。だとすれば、その対象や概念そのものを組み替えてみるしかない。つまり、実際にパソコンの上に机を置いてみるしかない。そんなことをしたらパソコンが壊れるだろうということは措いておくとしても、根本的なことは、それはもはや現実のことであり、たんなる可能性ではないということである。

やはり、どうしたって言語がなければならない。言語がなければいっさいは現物となる。そのとき、現物に対してさまざまな組合せを試してみたとしても、それらはすべて現実の事実になるしかない。それゆえ、反事実的な可能性を開くにはどうしても現物の代理物たる言語が必要なのである。われわれはそうした言葉をさまざまに組み合わせる。それが、さまざまな可能性を表現する。最初に述べたが、可能性の世界なるものがどこか（心の中であれイデア的な世界にであれ）にあるというわけではない。言語もまた、現実の一部にほかならない。食品サンプルは心的な何ものかでもイデア的な何ものかでもなく塩化ビニールで作られており、音声言語は空気振動であり、文字言語は現実に書きだされたインクの染み等である。それゆえ、言葉を用いているときにも、われわれはけっしてこの現実世界の外に出て行っているわけではない。われわれは現実に生きるしかない。この現実の中で、空気振動やインクの染みや塩化ビニールの塊を適当に操りながら、さまざまな可能性を表現するのである。「白い犬が逆立ちして走り去る」という文字模様を紙上に描けば、それは白い犬が逆立ちして走り去っていく可能性を表現している。可能性とは、このように、言語が表現するものとしてのみ、成り立ちうる。それ以外に可能性の生存場所はない。

可能性を開くために必要とされる言語は、分節化されていなければならない。さもなければ、言語においてさまざまな組合せを試すことができないからである。「机の上にパソコンがある」という言語表現があり、それが「机」「パソコン」「…の上に…がある」という語句に分節化されているからこそ、インクの染みにおいて「パソコンの上に机がある」という組合せを試すことができる。そしてそれが、〈パソコンの上に机がある〉という非現実の可能的な事実を表現する。われわれはこうして、そしてこのようにしてのみ、可能性を了解するのである。[3]

論理空間・分節化された世界・分節化された言語、これらはすべて厳密に同時に成立する。それゆえ、言語をもっていない動物は可能性の了解をもたず、分節化された世界にも生きていないことになる。言語をもっている動物でも、それが分節化され、さまざまな組合せを試せるような構造（構文論的構造）をもっていない単純な言語にとどまるかぎり、それは論理空間を開く力をもってはいない。

かくして、猫は後悔しない。人間だけが後悔する。[4]

第1回　註

1　論理空間

「語りえぬものについては、沈黙せねばならない」――ウィトゲンシュタインは『論理哲学論考』の最後をこう結ぶ。私はこれから二十六回にわたって連載を続けていくことになるが、『論理哲学論考』のこの終着点が、私の出発点となる。『論理哲学論考』において、「語りうるもの」とは論理空間の内部である。それゆえ、論理空間の内部に収まらないものは、語りえず、思考することもできない。私が生きていることの論理空間の外部をもたないものとなる。そこで私はこれから、なによりもまず、論理空間の外部を予感しようと試みることになるだろう。そのためにも、この回では「論理空間」という用語を導入しておかねばならない。

2　対象と概念

『論理哲学論考』が分節化された単位である対象と概念としてどのようなものを考えていたのかは明らかではない。少なくとも、私がここで述べているような〈その犬〉や〈白い〉や〈走る〉は、『論理哲学論考』では、分節化される単位ではありえない。その点において、ここにおける「論理空間」は『論理哲学論考』におけるものとは異なっていると言わねばならない。だが、私は、その点に関して『論理哲学論考』を修正することは、『論理哲学論考』の中心的構造を崩すものではないと考えている。(こうした点については私の『『論理哲学論考』を読む』第6章を参照していただきたい。) また、目下の議論および私がこれから展開しようと考えている議論にとっては、「論理空間」という用語がもつ私と『論理哲学論考』との間の意味の差異は問題にならない。

3　模型

『論理哲学論考』二・一二では次のように言われる。「像は現実に対する模型である。

(Das Bild ist ein Modell der Wirklichkeit.)」そして私は、この言葉でウィトゲンシュタインが言いたかったことは、いま私が述べてきたようなことであると考えている。われわれは音や文字という物理的対象を適当な仕方で組み合わせ、それによって可能な事実を表現する。それはちょうど音や文字を組み合わせて世界の「箱庭」を作るようなものにほかならない。そこで私は「Modell」を「模型」と訳した。(奥雅博訳は「モデル」であり、坂井秀寿訳は「ひな型」となっている。) Modellもまた現実の一部であり、その感じを出すには「模型」がよいと考えたのである。われわれは現実世界の中で声や文字によって文という名の模型を作り、それによって非現実の可能性を表現する。

4　猫の世界

猫について一言。猫は分節化された言語をもっていない。それは確かなことに思われる。なるほど、我が家の猫などでも、ドアを開けなさいと私に命令するときにはしかるべき鳴き方をする。それを「言語」と呼ぶことにやぶさかではない。やぶさかではないが、しかしそれは分節化された言語ではないだろう。彼女が言語を駆使して非現実の可能性を考えているとは、私には思えない。しかし、そうだとすると、それは飼い主にとってあまりにも寂しい帰結をもってしまうように思われる。私の考えでは、分節化された言語をもたぬものには分節化された世界は開けてこない。それは抽象画のような世界であり、対象というものがない。だとすれば、我が家の猫もまた、対象なき世界に生きているに違いない。ならば、その世界には私という一人の人間もいはしないに違いない。ううむ。これはとても寂しい結論である。だが、いまのところ私はこの結論を引き受け、同時に、我が家の猫たちを擬人化しつつ、ともに暮らしているのである。

だが、寂しいというのは別として、分節化された言語をもたぬ動物は個体識別をしていないはずであるというのは、信じがたいことであるかもしれない。というのも、ある種の動物たちはかなりはっきりと個体識別をしているように思われるからである。いったい、敵から逃げる動物、餌を追いかける動物、求愛する動物、ボスに従う動物たちは、何をしているのか。

ここで、ある対象に反応し、その対象を追いかける行動をとることと、その対象を分節化された対象として認知していることとを区別しなければいけない。繰り返すが、それを分節化された対象として認知することは、その対象が別の状況にも現われうるという非現実の可能性の了解を含んでいる。公園を散歩する犬を一匹の対象として認知することは、その犬はいまは公園を散歩しているが、家の庭で昼寝している等々の非現実の可能性もあると了解していることを含むのである。さもなければ、公園で散歩しているという状況からその犬を対象として分節化することはできない。では、餌を追いかけている動物たちは、そのような非現実の可能性を了解しつつ、その餌を追いかけているのだろうか。そうは思えないし、分節化された言語をもたない以上そうではありえないというのが、私の意見である。彼らは彼らがおかれた状況に反応して行動する。彼らはいわば「現実べったり」の存在であり、ある対象が別の状況のもとにありうる非現実の可能性などに思いを馳せることはない。

我が家の猫もまた、私という一人の人間に対してかなり特異的な反応を示しはする。彼女たちは私に対し「識別的」な行動をとる。しかし、私を識別しそれに基づいて行動している、というのではない。あるいはこう言ってもよいだろう。猫は状況からダイレクトに行動を促され、その間に思考などが介在することはない。それゆえ、そうした思考の内容となるような仕方で対象が認知されるということもない。だが、猫は――少なくとも我が家の猫は――、確かに対象（私）に対して識別的な行動をとるのである。飼い主としては、まだ少し寂しい気もするが、それでよしとしよう。

2 思考不可能なものは考えられないか

「思考不可能なもの」とは「考えられないもの」ということである。いや、別に読者を愚弄しているわけではない。ウィトゲンシュタインも大まじめでこう書いている。「思考しえぬことをわれわれは思考することはできない。」(『論理哲学論考』五・六一)しかし私としてはなんだかそう言って澄ましている気にはなれないのである。なるほど思考不可能なものは考えられない。同語反復である。だが、その同語反復《トートロジー》の輪を、破ることはできないだろうか。

『論理哲学論考』の独我論

とくに、この話が独我論と直接関係してくるとあれば、「思考不可能なものは考えられない、あたりまえ、終わり」とするわけにはいかない。まずは、『論理哲学論考』のそのあたりを引用してみよう。

五・六一　論理は世界を満たす。世界の限界は論理の限界である。

それゆえわれわれは、論理の内側にいて、「世界にはこれらは存在するが、あれは存在しない」と語ることはできない。

なるほど、一見すると、「あれは存在しない」と言うことでいくつかの可能性が排除されるようにも思われる。しかし、このような可能性の排除は世界の事実ではありえない。もし事実だとすれば、論理は世界の限界を超えていなければならない。そのとき論理は世界の限界を外側からも眺めうることになる。

思考しえぬことをわれわれは思考することはできない。それゆえ、思考しえぬことをわれわれは語ることもできない。

五・六二　この見解が、独我論はどの程度正しいのかという問いに答える鍵となる。
すなわち、独我論の言わんとするところはまったく正しい。ただ、それは語られえず、示されているのである。

私にとって、この部分は『論理哲学論考』の最もおもしろい箇所に属する。そして、私自身がかつて『論理哲学論考』を読み解く作業をしていて、「やった」と思えたのは、この箇所を読み解けたと確信したときだった。ここでは、解釈の仔細には踏み込まず、目下の議論に関わるかぎりでポイントを捉えておくことにしよう。

前回も少し述べたが、可能な事実の総体は「論理空間」と呼ばれる（正確には「可能な事実よりなる可能な世界の総体」であるが、細かいことはいまはどうでもよい）。それは、ひとことで言えば、世界を構成する要素の可能な組合せのすべてである。ウィトゲンシュタインがそうした構成要素として何を考えていたかははっきりしない。だが少なくとも私の議論を理解していただくには、〈犬が人を嚙んでいる〉という目の前の事実を構成している〈その犬〉〈その人〉といった対象や〈…が…を嚙む〉のような概念を念頭においてもらえればよい。現実には犬が人を嚙んでいるのだが、可能性としてはその構成要素を組み替えて〈人が犬を嚙んでいる〉という事態を考えることができる。そうしたあらゆる可能性——現実であれ非現実であれ——の全体が、論理空間である。それゆえ論理空間の及ぶ範囲が、すなわち世界の可能性の範囲となる。（「世界の限界は論理の限界である。」）

論理空間はまた、私が世界のあり方についてあれこれ考えるときの思考可能性の総体でもある。論理空間は論理的に可能な世界のあり方の総体であるから、どれほど想像の翼をはばたかせようとも、私は論理空間の外へと飛び出ることはできない。

そしてこれが重要な点となるのだが、論理空間はどのような構成要素（対象と概念）が存在するかに依存する。もし〈逆立ち〉という概念が存在しないのであれば、〈犬が逆立ちして走り去る〉という可能性も開けてこない。あるいは、もし〈富士山〉という対象が存在しないのであれば、存在しない富士山には噴火する可能性もありはしない。

だとすれば、どうしたって人によって論理空間のあり方は異なると考えたくなるだろう。富士山という山を知らない人、それゆえ富士山について何ごとかを考えることのできない人など、世界にいくらでもいる。人によってもっている概念も違うだろう。例えば、（なんでもよいのだが）「お茶杓の櫂先《かいさき》」と言われてもなんのことやらという人も、少なくはない。その人たちはその分だけ思考可能性の全体が異なっている。すなわち論理空間が異なっている。

もちろん、私の論理空間もけっして完全無欠ではあるまい。私にはまだ知らない対象も概念もたくさんある。……あるに違いない。……いや、考えてみると、というか考えようとしてみると、どうにもいやーな感じがしてくるのである。私は、自分がどういう対象や概念を知らないのか、言うことができない。あたりまえである。知らないのだから。私の論理空間は私の思考可能性の総体にほかならない。とすれば、私は私の論理空間に欠けているものを思考することはできない。「私の論理空間にはこれがない」という発言は不可能な発言でしかない。（「われわれは、論理の内側にいて、「世界にはこれらは存在するが、あれは存在しない」と語ることはできない。」）

そしてウィトゲンシュタインは、このことが独我論の正しさを示すと言う。しばしば「独我論」として考えられるのは、いわば「意識の独我論」である。すなわち、すべてを私の意識への現われとして捉え、私以外の意識主体を、私の意識には現われえないという理由で拒否する。そして私のみを唯一の意識主体とする。しかし、ウィトゲンシュタインがここで考えている独我論はそのようなものではない。私は私自身の論理空間と異なる他者の論理空間を考えることができない。これが、『論理哲学論考』の独我論にほかならない。

『論理哲学論考』が独我論の名のもとに何を切り捨てたのか（そして私が『論理哲学論考』に抗して何を取り戻そうとしているのか）を明確にするため、ごく常識的に考えてみよう。他者は私がまだ知らない対象や概念を知っているはずだ。われわれはふつうそう考えている。「例えば？」と問われると確かに困るが、適当に自然科学の本などを開いてみると私には分からない言葉がいっぱい並んでいる。「ヒッグス場を仮定すればウィークボソンに質量があることが説明可能となる。」う、うーむ。これがナンセンス詩の一節でないならば、たぶん、ここには私の知らない概念が含まれている。だとすれば、これを書いた人は、私とは異なる論理空間をもっているに違いない。

しかし、ウィトゲンシュタインはきわめて鋭利な分析によって、この平凡な実感を切り裂くのである。

論理空間は世界の可能性のすべてを含んでいる。それは世界のあり方について私に思考可能なすべてにほかならない。だとすれば、私の思考可能性はこの論理空間の内に限られている。だから、私の論理空間に欠けている対象や概念をもった他者の論理空間など、思考不可能でしかない。(「思考しえぬことをわれわれは思考することはできない。」) かくして、私と異なる論理空間をもった他者は、思考不可能である。QED

さらに言えば、「他の論理空間を思考することは不可能」と思考することも、できない。「他の論理空間は思考不可能」と主張することは、「他の論理空間」を「思考不可能」なものとして思考するという背理に陥っている。だとすれば、他の論理空間、すなわち他者については、思考不可能とさえ言えないのである。(「独我論の言わんとするところはまったく正しい。ただ、それは語られえず、示されている。」)

論理空間と経験

だが、少なくとも私は、私の論理空間とは異なる他者の論理空間があるという実感を切り捨てる気にはならない。この実感のありかをもう少し見てとるために、論理空間の成り立ちについてさらに踏み込んで調べておこう。

重要な点は、論理空間は可能な事態の総体であるけれども、その構成要素はすべて現実のものでしかないということである。先に『論理哲学論考』がそうした構成要素として何を考えているかははっきりしないと述べたが、ここでは『論理哲学論考』の解釈ということを離れて、構成要素を〈富士山〉や〈ポチ〉や〈エッフェル塔〉といった対象と〈犬〉や〈白い〉や〈…の上に…がある〉といった概念であると考えよう。こうした構成要素はすべて現実の事実から切り出されてきたものである。〈ポチは白い犬だ〉という事実から、私は〈ポチ〉という対象および〈白い〉や〈犬〉という概念を分節化して捉える。私はこの現実世界に生き、この現実世界からその構成要素を分節化し、それを新たに組み合わせなおして、新たな可能性を理解する。それゆえ、反事実的な可能性において反事実的であるのは構成要素の組み合わせ方であり、その構成要素ではない。例えば、〈富士山の上にエッフェル塔がある〉という非現実的な、しかし可能ではある事態の想像において、非現実的なのはその組合せであって、〈富士山〉や〈エッフェル塔〉あるいは〈…の上に…がある〉といった構成要素ではない。それらの対象と概念は現実に存在するものにほかならない。

　そうだとすれば、私は私の論理空間の構成要素を私が経験してきた現実の事実から切り出すしかない。つまり、私の論理空間は決定的に私のこれまでの経験に依存しているのである。[1]

　きわめてささやかな、しかし日常的な事例を挙げよう。誰か初対面の人に会う。その出会いによってはじめて、私はその人物についてさまざまな可能性を考えることができるようになる。つまり、その出会いによってその人物が私の論理空間に組み込まれ、その分私の論理空間は拡大した。もっと大がかりな事例としては、新しい概念を習得した場面が挙げられる。例えば、（なんでもよいが）〈お茶杓の櫂先〉。この概念を学ぶことによってはじめて、私はお茶杓の櫂先を愛で、お茶杓の櫂先についてあれこれ考えることができるようになった。つまり、私の論理空間はお茶杓の櫂先分だけ拡大したのである。[2]

こうして、私の論理空間は変化してきた。そのことを考えるならば、いまの私の論理空間だけが唯一のものだなどとは言えないに違いない。――いや、くやしいが、そんなに気楽な話ではない。独我論の呪縛は、もっとはるかに力強い。

私は過去の私を振り返り、確かに新たな経験を通じて論理空間が拡大してきたことを確認する。では、過去において、自分の論理空間がむしろ縮小ないし削減されたということはないのだろうか。ある話題については、過去の自分の方がいまの自分よりも豊かな論理空間に生きていたということは起こりえないのか。あるいは単純な縮小や拡大ではなく、論理空間がずれる。つまり、論理空間を構成する概念の理解内容が変化し、それによって論理空間のあり方も変化する（例えば幼児の頃の私は「空が怒ってる」を隠喩ではなく文字どおりに有意味とみなしていたかもしれない）、といったことは起こりえないのか。『論理哲学論考』の独我論に従えば、そのようなことは起こりえない。過去の自分の論理空間は必然的に現在の私の論理空間の部分でしかないのである。

あの頃の私はNさんとまだ出会っていなかった。だからその分いまよりも論理空間は小さい。あの頃の私は〈お茶杓の櫂先〉という概念をまだ理解していなかった。だからその分いまよりも論理空間は小さい。こうして語り出される過去の私は、すべていまの私の一部分にすぎない。だが、過去の私はいまの私の思考可能性をはみ出たもの、少年期や思春期ならではのものをもっていたのではないだろうか。そこには、当時もっていたが、いまは失われてしまった思考の可能性があるのではないだろうか。単純に考えても、私は多くのことを忘れてしまっている。例えば、幼稚園のときに一緒に遊んだはずの友だちの名を、悲しいことに私はもう誰ひとりとして思い出せない。あるいは、いまはもう忘れてしまった概念もあるだろう。（高校生の頃、私はもっとはるかにたくさんの概念を教わっていたはずだ。）あるいは、いまももっている概念であっても、その理解はかつてといまとでは異なっているだろう。例えば「生」や「死」といった概念について。あるいはもっと具体的な、例えば「猫」という概念についてでさえ、かつての理解といまの理解は異なっているに違いない。そして、その異なりは、単純にいまの方が過去よりも豊かなどとは言えないようなものであるに違いない。

だが、私はいまの自分の論理空間に欠けているものを捉えることができない。私が思考可能なのはいまの私の論理空間の部分でしかない。それは同語反復的《トートロジカル》にそうなのである。私は、過去の私の論理空間を、私のよりも小さいかせいぜい等しいものとしてしか思考しえない。他者についてもまた。私は他者の論理空間を、私の論理空間の一部分を占めるものとしてしか思考しえない。最大限の敬意を払ったとしても、私の論理空間と同等のものとしてしか思考しえない。しかし、それではとても他者の姿を正当に立ち上がらせているとは言えないだろう。いまの私の論理空間をはみ出た、私と異なる論理空間をもった他者。私はそんな他者を立ち上がらせたいのである。だが、私の前に、繰り返し、ウィトゲンシュタインの声が響く。——思考しえぬことをわれわれは思考することはできない。

私は、この独我論を拒否したいのだ。

第2回　註

1　存在の知識

「私の論理空間は私の経験に依存している」という言い方は過度に単純化されている。われわれが知っている対象や概念の多くは、人の話や本からの知識に基づいているだろう。例えば私はルートヴィヒ・ウィトゲンシュタインなる人物には会ったことがない。しかし、そういう人がいたということは知っている。それゆえ私の論理空間にはルートヴィヒ・ウィトゲンシュタインが含まれている。あるいは、電子という概念を私は自分の経験に基づいて知ったわけではない。そのように、われわれの知識の多くは伝聞や学習に基づいているだろう。

ただし、ここで求められているのがあくまでも存在の知識であるという点は注意しておきたい。存在の知識は「真理の知識」と区別される。例えば「ルートヴィヒ・ウィトゲンシュタインはウィーンに生まれた」という知識は、そのことが真理であるという知識であり、それに対して「ルートヴィヒ・ウィトゲンシュタイン」と呼ばれる対象があるというのが、存在の知識である。あるいは、「電子は負の電荷をもつ」というのは真理の知識であり、電子という概念があるというのが存在の知識である。論理空間は思考可能性の総体であるから、ウィトゲンシュタインや電子が論理空間に含まれているということは、それについて考えることができるということを意味している。つまり、私は別に「ウィトゲンシュタインはウィーンに生まれた」と知らなくともよい。真偽は知らなくとも、「ウィトゲンシュタインはウィーンに生まれた」と考えることができればよいのである。そのために求められるのは、ウィトゲンシュタインに関するさまざまな事実ではなく、ルートヴィヒ・ウィトゲンシュタインという対象の存在にほかならない。同様に、私が電子について考えることができるためには、「電子は負の電荷をもつ」と知っている必要はない。電子という概念があるということ、そして「電子は負の電荷をもつ」が有意味であることを知っていればよい。

それゆえ、伝聞や学習による知識の場合、とくに伝聞の場合にはそうであろうが、そこで伝えられていることの真理性まで知る必要はない。必要なのは、相手のその話が有意味だということである。「ウィトゲンシュタインは日蓮宗の信者だった」と聞いて嘘つけと思う。しかし、それが無意味ではなく虚偽であるということが了解できるのであれば、少なくともウィトゲンシュタインという人物が存在することは知られている。伝聞や学習は、その真理性に対しては眉に唾をつけながらでも、そこから存在の知識を得ることができるのである。とはいえ、真理の知識が皆無であったならば、存在の知識も得られないことになるだろうが。

2　可能性の拡大

ここに、「人は年をとればとるほど可能性が大きくなる」という一見逆説的な主張の余地が生じる。通念に従えば、若い人たちは可能性に満ちている。小学生は将来の夢をあれこれと描く。しかし大学生の頃にはそんな小学生の頃の夢もしぼみかけ、中年ともなればただ味気ない現実を噛みしめるだけとなる。そんな通俗的なイメージがある。だが、それに反して、小学生よりも大学生、大学生よりも中年の方がより多くの可能性をもっているというのである。

この主張が成り立ちうる仕掛けは、こうである。論理空間を構成する要素は経験された現実の事実、あるいは伝聞や学習に基づくことがらから切り出されてくる。ここで、一度知ったことは忘れずにすべて蓄積されていくという（現実にはありそうにない）仮定を立てれば、年齢の増加に伴って経験・伝聞・学習の蓄積は大きくなるはずである。だとすると、その分、論理空間も拡大している。すなわち、可能性の総体は年齢とともに増大していく。かくして、若者よりも中年の方が、より多くの可能性をもつことになる。

とはいえ、ここで「可能性」がそれぞれ異なる意味で使われていることに注意しなければならない。若い人の方が中年よりも多くの可能性をもつと言われるときの可能性は「実現可能性」である。小学生はいくつもの将来の夢を同時に抱くかもしれない。だが、首尾よく一つが実現したとしても、それは他の夢を切り捨てることにもなるだろう。また、年齢とともに、実現するにはもはや手遅れということも増えてくる。小学生のときの私には、将来宇宙飛行士になるという希望もまったく実現不可能な夢ではなかった。しかしいまではそんな可能性はゼロである。一般に、さまざまな夢や希望の実現可能性は、年齢とともに減少する傾向にあるだろう。

これに対して、中年の方が若い人よりも多くの可能性をもつと言われるときの可能性は「思考可能性」である。より多くの対象と概念を知り、それによってより多くのことを考えることができる。その意味では小学生よりも大学生、大学生よりも中年の方が、たくさんのことを考えることができるだろう。

実現可能性が減少し、思考可能性だけが増大する。おかげで愚痴っぽくなる。いや、愚痴っぽくなるかどうかはともかく、論理空間が開く可能性とは、このように思考可能性のことなのである。

3 世の中に「絶対」は絶対ないのか

相対主義

どこに書いてあったのか忘れてしまったが、作家の阿川弘之が娘さんに言った台詞というのがある。「佐和子、世の中には絶対ということはないのだから、「絶対」なんてことばは絶対に使ってはいけないよ。」まことに、含蓄のあるエピソードである。

しかし、「世の中に絶対的なものなどない」という考えには共感する人も多いのではないだろうか。かくいう私もその一人である。「絶対おもしろいから」と言われて観た映画になんだこりゃと思ったり、「絶対うまいぞ」と言われて食べてみたが、まずくはないという程度だったなんてことは、珍しくもないだろう。「絶対的な美しさ」などというものはありはしないし、「絶対的に価値あるとされるもの」もない。そして、「絶対的に正しいこと」もない。もちろん、「そんなことはない」と反対する人もいるだろう。(なにしろ絶対なんてことはないのだから。)

そこで例えば、絶対的な美しさなどないとする立場は「美の相対主義」と呼ばれる。美醜の規準は文化が異なれば異なるだろうし、現在と過去でも違う。下ぶくれで引目鉤鼻の女性は現代日本では必ずしも美しいとはされないだろうが、平安時代の日本では美人ともされたのである。

美に関する相対主義は比較的受け入れられやすいだろう。しかし、真理に関する相対主義はどうだろうか。それは「絶対的な真理も絶対的な虚偽もない」とする立場である。例えば、「人間には非物質的な霊魂が宿っている」という主張は、現代のわれわれからすれば誤りであるが、相対主義はそれを絶対的に誤りであるとは考えない。ある文化、ある社会のもとではそれは正しい主張となりうる。逆に言えば、そのような文化や社会のもとでは、現代のわれわれの唯物論的な信念の方が誤りとされるだろう。

このような相対主義は、現在の自然科学といえどもけっして唯一絶対の真理ではないと考える。そうだとすると、真理に関する相対主義に共感する人はそれほど多くないようにも思われる。しかし、いまはとくに立ち入った検討なしに、率直な気持ちだけを述べておこう。私は真理の相対主義をできれば応援したいと思っている。現在の自然科学だって唯一絶対じゃないぞ、実は、そう思っているのである。

しかし、「できれば応援したい」という言い方しかできないもどかしさがある。というのも、真理の相対主義というものの内実が私にはまだよく分かっていないからであり、さらに、そこには定番の困難とされるものがあるからである。美の相対主義と異なり、真理の相対主義は自分自身に、その相対主義の主張それ自身にはねかえってくる。

相対主義のパラドクス

真理の相対主義はこのように言う、「世の中に、絶対的に正しいものなんてありはしない」。すると意地の悪い人がこう問うのである。「絶対に？」

絶対的に正しいものは、絶対に、ないのか。何と答えよう。「そう。絶対に」と答えると、阿川さんのお父さんのようなことになる。「絶対的に正しいものはない」という主張それ自体は絶対的に正しいというのでは、自らその主張の反例を示していることになる。しかし、「絶対というわけじゃないけど……」とか答えると、「じゃあ、絶対的に正しいものもあるかもしれないってこと？」などとつけこまれることにもなるだろう。いや、実際、どう応じればよいのか。これが、「相対主義のパラドクス」と呼ばれる問題である。[1]

このパラドクスをもって、真理の相対主義が矛盾した立場であると批判されることもある。しかし、そんなに単純な話ではない。冷静に検討していこう。

真理の相対主義は、「すべての主張はそれがよって立つ立場に相対的に真なのであり、絶対的に真な主張などありはしない」と考える。この主張をRとしよう。「それがよって立つ立場」というのはあまりに漠然としているが、いまはその点は問わずにおく。問題は、主張

Rに含まれる「すべての主張」の中にR自身も含まれるのか、ということである。含まれるのならば、相対主義の主張Rもまた、立場に相対的に真なのであり、立場が異なれば誤りともなる。ややこしいのは、これが相対主義自身の主張だという点である。ちょっと戯画化して、こんなふうに述べてみよう。「すべての主張は相対的である。しかし、すべての主張は相対的なので、この主張自身もまた、相対的でしかない。つまり、相対主義は私にとっては正しいのだが、相対主義に反対するあなたにとっては誤りであり、でも、私は相対主義者だから、そんなあなたの立場も、もちろん認めるわけだ。」なんだか、「それでいいのか、おい」と突っ込みを入れたくなるだろう。

他方、相対主義の主張Rに含まれる「すべての主張」ということの内にR自身は含めないとしよう。この場合、「この主張R自身は例外であり、Rだけは絶対的に正しい」と付け加えることになる。そして、例外を設けること自体は、矛盾ではない。しかし、例外を設けることによって相対主義者は、自らを苦境に立たせることになりかねない。真理の相対主義を唱える者は、なぜ「すべての主張は相対的に真」と考えるのか、その理由を述べなければならない。例えば、「すべての認識はわれわれがどのような概念体系をもつかに依存しており、そして概念体系は文化・社会によって異なりうるからだ」と答えたとしよう。これだけだとまだよく分からない理由説明でしかないが、それは大目に見ていただきたい。問題は、どうして相対主義の主張だけが概念体系に依存せず、絶対的な真理性をもちうるのかが、この説明ではまったく不明でしかない、という点にある。相対主義の主張Rだけは例外だとする真理の相対主義を受け入れる者は、ただRだけを例外としつつ、なおそれ以外のすべての主張を相対的とみなすまっとうな理由を与えなければならない。

相対主義の主張もまた相対的真理か

「相対主義の主張自身も相対的である」という最初の考えをさらに検討しよう。冷静に見れば明らかだろうが、この考え自身もけっして矛盾ではない。一見すると「絶対的なものはない。しかし、その主張もまた相対的であるから、絶対的なものもありうるのだ」と、まるで矛盾したことを述べているようにも見える。だが、それは立場に相対的なのであり、ある立場にとっては「絶対的なものはない」が真であり、他の立場にとっては「絶対的なものはある」が真となる、と述べているにすぎない。実際、何人もの論者がそのような指摘を行なっている。（飯田隆「相対主義的真理観と真理述語の相対化」哲学会編『哲学雑誌』、一九九九年、J.W.Meiland, “On the Paradox of Cognitive Relativism,” *Metaphilosophy*, Vol.11 (No.2), 1980.（入不二基義訳、ジャック・メイランド「認識の相対主義のパラドクスについて」、『山口大学哲学研究』、一九九七年）、入不二基義『相対主義の極北』、春秋社、二〇〇一年）

ここで興味深いのは入不二基義の議論である。入不二は、相対主義が自分自身を相対化することに矛盾はないどころか、それは極限まで徹底されるべきであり、それによって相対主義の真の姿が示されてくる、と論じる。なかなかに技巧的な議論であるが、紹介してみよう。

「どんな主張の正しさも立場によって異なりうる」、これをテーゼR_1としよう。この「どんな主張」と言われるものの中にはR_1自身も含まれる。そこでR_1を自分自身に適用する。その結果、「R_1の正しさは立場によって異なりうる」という主張が出てくる。これをテーゼR_2としよう。さらにこのテーゼに対しても相対化が為される。すなわち、「R_2の正しさは立場によって異なりうる」。これはテーゼR_3とされる。そしてR_3も相対化される。以下同様。無限にこれが続く。

入不二は相対主義を一つの固定したテーゼとはみなさない。テーゼR_1は最初の一歩にすぎない。そこから始まる無限の運動、それこそが、相対主義の徹底された姿だというのである。私は、相対主義をテーゼとしてではなく運動とみる彼の考え方に大きな魅力を感じる。ただ、難を言えば、議論が抽象的すぎてテーゼR_3あたりから何を言ってるのやら分からなくなり、テーゼR_3とR_4の内容上の違いは、もう私の脳みそでは感知不可能になってしまっていることである。そのため、「無限の運動としての相対主義」というロマンティックな表象は、私の中では「無限回のその場足踏み」という、あまり歓迎できないイメージになってしまっている。

議論を戻そう。相対主義の主張自身を相対的な真理とみなす。それはなるほど、論理的な矛盾ではない。しかし、どうも釈然としないのである。私としては、「「絶対」ということばは使っちゃいけないよ」と言いながら、同時に、声にならない声で（絶対にね）と言い添えずにはおれない、そんな気分なのだ。相対主義者が、あくまでも相対主義者として、相対主義という立場をも相対化する。そんなことが可能なのか。相対主義はなんらかの絶対性をもつのではないか。

相対主義の絶対性

ある主張を相対化する、それはその主張の否定にも選択の余地を与えることにほかならない。例えばある人が「神は存在する」と主張し、同時に自分のその主張を相対化するということは、他の立場にとっては「神は存在しない」が正しくなるかもしれないと認めることであり、それゆえ、「神は存在しない」という主張を引き受けるという選択肢もありうると認めることである。その上でその人は、「神は存在する」という主張を正しいものとする立場を選びとったのである。「神は存在しない」という主張は、その人としては選択しないだろうが、しかし、絶対に選択不可能というわけではない。これが、相対化ということにほかならない。

だとすれば、相対主義の主張自身を相対化するとき、私は、相対主義の否定、すなわち絶対主義にも選択の余地を与えることになる。私は、自分の前に「相対主義か絶対主義か」という選択肢を開いて、その上で相対主義を選ぶ。そして人によっては、それこそが相対主義を徹底するということだ、と言うだろう。なるほど、相対主義者である私の前に「相対主義か絶対主義か」という選択肢が開かれること、そのこと自体に矛盾はない。しかし、それが相対主義として一貫した態度なのだと言われると、当惑せずにはおれない。

相対主義を否定するという選択肢を、相対主義者として、とりうるのだろうか。不可能だろう。もちろん相対主義者が相対主義を捨てることには矛盾はない。それはたんなる転身である。しかし、相対主義であり続けつつ、なお同時に相対主義を捨てるというのは、あからさまに矛盾している。

立場αでは相対主義が正しく、立場βでは絶対主義が正しいとしよう。そのとき、相対主義者は立場βを選択するという可能性を本気で引き受けることができるのだろうか。あくまでも相対主義者として立場βを選ぶということは、「私は立場βを選んだので絶対主義を主張するが、選択肢としては立場αもありえたのだ」と考えることにほかならない。しかし絶対主義はまさに自分の立場を絶対的と考えるのであるから、絶対主義に立つや否や、立場βを絶対に正しいものとし、立場αを絶対に誤っているものとして切り捨てるだろう。絶対主義は立場の複数性を否定する。他の立場の可能性を選択肢として残しつつ絶対主義になるなどということは、ありえないのである。

だとすれば、相対主義をとり続けようとする者にとっては、立場βはとりえない選択肢でしかない。「相対主義者として一貫するために相対主義自身も相対化する」という言葉は、なんとなく気分は分からないでもないが、つまりは「相対主義であり続けるために相対主義を捨てることも辞さない」ということであり、単純に、意味不明である。

かくして、相対主義それ自身はなんらかの絶対性をもたねばならない。そう結論したい。「すべての主張の正しさは立場に相対的である」という相対主義の主張Rを、R自身に適用することはできないのである。とはいえそれは、RをR自身に対する例外とみなすことではない。そうではなく、Rはそもそも主張ではないと言いたい。Rは主張ではない。だから、Rが言う「すべての主張」の中には含まれない。

入不二の示した無限運動においても、相対主義は固定された一つのテーゼではなかった。そこにおいて相対主義は、むしろいっさいの主張を相対化しようとする力として働いていた。その意味で、相対主義は語りえないのである。そしておそらくこの言い方には入不二も共感してくれるに違いない。相対主義をひとつの主張として語り出してしまうこと、そこにこそ、相対主義のパラドクスの根がある。

「相対主義は語りえない」、この言い方がどれほど安直に響くかは自覚している。しかしさしあたりそうとしか言いようがないのである。もちろんここには『論理哲学論考』の残響がある。「独我論の言わんとするところはまったく正しい。ただ、それは語られえず、示されている」、そうウィトゲンシュタインは述べた。同じことは反独我論に対しても言えよう。独我論の否定である反独我論も、やはり同様に語ることはできない。そして相対主義もまた。相対主義は、私のものとは異なる他の論理空間の存在を認める点において、まさに独我論を否定しているのである。だから私は、それが私のスタートラインにすぎないことを痛感しつつ、こう言いたい。「相対主義の言わんとするところはまったく正しい。ただ、それは語られえず、示されている。」

第3回　註

1　寛容のパラドクス

「相対主義のパラドクス」と似たものとして「寛容のパラドクス」なるものを考えることができる。私が、「すべてのことに対して寛容であれ」という態度を自分に課していたとしよう（寛容主義）。そうして、私は人の失敗に対して寛容であろうとする。もちろん私自身の失敗に対しても寛容であろうとする。悪事に対しても、私を誹謗中傷する声に対しても、寛容であろうとする。だが、言うまでもなく、世の中には不寛容な人というのも、たくさんいる。では、私はそうした、他人の不寛容な態度に対しても寛容でなければならないのだろうか。

もし私が、たんに自分の生き方としてだけではなく、すべての人に対して寛容主義こそが正しい生き方なのだと説いているつもり（普遍的寛容主義）ならば、これは困ったことになるだろう。「すべての人はすべてのことに対して寛容であれ」と私は説く。しかし、そう説くことにおいて、私は不寛容な人を戒め、その人を寛容さへと導びこうとする。そうして、私は不寛容に対する不寛容を発揮することになる。これは、「すべてのことに対して寛容であれ」という自らの言葉を裏切るものとなるだろう。それゆえ、「すべての人はすべてのことに対して寛容であれ」と言ったあとで、私は、「ただし、不寛容さに対してだけは寛容であってはならない」と付け加えねばならない。

では、たんに自分の生き方として寛容主義を掲げる（個人的寛容主義）ならば、このようなただし書きは不要になるだろうか。いや、そうではないだろう。例えばある人が別のある人の失敗を赦さなかったとする。なるほどこの場面ならば私は、その人の不寛容を許容するだろう。そのようにして、私は他人の不寛容を認め、ただ私だけは徹底的に寛容であろうとする。だが、もし他人が私の寛容さを非難し、私に対して不寛容を強要してきたらどうだろう。例えば、私が他人の悪事に対して寛容さを示そうとしたときに、ある人が私のその態度を責め、「君はこの場面で寛容であるべきではない」と迫るのである。寛容主義たる私は、その人の非難を受け入れ、自分の態度を改めるべきなのだろうか。

もっと端的な場面設定にしよう。私は寛容主義を掲げる。ところがある人がそんな主義は捨て去るべきだと迫るのである。いくら寛容主義でも、いや、寛容主義だからこそ、こんな申し出を受け入れるわけにはいかないだろう。だとすれば、個人的寛容主義の場合であっても、「ただし、私の寛容主義に対する非難に対してだけは寛容であってはならない」と付け加えることになる。

けっきょく、寛容主義は――普遍的であれ個人的であれ――最後の一線で貫徹しえず、どこか腰砕けにならざるをえないのである。

ついでに、寛容主義と相対主義の関係についてもひとこと述べておきたい。相対主義者は、なんであれ「君は君、ぼくはぼくだ。だからお互いに干渉しないでいこう」という態度をとるようにも思える。そこで、相対主義と寛容主義を重ねるようなイメージをもたれるかもしれない。だが、それは誤解である。

まず、「寛容主義に立とうとするならば相対主義でなければならない」という主張を考えよう。「寛容な絶対主義は可能か」と言い換えてもよい。私の結論は、「可能だ」というものである。いま、ある人が絶対主義者であり、そして例えば「写真に撮られると寿命が縮む」と信じているとしよう。そのときその人は、「写真に撮られても寿命は縮まない」と考えている人たちはまちがっていると考えるだろう。これはそれ自体不寛容にも思えるが、必ずしもそうではない。その人は、多くの人が過ちを犯していると考え、同時に、人の犯した過ちや愚かさ（とその人が考えること）に対して寛容を発揮するだろう。つまり、「みんな馬鹿だなあ」と思いながら、でも「かってに寿命を縮ませればいいさ」と考えるのである。かくして、寛容な絶対主義というのは可能だと言える。

次に、「相対主義ならば必ず寛容主義である」という主張を考えよう。言い換えるならば、「不寛容な相対主義は可能か」という問いである。これに対しても私は、「可能だ」と答えたい。もちろん寛容な相対主義（草食系相対主義）もいるだろうが、不寛容な相対主義（肉食系相対主義）もいると思うのである。

例えば、趣味に対してはたいていの人は相対主義をとる。趣味は人それぞれである。だが、それにもかかわらず、他人の趣味に不寛容な人というのはいる。もちろん、相対主義であるから、趣味に関して絶対的な正しさなどはないと考えている。だが、正しいとか正しくないとかではなく、自分の趣味に合わないものは生理的に許しがたいのである。とはいえ、相対主義なので、相手の趣味も自分の趣味もどちらも絶対的なものではなく、その意味で対等であると考えている。自分は相手を悪趣味だと思う。相手は逆に私のことを悪趣味だと思うだろう。どちらが正しいというわけではない。だが、私は相手の趣味を許容できない。相手も私の趣味を許容できないかもしれない。そこで、お互いに自分の趣味を押しつけ合う。絶対的な正しさなどはないから、理を尽くした説得でどうなるというものではない。いわば、声の大きい方、力の強い方が勝つ。まさに、「肉食系」と称する所以である。

真理に関する相対主義にも肉食系はいる。例えばある人が「写真に撮られると寿命が縮まる」と信じているとしよう。ただしこんどはその人は相対主義者としてそう信じているとする。相対主義であるから、自分の考えが絶対的に正しいと考えているわけではない。しかし、自分と同じ考えの人が増えることを望み、「写真に撮られても寿命は縮まらない」と考えている人たちに対してその考えを改めるように働きかけるかもしれない。それはちょうど、あるタイプの宗教家の態度と同じであると言えるだろう。その宗教家は、自分の信じている宗教が絶対的に正しいとは信じていない。どんな宗教もその信仰の内部にいる者にとっては正しい。その意味ですべての宗教は対等である。しかし、そう考えていることと、自分の信じている宗教の信者の数を増やそうとして布教活動をすることは別である。同様に、「写真に撮られると寿命が縮まる」が真であると考えている肉食系の相対主義者は、それを真と信じている人の数を増やすべく、「布教活動」にいそしむだろう。実際、トマス・クーンのパラダイム論に基づく、いわゆる「クーン主義」が描く科学者像は、肉食系の相対主義であると言える。
ちなみに、私はどちらかといえば、草食系である。

4　真理の相対主義は可能か

マナーと真理

食後にげっぷをするのは正しいマナーなのか。

「文化による」というのが、冷静な答えだろう。欧米は日本よりもげっぷに対してより厳しい態度をとる（おならより下品）というし、あるいはアラブ諸国ではむしろ食後のげっぷが礼儀だなんてことも（ほんとかな）聞く。

マナーは、だから、おそらく誰もが相対主義を認める一方の極だろう。逆に、相対主義が認められがたい反対側の極は何かと言えば、「真理」である。「真理」という言葉は、それを共有しない者は教育せねばならぬ、教育もできない蒙昧の輩は排除せねばならぬといった、きわめて権力的な臭いを発散させているように、私には思われる。

そこで、真理に対してはむしろ絶対主義的立場をとる人の方が多数派となるだろう。だがそれでも、真理に対して相対主義に立ちたいと考える人たちもいる（前回述べたように、私はその一人だ)。では、真理もまた、マナーと同様に、「郷に従う」べきものなのだろうか。例えば、「人間には非物質的な霊魂が宿っている」という主張は、現代のわれわれには虚偽とされるだろうが、絶対的に虚偽なのか、それとも、ある文化にとっては真理でありうるのか。

それを「美しい」と翻訳してよいのか

真理の相対主義の問題をあぶりだすために、美の相対主義について少し考えてみよう。「美の規準は文化によって異なる」という主張は比較的受け入れられやすいと思われる。だが、考えてみると、どうしてそんなことが言えるのか。いや、これがなかなかに難しいのである。

まったく未知の言語を翻訳することを考えよう。(このような状況は「根元的翻訳」の場面と呼ばれる。)そんな翻訳のある段階で、「ブー」という言葉の翻訳が問題になってきた。どうも「ブー」は「美しい」に対応する言葉のようだ。しかし、実に興味深いことに、われわれが美しいと言いたくなるものに対して、しばしば彼らは「ブー」を適用しない。それどころか否定の言葉(「ネ」としよう)をつけて「ネブー」とさえ言う。秋の紅葉に彩られた陶然とするような風景を見る。「ネブー」。これぞというような美人。「ペネブー」(「ペ」は「とても」を意味する)。逆にわれわれにはぜんぜん美しいと思えないものに対して「ブー」

とか「ペブー」と言う。いやあ、美の規準は文化によってずいぶん違いますな、……なんてことが、どうして言えるのだろう。

問題は、そのような状況でなお「ブー」を「美しい」と翻訳できるのか、ということである。われわれが「美しい」と言う多くのものに対して「ブー」は否定される。逆にわれわれが美しくないと感じる多くのものに対して「ブー」と言われる。ならば「ブー」は「美しい」とは訳せないと考えるべきではあるまいか。つまり、「ブー」を「美しい」と訳すためには、「ブー」の規準は「美しい」の規準とおおむね一致していなければならないのではないか。だが、そうだとすると、美の相対主義は成り立ちえないことになる。

しかし、それでも、美の規準は文化によって確かに違うと、多くの人は考えるだろう。用語をひとつ導入しよう。ある述語に対して、その述語が正しく適用される対象の全体をその述語の「外延」と呼ぶ。例えば「猫である」という述語の外延はそれが正しく適用される対象の全体、つまり、タマやクロやビーやグーグーといった猫たちであり、「赤い」の外延はさまざまなものや場所において見られる赤い色の全体である。

いま、「ブー」と「美しい」の外延（何がブーとされ、何が美しいとされるか）はずいぶん異なっていると想定されている。そこで、もし「美しい」の意味がその外延によって完全に規定されているのであれば、「ブー」を「美しい」と翻訳することはできなくなる。それゆえ、美の相対主義が成立しうるためには、「美しい」の意味は外延以外のものによって規定されるのでなければならない。では、それは何か。

美しいものに対する態度

「美しい」の意味についてここで十分に議論することはできないが、ひとつのヒントは、「美しい」の意味は、何が美しいとされるのかだけではなく、美しいものに対してどういう態度がとられるかにもよる、という点にある。例えば、あるものを前にして「ブー」と発言するとき、彼らはブーなるものに接することに喜びと快を見出すだろうし、それを肯定的に捉え、求め、だいじにしようとするだろう。もちろん、こんなぞんざいな言い方では美しいものに対する態度の特徴をまだぜんぜん取り出せてはいないが、ともあれ、このような態度の内にこそ、「ブー」と「美しい」の共通性が見出されるに違いない。

単純にすぎることを恐れずに言えば、ある述語の翻訳をするとき、考慮すべきことがらは二つに区分される。ひとつはその述語の外延（対象）であり、もうひとつはその言葉を用いる主体の態度・ふるまいである。美に関して相対主義が成り立つのであれば、「ブー」を「美しい」と翻訳するときには、主体の態度・ふるまいに依拠してその翻訳が決定されるのでなければならない。

分かりやすい例として「おいしい」を考えてみよう。そしてどうも彼らの「デリ」という語が「おいしい」に対応するのではないかと当たりがつけられる。ここで、イメージしやすくするために、ちょっと奇妙な想像をしてみたい。翻訳を試みている研究者は現地の人たちの映像を見せられている。ただし、なぜか彼らが食べているものにはモザイクがかかっているのである。彼らは、モザイクのかかった何ものかを口にして、あるときには「デリ！」と言い、あるときには否定の「ネ」をつけて「ネデリ……」と言う。「デリ」のときにはうれしそうな顔をして、食も進んでいる。「ネデリ」のときには逆に、嫌そうな表情で、手も出ない。そんな映像を大量に見せられることによって、何を食べているのかは分からなくとも、「デリ」が「おいしい」と翻訳できるということは確定されていくと考えられる。「おいしい」は、おいしいものという外延よりも、むしろ主体の態度の方に、その意味の重みがかかっている言葉にほかならない。

美の相対主義が成立しうるには、「美しい」もまたある程度「おいしい」のようなタイプの語でなければならない。さもなければ、美の規準が著しく異なる文化における「ブー」を「美しい」と翻訳することはできず、それゆえ「美しさの規準がずいぶん違う」とも言えないことになる。

「赤さ」の相対主義

逆に言えば、「おいしい」のような、いわば「主体主導型」の言葉ではなく、むしろ外延（対象の側）にその意味の重みをかけるような「対象主導型」の言葉の場合には、相対主義の成立は難しいということである。例えば、そのような対象主導型の言葉として「赤い」を考えてみよう。

「赤さの規準は共同体によって違う」と言えるだろうか。もし言えるならば、「この果実は赤い」といった主張の真偽が共同体によって異なるということになり、それは「赤い」に関して真理の相対主義が成り立つことを意味している。だが、冷静に考えると、それは不可能である。いま、「レドン」の翻訳として「赤い」が検討されているとしよう。ところが、われわれが「赤い」と言うものの多くに対して彼らは「レドン」とは言わない。さらにはまったく赤くないものに対してしばしば「レドン」と言いもする。この状況で、どうして「レドン」を「赤い」と翻訳できるだろう。無理である。

混乱しそうなところであるから、ゆっくり考えよう。「赤い」の意味はそれが表わす色の範囲によって定まる。その範囲が異なれば、それはその分意味が異なっている。そこでいま、日本のある地域Aと地域Bで、「赤い」が表わす色の範囲が少しだけ異なっていたと想像してみよう。両者はおおむね一致しているのだが、ある種のオレンジ色に対して、例えば、ブラッドオレンジの果実の色に対して、地域Aの人たちはそれを「赤い」と言うが、地域Bの人たちは「赤くない」と言うのである。そのとき、「この果実は赤い」という主張の真偽は地域に相対的だ、ということになるのだろうか。つまり、これは真理の相対性の一例なのだろうか。

そうではないことに注意しなければいけない。地域Aと地域Bでは「赤い」が意味する色の範囲がずれている。つまり、両者は同じ「赤い」という文字を用いてはいるが、その意味はわずかに異なっているのである。強く言えば、同音異義と言ってもよいだろう。そこで、両者を「赤いa」と「赤いb」のように区別しよう。ブラッドオレンジは「赤いa」とされるが、「赤いb」ではないとされる。

もし、地域Aと地域Bの人がお互いに「赤いa」と「赤いb」の意味を正確に理解しえたならば、両者はお互いの発言に同意を示したに違いない。「そうだな。これは赤いaだけど、赤いbではないね。」地域Aの人も地域Bの人も、ブラッドオレンジを前にしてそう言うだろう。つまり、地域Aにおける「この果実は赤い（赤いa）」という主張は、地域Bでもやはり、真なのである。

かくして、「赤さの規準は共同体によって違う」という主張は成立しえない。「赤さ」について真理の相対主義は不可能なのである。では、このことは、より一般的に、真理の相対主義がありえないことを示しているのだろうか。

真理の相対主義の根本的な問題

真理の相対主義は、同一の意味内容の主張に対して、文化・共同体によってその真偽が異なることを主張する。しかし、真理と意味は密接に関係している。そこで、真理の相対主義の場合には、真偽が異なるとされるその同一の主張を確保することが難しくなるのである。真偽において評価が正反対であるのに、どうして両者が同じ内容のことを意味していると言えるのか。これが、真理の相対主義の根本的な問題にほかならない。（同様の問題を提示したものとして、前回も言及した、飯田隆「相対主義的真理観と真理述語の相対化」、およびChris Swoyer, "True for," in J.W. Meiland and M. Krausz eds., *Relativism. cognitive and moral*, University of Notre Dame Press, 1982.（この本は産業図書から翻訳が出ているが、残念ながらお薦めできる翻訳ではない）がある。）

根元的翻訳の場面を考えよう。いま問題にしたいのは真理の相対主義であるから、真偽の言える文、すなわち記述文の翻訳を考えればよい。実際に未知の言語をゼロから翻訳する作業は気が遠くなるような膨大な作業の積み重ねになるだろうが、ここではわれわれの考察に関連するかぎりで、単純化して考える。例えば、現地の人たちが「ザーザー」と発話したとする。まず作業仮説として、「ザーザー」が記述文であること、そしてその発話においてその人たちは真な何ごとかを言っていること、その二点を仮定する。もちろんこの仮定がまちがっている可能性はある。それゆえ、以下の作業がうまくいかないようであれば、この仮定を疑わなければならない。しかし、幸い作業は順調に進んだとしよう。

すると、「ザーザー」はこの状況で真であるような何ごとかを意味していることになる。問題はこの状況のどういうところが「ザーザー」を真にしているのか、である。それが発話された状況はさまざまに記述されうる。色とりどりの花が咲いている。黒い犬が寝ている。木立がざわめく。その人はなんとなくうれしそうな顔をしている。そして、雨が降っている。どの特徴が「ザーザー」を真にしているのか。

いくつもの場面を見なければならない。そして、日本語で「雨が降っている」と記述できる状況では「ザーザー」と発話され、日本語で「雨が降っている」とは言えない状況では「ザーザー」という発話もなされないということが分かってきたとする。ときには、こちらから問いかけてみることもすべきだろう。（この頃には、尻上がりに発音すれば疑問になること、また、首を縦に振れば同意で、横に振れば不同意であることが分かってきているとしよう。）日本語で「雨が降っている」と記述できる状況で、こちらから発話してみる。「ザーザー？」首が縦に振られる。やった。雲ひとつない青空の下で、「ザーザー？」馬鹿かこいつはという顔をされ、首は横に振られる。そうこなくっちゃ。

こうして、「ザーザー」は「雨が降っている」という日本語に翻訳される。もちろんこんなに単純ではありえないだろうが、こんなプロセスがもし大筋としてはずれていないのであれば、ここには真理の相対主義が入りこむ余地などないと言わねばならないだろう。まさに日本語の「雨が降っている」が真になる状況において、「ザーザー」も真になる、そのことが、「ザーザー」を「雨が降っている」という日本語に翻訳することの基盤になっているのである。

一般的に言って、記述文Sが記述文Tに翻訳されるとき、その翻訳はSとTの真偽の一致を見込んでなされる。だとすれば、相対主義が言うように、文Sと文Tの真偽が一致しない可能性を認めるとき、それは逆に文Sと文Tの内容が同一ではないことを意味してしまうように思われるのである。そのとき、同一の内容の主張に関して、その真偽が共同体によって異なりうる、とする相対主義の主張は不整合ということになるだろう。ならば、真理の相対主義は成立不可能、そう結論しなければならないのだろうか。[1]

いや、必ずしもそうではない。

第4回　註

1　翻訳と真偽

「文Sを文Tに翻訳するときには、SとTの真偽は一致する」という点に関しては、いささかややこしい事情がある。

例えば、いま未知の言語の翻訳作業を進めており、「コンコ」という語が「狐」に対応しそうだと当たりをつけたとする。そこで、向こうの茂みに狐を見つけたとき、私はそちらを指差し、現地の人（Aさん）に「コンコ？」と尋ねたとする。ところがAさんは首を横に振り、それを否定した。このとき私はどう考えればよいだろうか。

ひとつには「コンコ」は狐を意味するのではなかったと、これまでの仮説を修正することである。しかし、必ずしもそうとばかりはかぎらない。Aさんが見まちがえたという可能性もある。例えばAさんはそこにいるのが犬だと思い、それで「コンコ？」という質問に対して首を横に振ったのかもしれない。

翻訳にとっては、その文がどういう状況で発話されたのかということが重要なデータとなる。しかし、現地の人の状況把握とこちらの状況把握は必ずしも同じとはかぎらない。私は狐がいると思っても、その人は犬がいると見まちがえているかもしれない。あるいは、私はコウモリを哺乳類だと思っているが、その人はコウモリを鳥の一種と思っているかもしれないのである。ここに、未知の言語を翻訳する難しさがある。

翻訳作業の最初から、相手の状況把握が私と異なっている可能性を考慮に入れていたのでは、翻訳を進めることはできなくなる。そこで翻訳作業の初期は、猫が足元で寝ているとか、食卓の上に果物があるといった事実のように、まちがった状況把握をするとは考えられないような歴然たる状況に関してデータ収集をしなければいけない。そこでは、私の状況把握を相手も共有していることを前提として、翻訳作業を進めていくのである。

だから、「コンコ」についても、遠くの茂みに潜んでいるコンコなどを最初から話題にしてはいけない。最初はコンコがすぐ目の前にいる場合を話題にして、そうした状況での発話を数多くデータとして収集し、そうして「コンコ」は狐であって犬ではないという確信を強めていくのである。その上で、遠くの茂みに潜む狐を話題にするならば、私が「コンコ！」とそれを指差し、相手が否定したとしても、私はそれを相手の見まちがいだと判断することが可能になるだろう。

このように、相手の状況把握が私と違うことが判明するのは、相手の発言の意味があ る程度理解できるようになってからでしかない。そこで、ある程度発言の意味が理解でき、ある程度相手の状況把握と私の状況把握の違いも分かるようになってきた段階を考えてみよう。そして現地語の「S」は日本語の「T」に翻訳されそうだと分かってきたとする。さて、私にはいま状況は日本語で「T」と表現されるものだと思われた。目下の仮説では「T」は現地語で「S」である。そこで私は、現地の人に向かって現地語で「S?」と尋ねる。ところが、その人は首を横に振り、それを否定したとしよう。翻訳作業がある程度進んだ段階であれば、ここで私は二つの可能性に頭をひねることになる。一つは、「S」と「T」は意味が違うのかもしれないという可能性。そしてもう一つは、私とこの人とでは状況把握が異なっているのかもしれないという可能性である。

そのどちらなのか、それはケース・バイ・ケースでさまざまな事情を勘案しながら判断されていくことになる。そして「S」の翻訳がたんに「T」ではなく、もう少し微妙に修正されるかもしれないし、翻訳はそのままで私かその人の状況把握が訂正されるかもしれない。

だが、いずれにせよ、翻訳作業の初期の段階では、状況把握が異なるという可能性には目をつぶり、相手の発言の意味にだけ調査を集中させなければ、作業を進めることはできない。「記述文Sが記述文Tに翻訳されるとき、その翻訳はSとTの真偽の一致を見込んでなされる」と述べたのは、そのような翻訳作業の初期についてのことである。狐が目の前にいて、それが犬ではなく狐であることは明らかだと考えられる場面で、私が「コンコ？」と尋ね、相手がそれに対して首を横に振りそれを否定するのであれば、「コンコ」を「狐」と翻訳することはあきらめねばならない。私にとって「狐がいる」が真であることが明らかな場面で、「コンコ」がいることもまた現地の人たちにとって真であるのでなければ、「コンコ」を「狐」と翻訳することはできないのである。

5 霊魂は（あるいは電子は）実在しうるのか

人間はタンパク質やら脂身といった物質の塊にすぎない。それに加えて非物質的な霊魂のごときものなど存在しない。たいがいの人はそう考えているだろう。私も、そう考えている。以前、百人近くいる授業のときに、ふと好奇心にかられて学生諸君にどう思っているか尋ねたことがある。まあ、霊魂を信じているというのに手を挙げるのもなかなか度胸がいるだろう。かわいそうに、一人だけ手を挙げて、ありゃりゃとばかりに周囲を見回していたっけ。隠れ霊魂派もいるのだろうが、ほとんどは霊魂など信じていないに違いない。つまらぬ世の中になったものである。

だが、過去において、あるいは現在でも、霊魂を信じていることの方がふつうという社会はあるだろう。そしておそらく現代日本に生きる多くの人は、そんな社会の人たちがもっている信念を虚偽とみなすだろう。だが、私はそこにおいて相対主義に立ちたいと考えている。私自身は霊魂の存在を信じてはいない。しかし、霊魂の存在を信じる社会は、けっして虚偽の信念をもっているわけではない。彼らにとっては、霊魂が存在することが真実であり、人間がたんなる物質の塊にすぎないということの方が虚偽なのである。

だが、前回の私の議論が正しいならば（正しいと思うが）、少なくとも「赤さ」について真理の相対主義は成り立ちえない。では、「赤さ」について示された議論は「霊魂」についてもあてはまるのだろうか。もしそうなら、「霊魂」についても真理の相対主義は成り立たないことになる。

レドンとプシコ

まず、前回の議論を簡単に振り返っておこう。

ある共同体の「レドン」という語の翻訳を考える。「レドン」が「赤い」と翻訳されるには、「レドン」と呼ばれるものが赤いものに一致することが求められる。だとすれば、われわれと彼らとで赤という色の範囲（外延）は一致しなければいけない。外延が異なるのであれば、それはたんに「レドン」は「赤い」という意味ではないということである。かくして、「赤さ」について真理の相対主義は成り立ちえない。

この議論は「霊魂」についてもあてはまるのだろうか。「霊魂」と翻訳される語を「プシコ」としよう。その翻訳においても、彼らが「プシコ」と呼ぶものとわれわれが「霊魂」と呼ぶものの外延における一致が求められるのであれば、やはり真理の相対主義は成り立たないことになる。もしそんな一致が必要であるならば、霊魂の存在に関してわれわれと彼らとで意見が異なることもありえないだろう。

それゆえ問題は、「レドン」と「プシコ」、「赤い」と「霊魂」の違いである。それらの間に、一方は真理の相対主義が成り立ちえず、他方は真理の相対主義が可能となるような、そんな違いが見出せるだろうか。

私としては「もちろん見出せる」と答えたい。そしてその答えはさしあたり単純である。「赤い」は見れば分かるが、「霊魂」は見ても分からない、これである。霊魂は（存在したとして）見ることができない。さわることもできない。だから、いくらその存在を信じている彼の地の人々といえども、何かを「プシコ！」と指さすわけにはいかない。そしてわれわれも、「これはプシコですか？」などと気楽に尋ねることはできないのである。それに対して、赤いものは見ることができる。彼らも血を指さして「レドン！」と言うことができる。

知覚できないものを外延としてもつ概念を、「経験超越型」の概念と呼ぶことにしよう。経験を超越しているといっても、別にいかがわしいものでも不思議なものでもない。経験超越型の概念など、さほど珍しいものではない。例えば、「電子」。電子もまた、見ることもさわることもできはしない。では、「霊魂」が経験超越型の概念であることが、真理の相対主義とどう関わってくるのだろうか。

経験超越型概念の役割

経験超越型の概念の働きは、経験を説明し、経験に秩序を与えることにある。そのことを見てとるため、「電子」を例にとって、その概念の働きを見てみよう。

あくまでもことがらの構造を見るために、なるべく単純な場面を考えたい。あなたの前に実験装置が置かれてある。そこで「真空放電」と呼ばれる現象を生じさせる。すると、その隣に置かれた蛍光板上に発光点が現われる。（かつてのブラウン管テレビはそうやって画面上で発光点を走らせていたわけである。）「真空放電」をやめると発光点も消える。また「真空放電」と発光点の間に衝立を置いても、発光は消える。さらに、「真空放電」と発光点の間に「電圧をかける」と呼ばれる操作をすると、それに応じて発光点は位置を変化させる。これが、あなたの目撃した現象である。

「電子」はこうした現象を説明するために導入された理論的概念にほかならない。「真空放電」と呼ばれる現象によって電子なるものが発射される。それが蛍光板に当たって蛍光板が光る。そして電子は負の電荷をもつので、その途中経路に電圧をかけると、それに応じて軌道が変化する、というわけである。ここにおいて、電子そのものは観察されていないし、観察可能と考えられてもいない。電子は、一連の観察結果を説明し、それらを関連づけ、秩序立てるのである。

「プシコ」にも同様の性格がある。プシコそのものは観察可能とは考えられていない。それは彼らの経験を説明し、彼らの経験を関連づけ、秩序立てる役割をもっている。例えば彼らは人の臨終のさいに、プシコがその人の体から離れていったと言う。あるいは、父は死んだが父のプシコはまだ生きている、のようにも言う。こうしてプシコは、彼らの死生観・人間観を形作っている。

「プシコ」の翻訳

それゆえ、「プシコ」のような経験超越型の言葉の翻訳は、「レドン」のように彼らの経験記述だけに注目すればよいというわけにはいかない。むしろ彼らが自分たちの経験をどう説明するのかを見ていかねばならないのである。

そこで、最も素朴に考えれば、その翻訳は次のように為されるだろう。まず、関連すると思われる経験を記述したものについて翻訳を確定する。それはあくまでも知覚可能な範囲での記述であり、例えば「板のしかじかの位置が光った」とか「脈拍が止まった」といった記述である。次に、彼らがそうした現象をどう説明しているかを見る。そしてその説明において経験超越的な語が果たしている役割を理解する。もしそれで彼らの「エレコ」という語が果たしている説明の役割が日本語の「電子」に相当すると分かったならば、「エレコ」は「電子」と訳される。あるいは同様にして「プシコ」は「霊魂」と訳される。

もちろん、実情はこんなに単純ではありえない。例えば「真空放電」や「電圧」がすでにして理論的な言葉であることからうかがえるように、経験記述はしばしば理論的な言葉を用いて為される。それゆえ、まず経験記述の翻訳を仕上げてから、続いて経験超越的な言葉の翻訳にとりかかる、というような単純な流れではありえない。経験記述の翻訳をある程度進め、それに基づいて経験超越型の言葉の翻訳を少し進め、それに基づいてまた経験記述の翻訳を進める。あるいは思いきって経験超越型の言葉の翻訳を作業仮説的に与え、そのもとで経験記述の翻訳を進めてみる。うまくいかないようならばその仮説は修正・撤回され、順調に進めば定着していく。このような行ったり来たりの手探りが、長期にわたって繰り返されねばならない。

「プシコ」の翻訳がこのように進められるべきものであるならば、「赤い」の場合に為された真理の相対主義批判は「霊魂」に対してはあてはまらないと言えるだろう。「レドン」の翻訳のさいには、「レドン」と呼ばれるものをわれわれもまたこの目で見ることが必要だった。だが、「プシコ」の翻訳に要求されることは、彼らが「プシコ」を用いて為すさまざまな説明を理解することである。そしてわれわれは、自分たちが正しいと信じている説明しか理解できないわけではない。人の説明に対し、それを理解し、かつ「まちがっている」と評価することはありうるだろう。かくして、彼らが真とみなしているある主張を、「人間には霊魂が存在する」のような、現代日本の社会においては偽とみなされる日本語の主張に翻訳することが、可能となる。

霊魂の相対主義へ

では、彼らの霊魂的人間観とわれわれの唯物論的人間観はどちらが正しいのだろうか。おそらく多くの人は霊魂的人間観を誤りとみなすだろう。しかし、霊魂的人間観が「誤り」であるとは、いったいどういう意味なのだろう。それはたんに、彼らの信念がわれわれの信念とは違う、というだけのことではないのか。

なるほど、もしある立場や理論が、全体として不整合であったり、どうしても説明できない反例に直面していたりするのであれば、その立場や理論は維持しがたいものとなるだろう。そしてそうであれば、そのような立場や理論を「誤り」と糾弾することも分かる。だが、いま、霊魂的人間観は整合的であり、彼らの経験を十全に説明してくれるとしよう。その意味で、彼らの霊魂的人間観はいかなる破綻も示していない。そしてもしそうであれば、それ以上どのような観点から彼らの霊魂的人間観を虚偽と断罪できるのだろうか。

だって霊魂なんて誰も見たことがない。そう言われるなら、電子だって誰も見たことがない、と答えよう。

あるいは、唯物論的人間観と比べると霊魂という余計なものを含んでいる、と言われるだろうか。理論はよりシンプルであるべきだ、と。これは、説明において余計な項目を立てるなという、いわゆる「オッカムの剃刀」の適用になっている。だが、霊魂が余計者だと決めつけるのはそれこそ余計なお世話というものである。彼らの生活はまさにそのような人間観・死生観のもとに成り立っている。彼らの文化にとっては、霊魂はいささかも余計者ではない。

それに対して、われわれの生活は霊魂の存在を前提にしていない。なるほど多くの人が熱心に墓参りなどをするが、たんに形式的な儀式として、より真摯な場合でも、故人を偲ぶよすがとして墓参りをしているのではないだろうか。現代日本の社会においては、経験を説明する仕方としても、また生活における行動様式においても、霊魂は余計者でしかない。だから、われわれにとっては、霊魂的人間観は誤りである。だが、「プシコ」の人々にとってはそうではない。彼らの生き方において霊魂はけっして余計ではなく、彼らにとっては霊魂的人間観こそ、真実なのである。

私は、ここにおいて、霊魂に関する相対主義に立ちたい。

電子は実在しない？

電子の場合も霊魂と同様である。もし、われわれとは異なり、電子に相当する概念をもたない理論を信じ、そのような理論を踏まえてさまざまな実践を営んでいる共同体があったとしたならば、その共同体にとってはむしろ電子なしの理論こそが真理とされねばならない。

しかし、「電子なしの理論」など、可能なのだろうか。正直に言って、私にはよく分からない。だが、クワインが主張した「理論の決定不全性テーゼ」が正しいのであれば、電子なしの理論も可能であるように思われる。立ち入って解説する余裕はないが、少し説明してみよう。

理論の決定不全性テーゼに従えば、可能なすべての観察を尽くしたとしても、それを説明する理論は複数可能となる。つまり、観察を重ねればいつかただ一つの理論だけが正しいと分かるだろうという素朴な期待は、けっして満たされないというのである。いまは詳細は省き、イメージだけを述べよう。夜空の星を星座にまとめることを考えてみてほしい。星座は、見えている星を見えていない線でつなぐ。それゆえそのつなぎ方はけっして一通りではない。オリオンの代わりにドラえもんを夜空に描いて悪い理由はない。同様に（どういう「同様」だとつっこまれそうだが）、与えられた観察結果を電子を用いて説明するだけが唯一のやり方ではない。その同じ観察結果を、電子を用いずに整合的に十全に説明する理論というものも、原理的には可能なはずなのである。[1]

こうして私は、理論の決定不全性に基づいて、電子の存在を唯一絶対の真理とみなすことを拒否する。このような立場は一般に「反実在論」と呼ばれるだろう。だが、その呼び名はあまり居心地がよいものではない。というのも、私は、電子の実在性を信じており、まったくそれを疑ってはいないからである。ただ、私は、われわれの電子の実在性の信念を唯一絶対のものと考えることを拒否する。

——それはつまり、電子の実在性を信じていないということじゃないか！

実在論者の苛立つ声が聞こえるような気がする。だが、真理が相対化されるならば、実在もまた相対化される。少なくとも経験超越的な場面に限っていえば、端的な実在は意味をなさない。電子は、われわれにとって実在する。霊魂は、われわれにとって実在しない。経験超越的な実在は、あくまでもなんらかの立場にとっての実在なのである。それゆえ、電子なしの理論のもとに生きる人々や「プシコ」の人々は、われわれとは異なる世界に生きている。経験超越的な場面では、世界そのものが相対化されるのである。[2]

第5回　註

1　決定不全性

もう少しきちんと説明しよう。

まず「決定不全性」に対するひとつのありがちな誤解を避けておきたい。われわれに与えられている能力は有限であり、時間も限られている。そのため、たとえ人類という単位で考えたとしても、人間が実際に為す観察はごく限られたものでしかない。そしてそのように観察結果が十分なものではないという理由から、手持ちの観察結果を説明する理論が複数考えられ、そのどれとも決めかねるということが起こりうる。いわば、探偵の推理において、証拠不足のために犯人を特定できないでいる状態である。あるいは、邪馬台国の場所に関する論争に決着がつかないでいるなどというのも、こうした証拠不足によるものと言えるだろう。このような場合には、いまは決定できなくとも、将来新たな証拠が手に入ることによって決着がつくかもしれない。

だが、これはいま問題にしたいことではない。いま問題にしたい決定不全性は、人間に可能な観察のすべてが為されたとして、そのすべての観察結果を説明する理論がなお複数ありうるという主張なのである。それを電子という事例に対して適用するならば、いまわれわれは電子という概念を不可欠のものとしてもつ理論（電子ありの理論）を正しいと考え、その理論を用いてさまざまな現象を説明し、技術に役立てている。だが、これに対して理論の決定不全性が言えるのであれば、電子という概念を必要としない別の理論（電子なしの理論）も可能であり、それによってもいまのわれわれの理論と同等に、すべての観察を説明し、同じ技術が開発できることになるだろう。

2　反実在論

理論の決定不全性を引き受け、そこから反実在論的な議論を展開した哲学者として有名なのは、ファン・フラーセンであり、彼の議論は「構成主義的経験論（constructive empiricism）」と呼ばれている。（B.C. van Fraassen, *The Scientific Image*, Clarendon Press, 1980. 丹治信春訳『科学的世界像』、紀伊國屋書店）私もまた反実在論に立つが、しかし、ファン・フラーセンの構成主義的経験論に全面的に賛成するわけではない。

現代のわれわれは電子ありの理論を正しいと信じている。ふつう、そのことから、現代のわれわれは電子が実在すると信じているのだと結論するだろう。科学は観察された現象だけに関わるわけではない。観察結果をもとにして観察不可能な世界のあり方をも知ろうとする。ふつうはそう考えるだろう。だが、ファン・フラーセンはそれに真っ向から異を唱える。科学はただ観察された現象を説明することだけに関わり、それ以上のものではない、そう主張するのである。それゆえ、電子ありの理論が正しいと信じていたとしても、それはたんに電子ありの理論が観察結果を十全に説明することができると信じているにすぎない。それ以上、観察不可能な世界のあり方についての信念などをそこに伴わせる必要はないというのである。

では、電子は実在するのか。この単刀直入な問いにはどう答えられるのだろうか。
――「分からない」、ファン・フラーセンはそう答える。彼自身の言葉を引けば、「科学が記述する世界の観察不可能な諸相の存在については、私は不可知論の立場に留まる」（前掲書、丹治訳、一三八ページ）というのである。だが、これに対して翻訳者である丹治信春は疑問を呈している。ファン・フラーセンの立場に従えば、電子が実在するかどうかは分からないとしても、しかし、人間の認識を超えて、なお電子は実在するかしないかのどちらかであることになる。もしそれがファン・フラーセンの考え方であるならば、それは実在論と言うべきであろう。（前掲書、「訳者あとがき」四一七ページ）
なるほど、ファン・フラーセンの議論は、電子ありの理論から電子の実在を結論しようとする「科学的実在論」と呼ばれる議論に対する反論になっているという意味では、「反‐科学的実在論」と言える。しかし、実在論と反実在論の違いを、認識と独立な実在のあり方を認めるか否か（実在は人間の認識と独立であるとするのが実在論、実在は人間の認識と独立ではないとするのが反実在論）におくならば、ファン・フラーセンの不可知論はむしろ実在論的と言わねばならない。
この点で、私はファン・フラーセンに反対したい。私は、ファン・フラーセンに反して、科学は観察に基づいて観察不可能な世界のあり方をも知ろうとするものであることを認めたい。それゆえ、われわれが電子ありの理論が正しいと信じているということは、われわれが電子の実在を信じていることなのだと言いたい。「ならばおまえこそ実在論じゃないか」と言われるだろうか。いや、そうではない。

私はまた、理論の決定不全性をも認めたいと考えている。ほんとうに決定不全性が成り立つかどうかに関しては強い確信はもてないでいるのだが、多少ぼーっとした頭で、「決定不全性が成り立つといいなあ」と思っている。それゆえ、電子なしの理論も選択肢として可能であることを認めたい。そしてもし電子なしの理論を選ぶならば、それは――私の考えでは――電子が実在しない世界を選ぶということである。他方、われわれは電子ありの理論を選んだ。それはすなわち、電子が実在する世界を選んだということなのである。すると例えば、他の文化がもし現代において電子なしの理論を信じていたとするならば、彼らの住む世界には電子が実在せず、われわれの住む世界には電子が実在するということになる。世界が違うのである。

同様のことは、宗教的な場面ではふつうに起こっていると私は考えている。ある人たちは神が実在する世界に住んでいる。他方私は神が実在しない世界に住んでいる。どちらが正しいというのでもないし、どちらかが正しいはずなのだが本当のところは分からないというのでもない。神が存在するのもしないのも、電子が実在するのもしないのも、それぞれにとって本当だと思うのである。

6　行く手に「第三のドグマ」が立ちはだかる

ダニ族の色彩語

ニューギニアにダニ族という部族がいる。彼らは「モラ」と「ミリ」という二つの色彩語しかもたないという。「モラ」は白と暖色を、「ミリ」は黒と寒色を意味する。（J.R.Taylor, *Linguistic Categorization*, 3rd ed., Oxford U.P., 2003. 辻幸夫他訳『認知言語学のための14章』第三版、紀伊國屋書店）そのとき、例えば私が日本語で「さっきまでの青空はすっかり黒雲に覆われた」と言ったとする。ダニ族はこれを表現することができない。「青」も「黒」も「ミリ」である。

もっとも、ここは慎重にならなくてはいけないだろう。たんに「青」や「黒」に相当する単語がないというだけでは、青という概念や黒という概念をもたないということにはならない。例えば、もし彼らが「晴れた空のミリ」とか「暗闇のミリ」といった表現（ダニ族の言葉を知らないので日本語とチャンポンである点はご寛恕願いたい）をもっており、それが日本語の「青」や「黒」に翻訳可能であるならば、実質的に青や黒の概念はもっていると言うべきである。そこでいま、架空の「タニ族」を考えよう。タニ族は、青の概念も黒の概念ももっておらず、色概念はモラとミリの二つだけであるとする。[1]

復習を少し

ここで前回までのおさらいをちょっとだけしておきたい。私は三つのタイプの言葉を区別した。主体主導型、対象主導型、そして経験超越型である。

主体主導型の言葉（例えば「おいしい」）はその人の態度の表明であり、対象のあり方を記述したり説明したりすることから遠くなる分、真偽を言うことが不適切となる。それゆえ、その相対主義は真理の相対主義ではない。それに対して、経験超越型の典型は「霊魂」とか「電子」であり、私はこの場合には真理の相対主義は可能だと論じた。

さて、ここで問題にしたいのは対象主導型の概念である。

「赤」に関して真理の相対主義は成り立たない、私はそう結論した。ある共同体があるものを「赤い」と言い、別の共同体がその同じものを「赤くない」と言うのであれば、むしろ両者で「赤」の意味が異なるとされるべきである。それゆえ、「赤」のような対象主導型の言葉の場合には、異なる二つの共同体の間で、意味を共有しつつ、真偽だけが異なる、ということは起こりえない。

だが、ダニ族、もとい、タニ族のようなケースはどう考えればよいのだろうか。ここでは、色彩語に対してもなんらかの相対主義の余地が見出されるように思われる。

タニ族の場合に見られる相対主義

真理に関して、絶対主義者は「すべての命題の真偽は立場（文化や時代）によらず一定である」と主張する。われわれの文化で真とされた命題は、あらゆる文化・時代を通じて妥当する真理とされる。いま目の前の空の変化を「青空が黒雲に覆われた」と日本語で表現し、それが真であるとされたならば、それは何語で表現されようと、同じ命題を表現しているかぎり、真であることに変わりはないのである。

ところが、タニ族は青から黒への色の変化を捉える概念をもたない。これは、絶対主義者にとっては、タニ族の欠如を示すものとなる。タニ族は真理を誤って虚偽と捉えるわけではないが、しかしやはり真理を捉えそこねている。

他方、相対主義者は、青と黒を概念上区別できないことはタニ族にとっていささかも欠如ではない、と考える。というのも、彼らはそれで何も困っていないからである。タニ族は青と黒の区別になんの重要性も見出しておらず、その違いにまったく頓着することなく暮らしている。だとすれば、それを「欠如」と呼ぶのはまったく当たらない。（現実のダニ族は石器時代のような暮らしをしているらしい。おそらく、本当に色の弁別に対する関心が非常に低いのだろう。）

質問――タニ族は青空が一面の黒雲に覆われていったその変化を見ていないのか？　いや、実に、このあたりは微妙なのである。眼前の光景にその変化が生じたのだから、彼らもそれは見ていると言うべきだろう。――じゃあ、彼らだってその目で確かに真理を捉えているんじゃないか？

彼らも青空が黒雲に覆われていくのは見ている。しかし、「青空が黒雲に覆われる」という内容をもった判断はしていない。というのも、タニ族には、想定上、そのような判断・思考を可能にする概念がないからである。

われわれは「青空が黒雲に覆われる」という思考をこめて、眼前の光景を知覚する。その思考と知覚を切り離すことはできない。他方タニ族はそのような思考をもちえない。とすれば、タニ族の知覚とわれわれの知覚のあり方は異なると言うべきだろう。タニ族がどのように世界を見ているのかを想像することは、われわれには難しいのである。

ともあれ、「青空が黒雲に覆われる」という思考をもちえないという意味で、タニ族はわれわれが真理と認めるものを捉えていない。そしてそのことを欠如とみなすか否かに関して、絶対主義と相対主義が対立することになる。

概念の相対主義

クリス・スウォイヤーは、真理の相対主義の「強い」ヴァージョンと「弱い」ヴァージョンを区別する。(C. Swoyer, "True for") 強いヴァージョンは、ある立場のもとで真とされる命題が他の立場のもとで偽とされる可能性を認めるものである。それに対して弱いヴァージョンは、ある立場のもとで真とされる命題が他の立場のもとではそもそも表現されえない可能性を認めるもので、いまタニ族の事例でわれわれが考えようとしている相対主義がこれである。

スウォイヤーのこの用語を使うならば、私の主張はこう述べることができる。——色彩語のような対象主導型の概念に関して、強い相対主義は成り立ちえないが、弱い相対主義は成り立ちうる。つまり、意味を共有しつつ真偽だけが異なるという形の相対主義は成り立ちえないが、そもそも概念を共有せず、それゆえ一方の真理を他方は表現することができないという形の相対主義は成り立ちうるのである。

とはいえ、私としては、スウォイヤーの言う強弱の関係にはいささか違和感がある。「一方の真理が他方にとっての虚偽になる」というよりも、「一方の真理が他方にとっては無意味になる」という方が、より過激に感じられないだろうか。そこで、スウォイヤーの用語法は避け、彼が「弱い」と呼ぶ相対主義を「概念の相対主義」と呼ぶことにしたい。この相対主義は、共同体間で諸概念の体系（例えば色概念の体系）が異なっていることに由来するからである。

（ひとこと注意。概念の相対主義は対象主導型の概念に対してだけ考えられるものではない。それは主体主導型であれ経験超越型であれ、あらゆる概念体系に対して言われうる。おそらく、「電子は負の電荷をもつ」というわれわれにとっての真理は、ダニ族にはたんなる無意味でしかないだろう。）

概念枠

だが、概念の相対主義の行く手には大きな岩壁が立ちはだかっている。ドナルド・デイヴィドソンの論文、「概念枠という考えそのものについて」である。（D. Davidson, "On the Very Idea of a Conceptual Scheme," in his *Inquiries into Truth and Interpretation*, Oxford U.P., 1984. 野本和幸他訳『真理と解釈』、勁草書房）デイヴィドソンはこの論文で、概念の相対主義を根底から批判する。私は、それを乗り越えねばならない。しかし、詳しい検討は次回以降にまわすこととして、まずは多少遠目に、この岩壁の様子を見ておくことにしよう。

概念の相対主義に従えば、概念体系は世界を捉える一つの「枠組」として働いている。ひとはある概念体系を通して世界を捉える。それゆえ概念体系が異なれば、それに応じて異なった世界が開けることになる。このような、枠組として機能する概念体系は「概念枠」と呼ばれる。世界、実在、真理は概念枠に相対的とされる。

いささか手垢のついた安っぽい比喩を用いるならば、概念枠はメガネのようなものと考えられる。青い色メガネをかければ世界は青く現われ、赤い色メガネをかければ赤くなる。世界はメガネ相対的なのである。

だが、いま自分がかけているメガネとは異なるメガネ、異なる概念枠があると、どうして分かるのだろう。――分かるはずがない。デイヴィドソンはそう答える。しばらくデイヴィドソンの方向に沿って考えを進めてみよう。

概念枠は言語によって表現される。それゆえ問題は、他の共同体の言語をいかに理解するかである。相手の共同体の言語をLとしよう。言語Lを理解しようとして、われわれは翻訳を試みる。もし言語Lが完全に日本語に翻訳できるのだとしたら、そこには概念枠の違いはないと言うべきだろう。「レドン」が「赤」と翻訳されるのなら、赤の概念は両者で共有されている。さらに、例えばアイヌ語の「カエカ」が「木の皮の繊維を撚って糸を紡ぐ」と訳せるのであれば、日本語にも「カエカ」に該当する概念はあるということになる。日本語にないのはそれを一語で表わす単語であり、どれほど長くなろうと同じ内容を日本語で表現できるのならば、われわれもまたカエカと同じ概念をもっている。そうデイヴィドソンは考える。

それゆえ、異なる概念枠は翻訳不可能でなければならない。翻訳できないからこそ、われわれがもっていない概念枠の存在をそこに認めるのである。だが、翻訳不可能なら、それがそもそも言語であると、どうして分かるのか。

極端な例を考えよう。未知の惑星に降り立つ。生物と思われるものたちが言語と思われる音声を発している。翻訳を試みる。しかしいつまでたっても糸口さえつかめない。本当にそれは言語なのか。たんなる無意味なノイズにすぎないんじゃないか。それでもそれが言語かもしれないと思うことは、いつかは翻訳できると、かすかではあれ期待をもち続けることにほかならない。

ところが、異なる概念枠において想定される状況はこれよりもはるかに極端なのである。異なる概念枠は定義上翻訳不可能とされる。だとすれば、そんなものに対して「でも言語かもしれない」などと考えることに、いったいどれほどの意味が残されているというのか。原理的に翻訳不可能なもの、それはもはや言語ではありえない。だとすれば、そこに異なる概念枠があると期待することも、幻想でしかない。

第三のドグマ

さらにデイヴィドソンは、概念枠という考えは「枠組と内容の二元論」を前提にする、と指摘する。そしてその二元論を「第三のドグマ」として糾弾する。

「第三のドグマ」という言い方はクワインの論文「経験主義のふたつのドグマ」を踏まえている。実のところ、デイヴィドソンの論文全体が、クワイン批判を狙ったものなのである。ここには、カルナップを一つの頂点とする論理実証主義からクワインへ、そしてクワインからデイヴィドソンへ、という現代哲学における一連の流れがある。彼らはそれぞれ、いわば「親殺し」をしつつ、師の哲学を批判的に継承し、展開していったのである。荒筋だけ、紹介してみよう。

論理実証主義は、意味に関わる領域と事実に関わる領域を峻別し、前者を哲学・論理学・数学の持ち分として、後者を科学の持ち分として住み分けさせようとした。さらに経験主義として、知識をすべて知覚経験に基づけようとしていた[2]。

これに対してクワインは、経験主義に立ちつつも、なお論理実証主義のもとに清算されるべき二つのドグマを見る。第一のドグマは、意味と事実の峻別であり、第二のドグマは、一つの命題が単独で知覚経験と照合され、それによって検証されたり反証されたりする、という考えである。そしてクワインは、「ドグマなき経験主義」として、理論全体が経験の審判を受けるとする「全体論《ホーリズム》」を提唱するに至る[3]。

しかしデイヴィドソンは、クワインもまだ経験主義のドグマを捨て去れないでいる、と批判する。それが、枠組と内容の二元論である。概念枠を言い立てる人たちは、われわれはみななんらかの概念枠（メガネ）を通して世界を捉える、と言う。あるいは、概念枠によって世界を、ないし経験を組織化するのだ、とも。だが、何が概念枠を通過していくというのか。何が概念枠によって組織化されるというのか。デイヴィドソンは、「概念枠が処理する以前の、組織化を待っている何か」とは、理解不可能でしかないと断罪する。そんなものはいくら見まわしても見出されない。見出されるのはすべて概念枠によって処理済みと称されるものだけである。いや、それ以上に、そんな概念枠に中立の何ものかなど、まったく理解不可能ではないだろうか。「概念枠によって何かを組織化する」とは、意味不明でしかない。[4]

> 枠組と内容の二元論、組織化する体系と組織化を待つ何かという二元論は、理解しうるものにも、擁護しうるものにもなりえないと主張したい。それもまた経験主義の一つのドグマ、第三のドグマなのである。これを捨て去ってもなお経験主義に特有のものが何か残されるようには思われないから、これは第三のドグマであると同時に、おそらくは最後のドグマである。(Davidson, op. cit., p.189. 邦訳、二〇〇－二〇一ページ（引用は拙訳））

私は、この厳しい岩壁を見上げる。めざすべきは「ドグマなき相対主義」である。登り始めるとしよう。

第6回　註

1　語彙と概念所有

われわれがダニ族のような立場になったと考えてみよう。例えばわれわれは「悲しみ」という語できわめて多種多彩な悲しみを表現する。他方、ある人々の言語が、「失恋の悲しみ」を「グシュ」、「親が死んだ悲しみ」を「メソ」、「財布を落とした悲しみ」を「ベソ」と表現しているとする。そして彼らがわれわれに向かってこう言ったとしたら、どうか。「日本人はグシュもメソもベソもぜんぶ「悲しみ」なのだ。グシュとメソとベソはぜんぜん違う感情なのに。なんて繊細さに欠ける人たちだろう。」

われわれとしては冗談を言うなと言いたい。われわれはまさに、「失恋の悲しみ」「親が死んだ悲しみ」「財布をなくした悲しみ」という表現で、それぞれ異なる悲しみを表現しているのである。それゆえ、われわれに「グシュ」「メソ」「ベソ」に相当する概念がないという言い方は成り立たない。（とはいえ、ここにはさらに論ずべき点があり、第10回で私は翻訳可能性と概念所有の問題を論じることになる。）

2　二つのドグマ

「第三のドグマ」というデイヴィドソンの言い方を多少なりとも理解していただくために、「第一のドグマ」と「第二のドグマ」についても本文において簡単に説明をしておいたが、紙数の都合上あまりに簡略なものになっていて、おそらく知らない人にはまったく分からないものになっているだろう。それに対してまず強調しておきたいことは、きちんと分からなくてもよい、ということである。「なんか、こんなことがあったんだなあ」ぐらいにぼんやり受けとめておいてくれればよい。とはいえ、分からないのも気持ち悪いという人もいるだろうから、要点だけ説明してみよう。

まず論理実証主義について。論理実証主義とは、二十世紀の前半、とくに一九三〇年代を中心に活動を展開した哲学運動である。必ずしも同一のテーゼが立てられていたというわけではなく、彼らの内部でもさまざまに異なる主張が為され、論争もあったが、最大公約数的な大枠を取り出すことはできる。ひとことで言えば、それは、「自然科学的な認識のみを真っ当なものと認め、そうでないものは悪しき形而上学として切り捨てる」というものであった。いわば、伝統的哲学に対する全面的な叛逆であり、粛清運動である。

では、科学的認識とはどのようなものか。まず第一に、理論は観察データに基づいていなければならない。そこで、理論と観察の関係が中心的問題となるが、それは可能なかぎり論理的なものでなければならない。できれば観察データから理論が論理的に演繹できれば一番うれしいのだが、さすがにそれは無理である。そこで、観察命題と理論命題の論理的関係がさまざまに論じられた。この背景には、二十世紀初頭にフレーゲとラッセルによって為し遂げられた記号論理学の革命がある。論理と観察に依拠して、そして論理と観察のみに依拠して、人間の認識を捉えること、これが彼らの基本テーマであり、彼らが「論理実証主義」と呼ばれるのもそのゆえにほかならない。

そうした議論に並行して論理実証主義が答えようとしたもう一つの大問題が、彼ら自身が大きく依拠していた「論理」の身分、あるいは自然科学における数学の位置づけの問題である。論理も数学も、観察に基づいて構築されたものとは思えない。それゆえ、もし「観察に基づく科学理論のみを真っ当な認識と認める」というスローガンをそのまま適用してしまうと、論理も数学も悪しき形而上学としなければならなくなるだろう。そこで、彼らがとった方針は、意味に関わる領域と事実に関わる領域を峻別することであった。例えば「AならばB」と「A」の二つの前提から「B」が演繹されるという論理的関係は、「ならば」の意味によって成り立っている。あるいは「7＋5＝12」は自然数や足し算および等号の意味によって正しいとされる。それらは事実認識ではなく、われわれがそれらの言葉や記号にどのような意味を与えたのかということに関わっている。

こうして論理実証主義は、①「意味に関わる真理と事実に関わる真理を区別する」、および、②「事実に関わる真理は観察と論理のみに基づいていなければならない」という二つの方針を、二大柱として立てるのである。そして、それを二つともドグマとして、すなわち根拠なき謬見として切り捨てたのが、クワインであった。（註3に続く）

3　クワインの全体論《ホーリズム》

（註2の続き）論理実証主義は①と②を二大柱として立てたが、クワインは①を第一のドグマ、②を第二のドグマとして批判する。いまはクワインがどのようにその二つを批判したのかは省略しよう。（もちろんクワインの論文「経験主義のふたつのドグマ」(W.V.O. Quine, "Two Dogmas of Empiricism," in his *From a Logical Point of View*, Harvard U.P., 1953. 飯田隆訳『論理的観点から』、勁草書房）を読んでもよいが、より取りつきやすいものとしては丹治信春『クワイン』（平凡社ライブラリー、二

〇〇九年）がよいだろう。）ここではむしろ、クワイン自身が到達した全体論《ホーリズム》の観点から（いわば山頂からふもとを見下ろす形で）、二つのドグマを一瞥することにしたい。

全体論にもいくつかのタイプがあるが、ここで言われるクワインの全体論は「検証の全体論」である。論理実証主義は理論命題が観察命題とどのような論理的関係にあるのかという問題を考えるさい、一つの理論命題を単独でとりあげ、それが観察によってどのようにして検証されるかを論じた。これに対してクワインは、検証の対象となるのは単独の理論命題ではなく、さまざまな命題が体系を成す理論全体だと主張する。検証の対象を個々の命題と考える論理実証主義の考え方は「検証の原子論」であり、それに対してそれを理論全体と考えるクワインの考え方は「全体論」と呼ばれる。

全体論に従うと、理論全体が実験や観察などによってわれわれの経験に晒され、もしその結果うまくいかない不都合が生じたならば、その不都合を解消するためには、原理的には理論のどこを改訂してもよい。論理実証主義ならばやり玉にあげたかもしれない一つの理論命題だけが責任を負う必要はない。その理論命題を支える他の理論命題を改訂することでもその不都合は解消されうるし、あるいは実験や観察の方法、その実験が背景にもっている理論（例えばなにげない天体望遠鏡も背景に光学理論をもっている）を改訂することでもその不都合は解消されうる。さらには、論理や数学を改訂することでも、その不都合を解消することはできる。経験との擦り合わせにおいて生じた不具合を解消するために、いわば理論全体が連帯責任をとるのであり、改訂の可能性を免れた聖域などありはしない、というのである。

このような全体論の観点から眺めると、第一に、「論理や数学は意味によって真であり、事実によって真である命題とは区別される」という論理実証主義の主張はポイントを失うことになる。論理や数学が意味によって真とされたポイントは、それらが経験的事実によっては反証されないと考えられたからである。しかし、全体論に立つならば、経験との擦り合わせによって不都合が生じた場合には、論理や数学もまた改訂されうる。つまり、「事実に対して責任をもたない真理」と「事実に対して責任をもつ真理」に区分けすることは全体論ではポイントがなく、その垣根は取り払われることになる。かくして、第一のドグマが却下される。

第二に、論理実証主義は理論命題と観察命題を峻別し、両者がどのような論理的関係にあるかを考えたが、全体論に立つとこの区別も絶対的なものではないとされる。論理実証主義の考えでは、真な観察命題とは経験を忠実に表現したものにほかならない。まず観察命題が経験を忠実に表現し、続いて観察命題によって理論命題が検証されたり反証されたりするわけである。だが、クワインの全体論はそうは考えない。理論全体が経験に適合したり適合しなかったりする。そしてひとつの理論全体の中には、理論命題だけでなく、その理論に関わる観察命題も含まれる。そうした命題の体系全体が経験と擦りあわされるのである。ここにおいて、理論命題と観察命題を峻別することにはポイントがない。かくして、第二のドグマが却下される。

こうしてクワインは論理実証主義、とくにカルナップに対して、そこに二つのドグマを見出し、それを却下するとともに、全体論という新たな描像を提示したのである。これに対して、クワインもまた第三のドグマに蝕まれていると糾弾したのが、デイヴィドソンであった。（註4に続く）

――おまけの一言。クワインの全体論において、「理論」とは諸命題の体系にほかならない。他方、彼が「経験」と呼ぶものは命題的なものではない、すなわち非言語的なものであろう。だが、命題の体系たる理論全体が非言語的な経験と接触し（impinge on experience）、経験と衝突（conflict with experience）を起こし、感覚経験の審判を受ける（face the tribunal of sense experience）というのは、いかにしてなのか。命題は命題によってのみ確証されたり反証されたりするのではないのだろうか。

この問い――というよりもむしろ批判――にクワインがどう答えるのかは分からないが、現在ではおそらく（ウィルフリッド・セラーズやジョン・マクダウェルの影響のもとに）このような批判に共感する人の方が多いのではないだろうか。だが、私自身は理論に審判を下すべき経験が非言語的なものであることを積極的に認めたいと考えている。その話は、（まだだいぶ先だが）第21回ですることになる。

4　枠組と内容の二元論

（註3の続き）理論全体が経験と突き合わされ、不都合が生じたとき、理論内部のどの部分を改訂することも原理的には可能となる。では、そうだとすれば、複数の異なる改訂が可能であり、その結果、ある経験に適合する理論も複数ありうることになるのだろうか。これに対してクワインは積極的に「そのとおり」と答える。複数の異なる理論が、均しく同じ一つの経験に適合していることが可能である。それゆえ、それらのうちどれかの理論が唯一正しいというわけではない。前回話題にした「理論の決定不全性」である。

デイヴィドソンがクワインに「概念枠」という想定を見て取るのも、まさにここにおいてである。例えば現在われわれは電子という概念を不可欠のものとする理論を採用している。しかし、決定不全性の議論に従えば、可能な理論はそれだけではない。電子という概念を用いない理論も可能になる。そこでクワインは、電子の存在は「電子ありの理論」を採用する限りにおいてであり、もし「電子なしの理論」を採用するならば電子は存在するとは認められないことになる、と論じる。それだけではない。いっさいの存在物が、目の前にいるその猫であろうが、そこにあるその机であろうが、同様に論じられる。猫や机に関するわれわれの信念の体系は、自然科学の理論とは異なったものになるだろうが、それらもまた広い意味で「理論」と呼びうるだろう。自然科学であれ日常的な信念の体系であれ、さまざまな理論をもってわれわれは生きていく。それゆえ、もし猫という概念を含む理論を採用していなかったならば、いま私が目撃したその光景を「一匹の猫が寝ている」と捉えることはなかったはずである。あるいは、もし机や椅子という概念を含む理論を採用していなかったならば、いまの私の状態を「机に向かって椅子に腰かけている」と捉えることはなかっただろう。それゆえ、そのときには、猫も机も椅子も存在しないことになる。つまり、この世界に電子が存在するのか、猫が存在するのか、机や椅子が存在するのか、こうしたことはすべて、われわれがどのような概念をもった理論を採用するかにかかっているのである。

繰り返すが、ここにおいて「電子ありの理論」も「電子なしの理論」も、あるいは「猫ありの理論」も「猫なしの理論」も「机ありの理論」も「机なしの理論」も、どれも同じ経験に適合していると考えられている。しかもこの経験は、註3の「おまけ」で述べたように、非言語的なものにほかならない。ここに、デイヴィドソンが言うところの「枠組と内容の二元論」が見出される。すなわち、ひとつの非言語的経験が「内容」であり、それに適合するさまざまな理論が「枠組（概念枠）」である。経験という内容は理論という概念枠によって組織化される。そしてひとつの同じ経験でも、それに適合する理論は複数にありえ、理論が異なればその経験は異なる組織化を受ける。そうして、ある理論のもとでは存在するとされるものが、他の理論のもとでは存在しないとされるといったことが、起こりうるし、実際起こっている。

なるほど、クワインは確かにこうした「枠組と内容の二元論」と呼びうる議論を、かなり素朴に、そしてかなり過激に、提示している。デイヴィドソンはまさにそこを、批判したのである。

7 ドグマなき相対主義へ

「概念枠という考えそのものについて」というデイヴィドソンの論文は、相対主義批判として最も重要な論文である。ただし、これは（彼の他の論文と同様）論述がかなり圧縮され、さまざまな論点が手短に示唆されるため、けっして読みやすいものではない。こんなことを言っても始まらないのだが、私もこの論文を何度読んだかしれない。デイヴィドソン自身によると、彼はこの論文を仕上げるのに七年を費やしたという。公刊する前にあちこちでこの内容を講演していたのである。そうして鍛え上げられていった論文を、これから少しずつ、突き崩していく。

翻訳不可能ならば言語ではない

デイヴィドソンはそもそも概念枠なるものの存在を認めない。それゆえ彼の議論は、「もし概念枠があるとすれば」という背理法の仮定に基づく議論である。もし概念枠なるものがあるとすれば、それは言語がもっている概念体系を措いてないだろう。ある共同体の言語がもっている概念体系が、その共同体のメンバーの認識に対する枠組として——すなわち概念枠として——働く。それゆえ、言語が同じであれば概念枠も同じものとなり、言語が異なれば概念枠も異なったものとなる。[1]

さらにデイヴィドソンはこう続ける。しかし、相互に完全に翻訳可能な言語であれば、それは実質的に同じ言語であり、その概念枠も等しい。それゆえ、二つの言語が相互に翻訳可能でないとき、そしてそのときのみ、両者で概念枠は異なる。[2]

問題は、「二つの言語が相互に翻訳可能でない」というところである。何気なく読めば、何気なく理解できるようにも思えるだろう。だが、この言い方はナンセンスだと、デイヴィドソンは指摘する。ある活動が言語使用であるかどうかの規準は、それが翻訳可能かどうかにあり、それ以外にはないというのである。このことが正しいのであれば、「翻訳不可能な言語」とは矛盾概念であり、「異なる概念枠」という考えにはなんの実質もないことが示されるだろう。そこでデイヴィドソンは、「翻訳不可能であれば言語ではない」というテーゼの論証をめざすのである。

いま、ある未知の「言語」Lについて、ゼロから翻訳する、すなわち根元的翻訳を行なうとしよう。「言語」Lが本当に言語かどうかは、まだ分からない。さしあたりそれは言語風の活動というにすぎない。しかも、Lはどうしても日本語に翻訳できないのである。もし翻訳可能ならば、それは異なる概念枠ではない。異なる概念枠であるからには翻訳不可能でなければならない。それにもかかわらず、Lが言語であると、どうすれば分かるのか。まったく翻訳できないのに、そこに概念枠が存在すると、どうすれば分かるのだろうか。

概念枠は、経験ないし世界を分節化し、組織化するとされる。組織化した結果は、言語で表現される。「猫」や「寝る」といった概念をもっているわれわれは、ある状況を猫が寝ているものとして捉え、それを「猫が寝ている」と言葉で言い表わす。「言語」Lを口にする人々も同じ状況でなにごとかむにゃむにゃ言うだろう。だが、翻訳できない以上、彼らがそれを猫が寝ているものとして捉えているのかどうかは分からない。だが、それでも彼らがなんらかの概念枠をもっていると言いたいのであれば、概念枠で処理された結果——彼らが世界をどのように組織化しているのか——は分からないが、しかしそれでも彼らはなんらかの組織化を行なっているのだ、と言えるのでなければならないだろう。(何を作っているのかはさっぱり分からないが、ともあれ彼女は何かを料理しているんだ!)

だが、そもそも「組織化」ということが意味をもちうるためには、相手の言語をある程度翻訳できるのでなければならない。デイヴィドソンはそう論じていく。デイヴィドソンのその議論をさらに立ち入って見ていこう。

超越的な視点と内在的な視点

「経験ないし実在を組織化する《オーガナイズ》」とは、どういうことだろうか。その点を明らかにしなければならない。概念枠を言い立てる人たちはよく「概念枠がなければ世界はただの混沌である」てなことを言いもする。混沌に目鼻、ではなく、意味を与えるのが、概念枠の働きとされる。

例えば、色の概念体系を説明するときにしばしばこんなふうに言われる。色は本来連続的なスペクトルである。色の概念は、そこに切れ目を入れ、この区域は「赤」、この区域は「青」のように分節化する。それゆえ、概念枠が異なれば色の分け方も異なることになる、と。しかし、これはなんとも不思議な説明である。いったい、その「連続スペクトル」なるものは、どの目が見ているというのだろうか。

われらが「タニ族」（ダニ族ではなく）はモラ（白と暖色）とミリ（黒と寒色）の二分割で色を捉える。われわれはわれわれで（何分割しているのか知らないが）、少なくとも赤とオレンジと黄色を区別するような仕方で色を捉えている。そのときあたかも、両者を上から俯瞰するような気分で、超越的な視点から、つまり、タニ族でも日本人でもない神のような目線で、連続スペクトルを導入し、いろんな人たちがいろんな切れ目をそこに入れるのを眺めているかのようなのである。だが他方で、そんな超越的な視点など不可能であり、概念枠を通してしか世界を捉えることはできないと主張するのも、相対主義者たちにほかならない。

相対主義を提示するために、複数の立場を通覧する超越的な視点をこっそり導入してしまうことは、相対主義にとっては初歩的な、しかしありがちな過ちである。私は、日本人でもタニ族でもないような顔をして両者を比較するのではなく、あくまでも日本人として、どうしたってタニ族ではない者として、それでも、タニ族のもとに自分と異なる概念枠を見出さねばならない。私は徹底的に自分の属する共同体・文化・時代に内在的な視点をとらねばならない。（連続スペクトルというのもまた、われわれの自然科学的な概念枠を通して見られた姿だと言うべきだろう。）

「組織化」は共通の概念枠に支えられている

内在的な視点に立つならば、概念枠以前の経験的内容という考えに実質を与えることはできない。これは相対主義者にとっても、いや相対主義者こそ、認めねばならないことに思われる。

だが、そうであるならば、異なる概念枠によって組織化されるべきその何ものかは、それ自体がなんらかの概念枠を経て対象化されたものでなければならない。そして組織化のベースとなる対象を与えるその概念枠は、異なる概念枠の間でも共有されていなければならないはずである。

直感的に分かりやすいように、三十人のクラスをいくつかの班にグループ分けすることを考えてみよう。六人ずつ五つの班に「組織化」することもできるし、七人の班を二つと八人の班を二つのように「組織化」することもできる。だが、こうした多様な組織化は、すべて同一の三十人の生徒たちによって作り出されている。どのような班編成にしようとも、その原資たる三十人は共通しているのである。

世界の組織化に対してもまた、さまざまな組織化を支える原資が共通になければならない。そしてそれは概念枠以前の何ものかではありえない以上、それら共通の対象の存在を支えるべき共通の概念枠がなければならない。

だとすれば、「異なる概念枠」と称されるものは、そのベースを形作る共通の概念枠に訴えてはじめて、成立しうることになる。そしてその共通の概念枠は、彼らとわれわれとで共通の同じものなのであるから、当然のこととして、われわれの言語に翻訳可能でなければならない。つまり、組織化という考え方は、翻訳可能性に立脚したものなのである。

かくして、「経験ないし世界の組織化」という観点から、翻訳不可能な「言語」Lのもとになんらかの概念枠を見出そうという試みは挫折する。完全に翻訳不可能なものが、それでもなんらかの組織化を行なっていると考えることはできない。デイヴィドソンはそう結論する[3]。

外延的な捉え方と内包的な捉え方

ここにおけるデイヴィドソンの基本的な考え方は「外延的」なものと言える。世界には個々の対象がある。それをグループ分けすることによって諸対象からなる集合ができる。集合を形成するものが概念である。猫という概念は個々の猫たちからなる集合を作る。そしてわれわれと異なる概念をもつ人々は、われわれと異なる集合を作るだろう。

一般に、ある概念に対してその概念に当てはまる対象からなる集合はその概念の「外延」と呼ばれ、その集合を規定する性質ないしその概念の意味内容は「内包」と呼ばれる。例えば、「現在十八歳以上の日本国民」と「現在国政に対する選挙権を有する日本国民」は外延（集合）は同じだが、内包（意味）は異なっている。デイヴィドソンの組織化の捉え方は、まさしく対象と集合という考え方であり、「外延的」と言えるのである。

しかし、世界はたんに外延的なだけではない。世界はまた内包（意味）的な側面をもっている。あるいは私としては（ウィトゲンシュタイン『哲学探究』第Ⅱ部の用語を用いて）「アスペクト的」と言いたくもなる。ここではもう少しふつうの言い方として、世界は「相貌」をもつ、と言おう。デイヴィドソンはこの、世界の相貌を無視している。私の考えでは、そこに、彼の議論の弱さ、見落としがある。相貌のことを考えに入れれば、「組織化を支える共通の対象たち」という気楽な物言いはできないはずなのである。

分類と相貌

われわれが認識し、語り出すすべては、相貌をもっている。タマは猫としてその姿を現わし、部屋の隅にあるホースのついたそれは掃除機として姿を現わし、あるいは大きすぎる耳かきのごときそれは茶杓として、その先端は櫂先として、姿を現わし、語り出される。相貌を形作るものは、概念であり、その概念によって示される分類のあり方である。それは猫に分類されるから、猫としての相貌をもち、掃除機に分類されるから、掃除機としての相貌をもつ。もし目の前で寝ているこれが猫ではなく「神の使い」に分類されていたら、あるいはスイッチを入れるとぶおんと音を上げるこれが「猫脅し器」にでも分類されていたら、それらの相貌はいまと異なったものになっていただろう。それは別のものとして、異なった見え方をしていたに違いない。

とはいえ、われわれはタマを猫としての相貌で見ることに慣れすぎているため、他の相貌を想像することは困難である。ありがたさのかけらもないタマを神の使いとして見ることは、なかなか想像が難しい。あるいは、もっととんでもない例だが、猫という概念も掃除機という概念ももたない人たちが、なぜかすべての猫とすべての掃除機を集めた集合を一つの集合と考え、それをクリーニャーという概念で捉えていたとする。そのとき、われわれなら「猫」と呼ぶそれを彼らは「クリーニャー」と呼ぶ。だが、あるものがクリーニャーとして見えるということがどのようなことなのか、もはやあからさまにわれわれの想像を越えているだろう。[4]

われわれにとっては、一匹の猫はどうしたって猫としての相貌をもっている。それは容易に変えることはできない。それはすなわち、われわれがその分類を引き受け、いわばその概念を生きているからである。概念を変えるということは、生き方を変えるということなのである。

だからこそ、組織化のあり方を変えることは、クラスの班編成を変えるような呑気なものではありえない。班変えをしても、クラスの生徒たちは同一人物のままにとどまる。他方、概念枠が変わるとき、対象の相貌はもはや同一のままではない。概念Fで捉えられていたものが概念Gで捉えられるようになるとすれば、そのとき、「Fとして」の相貌から「Gとして」の相貌へと、対象は様変わりをする。

デイヴィドソンは、組織化の違いに意味をもたせるためには異なる組織化のベースとなる共通の対象が必要だと主張した。私はそれを否定したい。異なる組織化に共通の対象など必要はない。世界は異なる組織化に応じて、端的にその相貌を変えるのである。

概念枠は世界に意味を与える。このように言うと、では概念枠は何に意味を与えるのか、と問われる。これに対して、概念枠中立な何ものかと答えるならば、そんなものは理解不可能だと応じられる。いや、それもまた概念枠によって捉えられた何ものかなのだと答えるならば、そのためにはすでに多くの概念枠が共有されていなければならない、と応じられる。

私は、概念枠は何かに意味を与えるのではない、と答えよう。世界はさまざまな相貌から成る。その相貌を担う何ものかなど、必要はない。何かが相貌をもつのではなく、たんに相貌があるのである。この点において、私とデイヴィドソンは根本的に考え方が異なっている。

ドグマの清算

枠組と内容の二元論は経験主義の最後のドグマである。デイヴィドソンはそう述べた。そうかもしれない。私自身、そのドグマを引き受けるつもりはない。私の議論のポイントは、枠組と内容の二元論を擁護することにはない。デイヴィドソンが対象と集合という外延的観点からことがらを捉えていたのに対して、世界は相貌（意味）をもつことを私は強調した。そして私は相貌を担う何ものかという想定を拒否する。相貌はけっして枠組と内容の二層から成るようなものではない。相貌は世界において端的に立ち現われるのである。（ここに大森荘蔵の「立ち現われ一元論」を透かし見る人もいるだろう。[5]）

だが、それによって議論はたんに振出しに戻ったにすぎない。現在位置を確認しておこう。デイヴィドソンの問いは、「翻訳不可能なのにどうしてそれをなんらかの概念枠を伴った言語とみなせるのか」であった。そこで概念枠の働きとして「経験ないし世界を組織化すること」に注目した。だが、異なる組織化ということに意味を与えるためには、共通の対象が必要であり、それゆえその共通の対象を取り出す共通の概念が必要ではないか。もしそうなら、それは翻訳不可能ではない。これが、いまとりあげたデイヴィドソンの議論の筋道である。

それに対して私は、異なる組織化は相貌の違いとして捉えられるものであり、けっして共通の対象を要求するものではない、と応じた。かりにデイヴィドソンが私のこの議論に賛成したとしても、なお彼はこう問うだろう。「では、相手の言うことがまったく翻訳不可能であるのに、彼らがわれわれと異なる相貌を捉えていると言えるのはどのようにしてなのか。」つまり、最初の問い「翻訳不可能なのに、われわれのものとは異なるなんらかの概念体系がそこにあると言えるのはなぜなのか」、この問いに、私はまだ何も答えていない。

第7回　註

1　概念枠と言語

概念枠が言語と同一視されるとすれば、言語をもたない動物には概念枠はないということになる。だが、これに対しては「本当にそうか」と質問が出るかもしれない。例えば、コウモリは言語をもたない（と思う）。しかし、コウモリは人間とはずいぶん違う世界に生きているだろう（と思う）。これは言語的ではない概念枠があることを意味してはいないか。あるいは、犬は白黒の世界に生きていると言われることがある。どうやら単純に白黒というわけでもなさそうだが、人間と異なる色の認知を行なっているのは確からしい。これもまた、言語をもたぬ犬たちが、それでも人間とは異なる概念枠をもっていることを示しているのではないか。

いや、そうではないだろう。コウモリの世界の独自性は、彼らが自ら超音波を発し、その反響で状況を認知するというやり方に由来している。それは、コウモリの概念所有に由来するものではない。コウモリや犬は、人間とは生物としての仕組みが違い、そのことにより、認知の枠組が異なっているのである。

このように、「枠組」と呼びうるものの中には概念枠もあれば、概念体系以外のものに由来する枠組もある。そして、いま言語と同一視されたのは、あくまでも概念枠である。ここで、「概念」とは何かについても簡単に述べておいた方がよいだろう。例えば、机という概念をわれわれはもっている。ここで、〈机〉（語を表わすのに「机」と記し、それに対して概念であることを明示するために〈机〉と記すことにする）が概念であるとされるポイントは二つある。第一に、それは個別の机（この机、あの机、等々）に対して適用される一般性をもっている。これだけが〈机〉なのではなく、これも

〈机〉であり、あれも〈机〉である。第二に、他の概念や対象と組み合わせてさまざまな命題を構成しうる。例えば、机の上に本があるという命題を考えることもできるし、みんなで机を運んだという命題を考えることもできる。その中には現実のこともあれば非現実のこともある。私は富士山の頂上に机を置いて勉強したことがある。もちろん嘘である。しかし、そんなことを考えることもできる。

このように、(1)一般性をもち、(2)さまざまな命題の構成要素となる、という二つのポイントは、概念を特徴づけるものである。そして、この特徴を満たすためには、言語が不可欠だと考えられる。私が第1回において為した議論が正しければ、言語をもたぬものたちには非現実的な命題を思考する力はない。だとすれば、それを表現する言語をもっていなければ、概念所有も不可能と言えるだろう。概念枠は、言語によって表現されなければならないのである。

2　翻訳可能性

一般に、文学作品を「完全に翻訳する」ことは不可能である。このことは概念枠の異なりを意味するのだろうか。例えば、英詩を完全に日本語に翻訳することはできないだろう。では、そのことは日本語と英語が異なる概念枠をもつことを意味するのか。

必ずしもそうではない。概念枠とは世界の組織化に違いを生み出すものにほかならない。例えば、茜色という概念はそこに赤でも橙色でもなく、茜色と呼ばれる色を切り分ける。あるいは猫という概念はそこに寝ているそれをタヌキでもレッサーパンダでもなく、猫として分節化する。そのように、概念枠は世界をある仕方で分節化するのである。それゆえ、ここで問題になる翻訳は、世界のあり方の記述という側面に限定されてよい。

世界のあり方の記述ということを説明するために、いったん翻訳という場面を離れて事例をとろう。例えば、「花子は太郎を叱った」と「太郎は花子に叱られた」を考える。両者は意味が違うと言いたくなるだろうか。それとも同じ意味だと言いたくなるだろうか。人によってその反応は違うだろう。そして、「能動形と受動形では意味が違う」と言うことも、確かにできると思われる。だが、世界のあり方の記述という観点から見るならば、両者は同じ意味だと言える。「花子は太郎を叱った」と「太郎は花子に叱られた」は同じ世界のあり方に対して、一方が真であれば他方も真であり、一方が偽であれば他方も偽になる、つまり、花子が太郎を叱ったならば、そのときには太郎は花子に叱られたのであり、逆もまた。「世界のあり方がどうであればその文は真となるのか」という規定を、その文の「真理条件」と言うが、「花子は太郎を叱った」と「太郎は花子に叱られた」は同じ真理条件をもっている。

翻訳の可能性も、目下の場面ではこのレベルで考えられている。「雨が降っている」という日本語の文と"It's raining."という英語の文が同じ真理条件をもつかぎりにおいて、前者は後者に翻訳され、後者も前者に翻訳されるとみなされる。もちろん、これは「意味」のきわめて限定された側面にすぎず、文学作品は一般的に真偽という観点、世界記述という観点を大きくはみ出たものをもっている。だが、いま問題にしているのは概念枠の問題であり、それゆえ、世界のあり方の記述という側面に限定して、その翻訳可能性が問われるのである。

3　相対主義を批判するデイヴィドソンのもう一つの議論

「概念枠は経験ないし世界を組織化する」という考え方に対する批判に加えて、デイヴィドソンはまた、「一つの同じ経験に複数の異なる概念枠が適合（fit）する」という考え方に対しても批判を加えている。ここでデイヴィドソンが批判を加えるこのような考え方として、われわれは前回の註3－4において紹介したクワインの議論を念頭におけばよい。自然科学のようなものだけでなく、日常的な信念の体系もまた「理論」と呼ぶとするならば、「概念枠が経験に適合する」は「理論が経験に適合する」と言い換えることができる。それはすなわち、その理論に含まれる命題がすべてその経験のもとで真とされるということにほかならない。簡単のためにそれを「理論が真である」と言うことにしよう。「理論が経験に適合する」とは、すなわちその理論が真であること、あるいは「概念枠が経験に適合する」とは、すなわちその概念枠が真であることである。

そうだとすると、「翻訳不可能にもかかわらず、われわれと同じ経験に対して適合しているようななんらかの理論ないし概念枠を彼らはもっている」と言えるためには、「われわれと同じ経験のもとで真であるような理論ないし概念枠を彼らはもっている」と言えなければならない。さてそうすると、問題は「翻訳不可能だが、それでもそれは真であると分かる」などということが可能か、である。デイヴィドソンは、不可能、と答える。

ある文が真であるとはどういうことだろうか。例えば「猫が布団の上で寝ている」が真であるとはどういうことか。いま問題にしているのは、世界のあり方を記述した文である。ここで註2で述べた「真理条件」という言葉を思い出していただきたい。「猫が布団の上で寝ている」という文は、世界がどのようであれば真とされるのかという条件、すなわち真理条件をもっている。つまり、「猫」とはかくかくのものであり、「布団」とはしかじかのものであり、「上に」とはうんたらの関係であり、「寝ている」というのはかんたらの状態であって、そしてそのかくかくのものがしかじかのものとうんたらの関係にありつつ、かんたらの状態にあるとき、そしてそのときにかぎり、「猫が布団の上で寝ている」は真だ、というのである。そして、ここがデイヴィドソンにとって決定的に重要なことなのだが、こうした真理条件の規定と独立に「真」とは何かが定義されているわけではない。それゆえ、「猫が布団の上で寝ている」が真であるとはどういうことか、と問われたならば、それは「猫が布団の上で寝ている」に与えられた真理条件が満たされていることだと答えるほかない。

いま「言語」Lの「文」Sが日本語に翻訳できないとしよう。翻訳できないということは、Sの真理条件が同定できないということである。他方、Sが真であるとはSの真理条件が満たされていることであるから、翻訳できずそれゆえ真理条件も分からないSに対して、それが真であるなどと言えようはずもない。つまり、真理性は真理条件を前提とし、真理条件の同定は翻訳の成功を要求するため、翻訳が不可能ならば、それを真であるとも言えないのである。かくして、「一つの同じ経験に複数の異なる概念枠が適合する」という考え方も却下される。

4　異なる相貌をもつ同一の対象

私はいま「われわれなら「猫」と呼ぶそれを彼らは「クリーニャー」と呼ぶ」と書いたが、ここにおける「それ」には大きな、そして難しい問題がある。われわれが「猫」と呼ぶそれと彼らが「クリーニャー」と呼ぶそれはいったい同一の対象なのか。われわれと彼らは異なる相貌で同一の対象を捉えているのだろうか。

翻訳の場面からは離れるが、身近な事例として反転図形を考えてみよう。例えば、あひるにもうさぎにも見える反転図形がある。そのとき、「この図形をある人はあひるとして、ある人はうさぎとして見る」という言い方ができるだろう。だが、ここで注意しなければならないのは、ここで言われる「この図形」というのもまた、「たんなる線描図形」といった一つの相貌だということである。いわば、あひる-うさぎの反転図形は、あひるとうさぎの「二転図形」ではなく、あひる-うさぎ-たんなる線描図形という「三転図形」になっている。つまり、ここにおいてたんなる線描図形とは、あひるやうさぎの相貌を担うとされる一個同一の対象ではなく、あひるやうさぎの相貌と並ぶ、もうひとつの相貌なのである。ただし、その相貌、たんなる線描図形という相貌は、あひるやうさぎの相貌と異なり、ほとんどの人に共有される相貌となっている。

猫とクリーニャーの場合はどうだろうか。そこには何かわれわれとクリーニャーの人々とで共有される相貌があるだろうか。——あってもよいし、なくてもよい。私はそう答えたい。強調したいのは、「なくてもよい」の方であるが、そのためには、猫とクリーニャーの例よりも、もっと過激な例を考察してみるのがよいだろう。

クワインの「ガヴァガイ」という例を使おう。根元的翻訳の場面を考える。そして一羽のうさぎがいる状況において、現地の人たちが「ガヴァガイ！」と言う。そこでわれわれとしては「ガヴァガイ」は「うさぎ」という意味であろうかと考えもするが、他にも無数の可能性がある。例えば、「ガヴァガイ」は物質名詞のような語かもしれない。ちょうど、「水」という語が海の水だろうと風呂の水だろうと雨の水だろうとそれらすべてを表現するように、「ガヴァガイ」もまたどこにいるどんなうさぎであろうとそれらすべてをひっくるめて表現しているのかもしれない。もしそうなら、われわれなら三羽のうさぎがいると見るときに「いくつのガヴァガイがいるのか」と尋ねると、彼らは当惑するだろう（「一つ」と答えるかもしれない）。

あるいは、「ガヴァガイ」はその祖先から子孫まで血脈ごとに個別化されているのかもしれない。そうだとすると、そこに血のつながりのあるうさぎが二羽と、それらとは血のつながりのないうさぎが一羽いるときには、われわれであれば「三羽のうさぎがいる」と言うところで、彼らは「二つのガヴァガイがいる」と言うだろう。

あるいは、夜のうさぎには何か悪霊のようなものが憑依していると考え、昼のうさぎも夜のうさぎもともにガヴァガイなのだが、異なる個体であるとみなしているかもしれない。そうだとすると、われわれが小屋の中に一羽のうさぎがいると見るところで、彼らは昼のガヴァガイと夜のガヴァガイの二つを見るだろう。

こうした例は、反転図形やクリーニャーよりもいっそう過激なものとなっている。というのも、反転図形やクリーニャーの例では、そこにいくつの対象があるかについては、異なる相貌を見る人たちの間で一致しているからである。あひるに見ようが、うさぎに見ようが、そこには一つの図形がある。また、われわれが木陰に二匹の猫を見るならば、クリーニャーの人たちはそこに二つのクリーニャーを見るだろう。他方、いま見たようなガヴァガイの事例では、そもそも何を「一つ」の対象とみなすかが異なっているのである。このような場合には、「同一の対象を異なる相貌で捉えている」と言えるような「同一の対象」は、明らかに存在していない。そこには、たんに異なる相貌が立ち現われているだけでしかない。

5　立ち現われ

われわれがものごとを知覚し、想起し、予期し、あるいは想像し、思考する、そのときのものごとの現われを、大森荘蔵は「立ち現われ」と呼んだ。あらゆるものごとは相貌をもって立ち現われる。そして大森は、それら相貌をもった立ち現われを担う、立ち現われとは独立に実在するとされる対象のごときものを想定することを拒否した。（立ち現われは背後をもたない。）私は、大森のこの立場を引き継いでいる。

ただし、あらかじめ予告しておけば、「語りえぬもの」を求める道の先に、私はおそらく大森にはまったく受け入れてもらえないだろう二元論的構図を探ることになる。（その話題は第17回以降になる。）

8　相対主義はなぜ語りえないのか

問題

古代メソポタミアの人々は、大地を地球という球体ではなく、平らな円盤状のものと考えていたらしい。そこで相対主義者はこんなふうに言ったりする。「メソポタミアでは〈大地は平らな円盤である〉は真であった。」すると厭味な人はこんなふうに言ってきたりするのである。「でもそれは誰にとっても真だよね。」

「大地は平らな円盤である」は現代日本のわれわれにとっては真ではない。しかし、「メソポタミアでは〈大地は平らな円盤である〉は真であった」ということ、そのことは、われわれにとっても真なのである。そこでもしこれが誰にとっても真だということを認めると、相対主義者はここにおいて絶対的真理の存在を認めることになる。

　この問題は、相対主義のパラドクスの一種と言うことができるだろう。「すべての真理は相対的である」という相対主義の主張それ自体は絶対的ではないのか。それゆえ相対主義は自己矛盾を抱えているのではないか。相対主義のパラドクスはそう問い詰める。それに対して私は、このパラドクスを避けるためには相対主義の主張そのものは語りえないのでなければならない、と結論した（第3回）。

しかし、この結論はまだ魅力的とは言い難いものでしかなかった。というのも、「相対主義は語りえない」ということの中身がまったく明らかではなかったからである。その語りえなさを説得力をもって示すことができなければ、それはたんにパラドクス回避のための苦し紛れのその場しのぎとみなされても文句は言えない。そこで今回は、いま示した形の問題を考えることによって、「相対主義は語りえない」ということの実質を明確にするよう試みてみたい。

問題を確認しておこう。相対主義者は「立場αのもとでAは真」のように言う。しかし、「立場αのもとでAは真」という相対主義の主張自体は絶対的に真なのではないか。

ストレートな応答

これに対して相対主義者は、「いや、それもまた相対的に真であるにすぎない」と応じることもできるだろう。相対主義のパラドクスの検討のときには、私は同様の答えを却下し、相対主義の主張にはある絶対性がなければならないと論じた。だが、今回の問題に関して言えば、この応答は成り立ちうると考えられる。

「メソポタミアでは〈大地は平らな円盤である〉は真であった」というのは、メソポタミアにおける事実を述べたものであり、ひとつの歴史記述と考えることができる。するとそこには歴史記述をする者（歴史家）の視点がある。そして歴史記述は、あくまでも歴史家たちのもつ概念枠に相対的なものなのである。だから、「メソポタミアでは〈大地は平らな円盤である〉は真であった」もまた、絶対的に真ではなく、現代の歴史家の概念枠に相対的に真であるにすぎない。

一般的に述べて、ここには相対主義のパラドクスを論じたときに紹介した入不二基義の「相対化の無限運動」とでも呼べる議論と同型の事情が発生する。「立場αのもとでAは真」という主張をBとする。Bは歴史家や人類学者の記述と考えることもできる。そのとき、Bはそれを記述する歴史家や人類学者の立場（β）に依存するものとなる。それゆえそれもまた相対的であり、「立場βのもとでBは真」と書ける。この主張をCとしよう。Cもまた、Cと記述する者（メタ歴史家・メタ人類学者？）の立場（γ）に相対的に「立場γのもとでCは真」と書かねばならない。以下同様。入不二自身の議論のときにも述べた注意だが、この無限運動はあくまでも思考上のもので、具体的に「立場γってなんだ？」とか考えようとすると知的眩暈を生じるので、あまり一所懸命考えようとしないことが肝要である。

ともあれ、厭味な奴を撃退するだけなら、これでよいだろう。だが、私自身はこの応答に満足することができない。「立場αのもとでAは真」という言い方を、語り出されたひとつの主張とみなすからこそ、「その主張は絶対的に真なのではないか」と問いかけられたのであり、それを語り出された主張Bとして捉えるからこそ、「立場βのもとでBは真」のように無限運動へと歩を進めることにもなったのである。これに対して、私としては、「立場αのもとでAは真」はそもそも語り出された主張ではないと言いたい。

公理系のように考えてはいけない

「立場αのもとでAは真」を絶対的に真と考えるアンチ相対主義者だけではなく、相対的に真と考える相対主義者もまた、おそらくは共通の誤解に陥っている。彼らは、ここで公理系における事情と同じように考えてしまっているのではないだろうか。例えば、ユークリッド幾何学では三平方の定理が成り立つ。しかし、別の公理をもつ非ユークリッド幾何学では三平方の定理は成り立たなくなる。ユークリッド幾何学と非ユークリッド幾何学では証明の前提となる一群の公理が異なるのであり、三平方の定理が成り立つかどうかは、証明の前提としてどのような公理を採用するかに依存するのである。しかし、「ユークリッド幾何学では三平方の定理が成り立つ」という命題は公理系に依存したものではない。これはユークリッド幾何学ではこれこれの定理が成り立っているという、ユークリッド幾何学についての報告であり、少なくとも現代のわれわれであれば、誰もが認める真理にほかならない。

そこで、「立場αのもとでAは真」を「ユークリッド幾何学では三平方の定理が成り立つ」と類比的に考えてしまうのである。そして、立場αが一群の公理、証明の前提となる諸命題のようなものと考えられることになる。例えば、立場αを、ある共同体を特徴づけるような一群の信念（ある宗教共同体であればその宗教を特徴づけるような信念）と考えるかもしれない。つまり、立場αは信じられている命題の集合だというのである。そして、公理系における証明と同様に、その命題の集合から命題Aが導かれるとき、「立場αのもとでAは真」と言われるとされる。かくして、「立場αのもとでAは真」は、「命題の集合Γからは命題Aが導かれる」という形の主張に等しいものと考えられる。

このように考えるからこそ、アンチ相対主義者は「でもそれは誰にとっても真だよね」などと言ってくるのである。そしてこのように考えるからこそ、ある相対主義者たちは、「いや、それもまた相対的に真なのだ」とストレートに応答するのである。だが、そうだとすれば、両者はともにまちがっている。「立場αのもとでAは真」は「命題の集合Γからは命題Aが導かれる」という形の主張ではない。[1]

観点と相貌

では、命題の集合ではないならば、「立場」とは何か。

「観点」であると、私は考える。そして観点の異なりに応じて異なってくるものは、相貌である。台所にある長い柄のついた金属製の平たい大きな柄杓様のものは、調理器具として見れば平素見慣れたフライパンの相貌をもって立ち現われるだろうが、楽器や武器として見ても、それぞれまた別の相貌をもつだろう。相貌は、それが他の何と類似しているものとして分類されるかに依存する。調理器具として分類するということは、鍋と類似したものと見ることであり、楽器として分類することは太鼓と類似したものと見ることである。そして、あるものが他のどのようなものと類似しているのかは、観点による。しかるべき観点さえ与えれば、何だって任意の他の何ものかと類似していると言われうるだろう。「フライパン」というかりそめの名をもつそれは、観点さえ与えれば、確かにインドゾウとよく似ているのである。(「どこが?」とか聞かないこと。)

そこで私は、相対主義の基本的主張をこのように捉えたい。「観点によって相貌は異なる。そして観点は複数ありえ、いま自分がとっている観点も唯一のものではない。」異なる概念枠がありうる。そして異なる概念枠は異なる観点を与え、異なる相貌を立ち現わすのである。

例えば、ある共同体が「エレパント」という言葉を使い、われわれにはそれが翻訳できなかったとしよう。彼らはわれわれに言わせればフライパンであるそれをエレパントとして見る。インドゾウであるそれもエレパントとして見る。私には、しかし、彼らにどういう相貌が立ち現われているのかは分からない。「まあちょっとこれをエレパントとして見てごらんなさい。」「無理です。」その相貌を立ち現わすには、私もまたエレパントという概念をもっていなければならない。あるいは、クリーニャーの概念をもたないものには、クリーニャーの相貌は立ち現われない。

相貌は内側からのみ把握される

「観点αからはAの相貌が立ち現われる」ということが分かるのは、観点αに実際に立っている者だけでしかない。観点αに立っていない者にはAの相貌は現われてこない。この事情を、相貌は「内側から」のみ把握される、と言うことにしたい。あるいは概念枠についても、同様に言いたい。概念枠が内側からしか把握されないこと、このことが、相対主義を悩ましいものとする根っこだと私は考えている。これは相対主義の問題にとって決定的に重要なポイントであるから、さらに詳しく説明することにしよう。

いま、観点αのもとで相貌Aが立ち現われるとする。だが、私は、自分が観点αのもとに立てたかどうかを、どうすれば分かるだろうか。かりにさまざまな観点が意のままにとれるとしてみよう。そうして私はさまざまな観点を模索するが、それが観点αであるということは、ただ相貌Aが立ち現われるかどうかでしか知りえないだろう。相貌Aが立ち現われてこないのならば、私は観点αのもとにはいないのであり、相貌Aが立ち現われたならば、そのとき初めて、私は自分が観点αのもとにいることを知る。Aの相貌を得る前に観点αの存在を把握することはできない。それゆえ、「あれは私と異なる観点だ。いったいあの観点からはどのような相貌が現われるのだろう」のようには言えないのである。

この点で相貌と眺望を比較してみることは興味深い。眺望であれば、例えば「あの展望台からはどんな眺めが見えるだろう」のようにわれわれは言う。われわれは眺望を得る前に、展望台の存在を特定することができる。だが、観点はそうではない。眺望の場合と異なり、われわれは相貌を得る前に観点の存在を特定することができない。

「観点αからはAの相貌が立ち現われる」と言ったとして、それはただ実際に観点αのもとでその相貌が立ち現われている人だけが言いうることでしかない。観点αのもとにいない人が、いわば観点αの「外側から」、そのように語ることはできないのである。[2]

これに関連して、価値的な相貌を考えてみよう。相対主義的に考えるならば、われわれには無価値としか思われないものが価値あるものとみなされている共同体を考えることができるだろう。例えば、イワシの頭。これがきわめて価値あるとみなされている共同体（α）があるとする。そこで、「共同体αではイワシの頭が価値あるものとされている」という報告を聞けば、それなりに何ごとか理解した気にもなるだろう。だが、何を理解したというのか。彼らにとってのその神々しくも畏れ多いイワシの頭の相貌を、想像できるだろうか。「イワシの頭を価値あるものとして見てみよ。」そう言われても、「無理です」と答えるしかないのではないだろうか。イワシの頭を価値あるものとして見るためには、そのような生き方をするしかない。あるものを価値あるものとみなすということは、ひとつの生き方であり、その生き方をしているもののみが、それを価値あるものとみなすことができる。

異なる概念枠が存在するとは、異なる観点を与え、異なる相貌を立ち現わすような生き方があるということにほかならない。そしてそのような生き方があるということは、外側から記述できることではない。それに対して、「ユークリッド幾何学では三平方の定理が成り立つ」というのは、ユークリッド幾何学の外側から、ユークリッド幾何学について、為された報告である。だが、相対主義が主張する「立場αのもとでAは真」という言い方は、基本的にそのような外側からの記述を許さないものをもっている。ある生き方を外側から語ることは、その生き方を生きることではない。だからこそ、相対主義は語りえない。[3]

もの分かりの悪い相対主義者

そしてだからこそ、異なる概念枠は翻訳では捉えることができない。翻訳するとは、あくまでも手持ちの言語の内側に留まりつつ、外なる他者の言語を理解しようとすることにほかならない。だが、われわれの概念枠と異なる概念枠は、けっして外側から理解できるものではない。

へたをすると相対主義者は、いかなる立場にも属せず、すべてを公正な目で中立に見渡す、もの分かりのよい人のように思われてしまうかもしれない。(私はこのような相対主義の流布したイメージを「俗流相対主義」と呼びたい。)だが、相対主義者はけっしてもの分かりのよい人間ではない。もの分かりのよい人間ではありえない。どんな観点も、どんな相貌も、その内側に立つ者のみがそれを理解する。しかし異なる概念枠も、どんな概念枠はまさに外側にあるからこそ、異なる概念枠なのである。

第8回　註

1　クワインにとっての概念枠

前回の註において見たように、クワインは理論を概念枠として考えている。しかも、クワインにとって理論とは命題の集合にほかならない。それゆえまさしくクワインは「概念枠αのもとでAは真」ということを「命題の集合Γからは命題Aが導かれる」という形の主張として考えていたと言えるだろう。そしてそうであるならば、私はその点においてクワインに賛成するわけにはいかない。私自身は科学理論も（科学という実践として）命題の集合としては捉えきれないと考えている。（科学理論についての私の考えは、第26回（最終回）においてもう少し論じる。）

眺望についても論じたいことはあるが、話がそれてしまうので、ここでは一言だけにとどめる。

2　眺望

見られた風景は必ず、ある地点から見られたものにほかならない。その光景が広がるパースペクティブの原点、すなわちそれを見ている私のいる場所を「視点」と呼ぼう。そしてその視点から広がる光景を「眺望」と呼ぶ。眺望に関して重要なことは、ある視点からの眺望の中に見出されるすべての点が、そこからまた別の眺望を開く視点になっていることである。具体的に言おう。例えば、向こうに交差点が見える。それはここからの眺望であるが、その交差点に行けば、そこからの眺望が開けるだろうことを、私は了解している。それはその交差点だけではなく、いまここから見ているすべての場所がそうである。つまり、あのビルの屋上であろうと、はるか向こうの山の頂きであろうと、あるいは空を見上げ、雲が浮いているあの辺りであろうと、そこに行けば、そこからの眺望が開けるだろう。いわば、私はいまここから、ここではない他の視点を見ることができるのである。

それに対して、観点はそうではない。ある観点は、自分でその観点に立ち、その相貌を得ることによってしか、捉えられない。視点は眺望と独立に指定できるが、観点はそこから開ける相貌と独立に指定することはできない。

（ひとつ、問題。視点にも、観点がもつそのような性格はある程度あるのではないか。自分がどの視点に立っているかは、そこからどのような眺望が開けるかにもある程度依存しているのではないか。ようやく山頂に到達して周囲を見まわしたら、そこに海岸の波打ち際の光景が広がっていたとしたら、どうか。私は「この山頂からは海岸の光景が広がっていた」と言うだろうか。いや、むしろ山頂からどこか別の場所にワープしたと思うのではないか。）

3　経験超越的な概念と相貌

この回を執筆していたときには、「相貌」をもちだして相対主義の語りえなさを示すという議論は、自分としてはそれなりに手ごたえのあるものと考えていた。だがその後、これだけでは議論が決定的に不十分であると考えるようになった。（私の議論の不備を指摘してくれた学生（新発田創さんと堀沙織さん）に感謝。）

問題は、経験超越的な概念に対して相貌という考え方がどのように有効でありうるのかにある。例えば、「電子」。電子は経験超越的な概念であり、電子そのものを知覚することはできない。他方、相貌は知覚のあり方に関するものであるから、「電子の相貌」と言われてもよく分からないものでしかない。だが、「電子」に対して無力であるならば、相貌という考え方は真理の相対主義の問題、とりわけ相対主義のパラドクスに対して、あまり有効とは言えないだろう。

例えば「霊魂」という経験超越型概念を考えよう。現代の日本人たるわれわれは「死後も霊魂が生き続ける」といった信念をもっていない。そこでいまある人たちが霊魂の存在を信じているとする。それは生活のさまざまな局面にさまざまな形で現われてくるだろうが、とりわけわれわれと彼らの死生観の違いとして現われてくるだろう。では、死生観の違いというのは、実質的にどういうことなのだろうか。

私は、本文においてイワシの頭について論じたとき、「生き方」といういきわめてあいまいな言葉を出しておいた。そのあいまいさにはさしあたり目をつぶり、ここでも「生き方」という言葉を用いるならば、死生観の違いというのは、まさしく生き方の違いにほかならない。そして生き方の違いは、これもまたきわめて大雑把に言えば、行動の仕方の違いとして現われるだろう。死生観が異なるならば、少なくとも死に直面したときのふるまい方に違いが現われるはずである。

では、われわれは自分たちと異なる生き方を、その生き方を引き受けることなく、あくまでもわれわれの視点を保持したままで、いわば「外側から」十全に理解できるのだろうか。相対主義に関する目下の問題は、この一点にかかっている。

われわれと異なる死生観をもった人々を長期にわたってじっくりと観察すれば、彼らの行動様式は把握できるようになるかもしれない。そうして、ある程度の確からしさで彼らの行動を予測することができるようにもなるだろう。「死者が出た。しかし彼らはすぐには死者を埋葬しないだろう」等々。だが、これは例えば「ツバメは春にやってきて、冬には南へと渡る」のような、動物たちの行動を予測することと同様のレベルである。さらに言えば、対象を観察し、そこに規則性・法則性を見出して予測するという点では、台風の進路予想と同じレベルと言えるだろう。他方、ある人々の死生観を把握するとは、彼らのその生き方を理解することである。それは対象を観察する観察者の視点を保持したままでは不可能であるに違いない。

ここでもまた、相貌が関わってくる。なるほど霊魂そのものは経験超越的であるから、霊魂の相貌を云々することはできない。しかし、そこにはわれわれと異なる死生観が開かれ、その死生観のもとにわれわれと異なる行動様式が示される。そしてこの行動様式の異なりが、世界の相貌の異なりを生み出すのである。

行為と相貌の関係を、より身近な場面で確認しておこう。例えばデパートの商品を見て歩いているとき、ただ見ているだけのときと買おうとしているものがはっきりしているときでは、同じ場所を歩いていても、その相貌は著しく異なっているだろう。同様のことはすべての場面で生じている。ただ道を歩いている場合でも、この先の十字路が、直進する場合と右折する場合とで異なった相貌で現われる。あえて言語化すれば、直進する場合にはそれは「直進するものとして」見え、右折する場合には「右折するものとして」見えている。私は自分がいまおかれた状況を、そこで私がとろうとしている行為の構えに応じて意味づけている。その意味づけの違いはその状況の相貌の違いとして現われるのである。いささか舌足らずな言い方をさせてもらうならば、行為への構えや意図は世界の相貌として現われると言えるだろう。

死生観のような生き方の違いがもたらす行動様式の違いもまた、世界の相貌の違いとして現われてくる。例えば、死者の体を傷つけることをわれわれならばむごい仕打ちとして見るかもしれないが、霊魂に重きをおく人々はむしろ霊魂を純化させる神聖なことと見るかもしれない。そのような違いはおそらく無数にあり、いちいち言語化できないほど微妙な違いも多いだろう。霊魂は経験超越的な概念であるが、それは経験と無縁なものではない。それどころか、経験超越的な概念は経験に秩序と意味をもたらすべきものなのである。だとすれば、経験超越的な概念そのものにダイレクトに相貌という考え方を適用することはできなくとも、それはやはり相貌と密接に関わっていると言えるだろう。

同じことは「電子」についても言える。「電子ありの理論」を引き受けている人と「電子なしの理論」を引き受けている人では、研究の仕方、探求への構えが異なっていると考えられる。いま、理論の決定不全性に従って「電子ありの理論」も「電子なしの理論」も経験的には等価、すなわちわれわれに与えられるすべての経験を等しく説明しうると仮定している。そこでもし、どちらの理論を引き受けても研究者の探求方法・行動の仕方にまったく違いがないとするならば、そのとき「電子ありの理論」と「電子なしの理論」とに実質的な違いを見出すことはできなくなるだろう。両者は言葉遣いが違うだけで、同じ理論だと言うべきである。逆に言えば、経験的に等価である二つの理論が、それでも実質的に異なる理論だと言いうるためには、両者はそれを引き受ける研究者の行動様式に違いをもたらすのでなければならない。

そうだとすれば、「電子ありの理論」を採用している研究者と「電子なしの理論」を採用している研究者では、その行動様式の違いに応じて、世界の相貌にも違いがあることになるだろう。ここでも、電子という経験超越的な概念は、それ自体に相貌という概念を適用することができなくとも、その概念枠に基づく行動様式の違いに応じて、世界の相貌の違いをもたらすのである。

こうしたことを含めて、私は「観点」というあいまいな語を用い続けることにしたい。観点とは、同様にあいまいな言い方をすれば、「生き方」である。それは行動様式の違いであり、行動様式の違いは一般に相貌の違いをもたらすことになる。それを私は、「観点が異なれば相貌が異なる」と表現することにしたい。(「観点と相貌」という言い方にこだわるのは、「視点と眺望」という考え方と対にしたいという、私の哲学的構図からの理由による。)

9　翻訳できないものは理解できないか

デイヴィドソンと『論理哲学論考』

たとえ話をしよう。その王様は、世界のすべてが自分のものだとして育てられてきた。その結果、彼は「自分のものではない」ものが何ひとつ想像できず、「これは私のものだ」などという庶民的な考えをもつこともなかった。「私の」という所有格は、彼にはまったく無用だった。

ウィトゲンシュタインは『論理哲学論考』において、「独我論を徹底すると純粋な実在論と一致する」（五・六四）と述べている。独我論は、世界とは私が捉えたかぎりのものでしかないと考える。（世界は私の世界である。だから、私が死ぬと世界もまた消滅する。）それゆえ「他人が捉えた世界」は意味をもたない。だとすれば、すべてを所有する王様のように、それを「私が捉えた世界」と言い立てることにも意味はない。つまり、独我論が言う「私の世界」は、つきつめればたんに「この世界」に等しいものになるのである。かくして、独我論は実在論に一致する。

そしてデイヴィドソンもまた、同様の方向で論じていると言えるだろう。ウィトゲンシュタインが独我論を徹底したように、デイヴィドソンは相対主義を徹底し、その結果、相対主義を蒸発させてしまうのである。

ひとは自分の概念枠を離れられない。これは相対主義の言い分にほかならない。それゆえ、自分の概念枠の下に翻訳することができないものは、理解できない。だとすれば、私は私の概念枠をはみ出たもの、自分と異なる他の概念枠の存在を捉えることができないだろう。かくして、相対主義をつきつめることによって、まず「他の概念枠」という考えが却下される。そして、他の概念枠がありえないのであれば、「自分の概念枠」という言い方にもポイントはなくなる。(例の王様のように。)「自分の概念枠によって捉えられた世界」などという言い方をせず、たんに「この世界」と言えばよいのである。かくして、相対主義の考え方を徹底することによって、概念枠という考えは消失する。

ウィトゲンシュタインとデイヴィドソンが同じことを言っているというのではもちろんない。しかし私は、相対主義を擁護し、デイヴィドソンと格闘しながら、その背後に『論理哲学論考』を透かし見て、自分が『論理哲学論考』のウィトゲンシュタインと戦っているようにも感じるのである。

翻訳によって理解するということ

デイヴィドソンの議論の大筋はこうであった。――異なる概念枠をもつ言語は翻訳不可能でなければならない。しかし、絶対翻訳できないようなものなど「言語」とは言えない。だから、異なる概念枠などありはしない。(ウィトゲンシュタインならば、「異なる論理空間など思考不可能。だから、異なる論理空間などありはしない」と言うだろう。)

なるほど、絶対翻訳できないものなど「言語」とは認められないように思われる。「タコが身もだえして足をくねらせているが、あれは彼らの言葉なんだ。われわれにはまったく理解できない。でも、彼らにとっては言語なのだ」などと言われても、何をおっしゃいますやら、という気持ちになるだろう。まったく翻訳不可能なものを、どういう根拠で「言語」と言いうるのか。

だが、例えば日本人は、翻訳できないものをこれまでさんざん取り入れてきたのである。明治期にはそうしたことがさかんに行なわれた。「哲学」は“philosophy”に対応する言葉として西周が作ったものである。あるいは“society”は最初「交際」とか「仲間」とか「社中」と訳されていたらしいが、どれもぴったりせず、けっきょく福地桜痴が「社会」という新たな語を作り、「ソサイチー」のルビをつけて使用し始めたという(『日本国語大辞典』)。「哲学」や「社会」は、実は訳語ではなく、“philosophy”や“society”そのものを表わす造語なのである。だから、「哲学」や「社会」という語が使われるようになっても、その意味するところは当時はまだ十分に理解されていなかったに違いない。だが、現在ではそうした語もふつうに日本語の仲間入りをしている。つまり、われわれは「哲学」や「社会」といった概念を新たに（時間と手間をかけて）獲得したのである。そして私は強調したいのだが、これはけっして「翻訳」ではなかった。

では、それは何と呼ばれるべきか。彼らは、異国の言葉に含まれていた未知の概念を新たに学ばねばならなかった。それゆえそれは、「習得」と呼ばれるべきだろう。ひとは、未知の概念に出会ったとき、それを翻訳するのではなく、新たに習得することによって理解する。

翻訳と論理空間

議論を先に進める前に、「論理空間」について、もう少しきちんとした規定を与えておきたい。

論理空間とは、いま私にとって考えられるかぎりの世界のあり方の可能性である。それは意味不明でないかぎり、どれほど非常識であっても非科学的であってもよい。富士山が液状化して崩れるとか、その上空をブタが群れをなして飛ぶとか、なんでもありである。言いかえれば、論理空間とは理解可能なことがらのすべてにほかならない。まちがいであれ、まったくありそうにないことであれ、私に理解可能ならばそれは私の論理空間に属している。論理空間を構成する要素の各々は現実の事実からとられている。事実を分節化して、タマやウィトゲンシュタインや富士山といった個々の対象と、猫や人間や山といった概念を取り出す。(さらに〈…は…を飼っている〉のような関係概念も含まれる。)これらの諸対象と諸概念が論理空間の礎石であり、論理空間のあり方は、私がどのような対象と概念を知っているかにかかっている。そうして、それら諸対象と諸概念を意味のある仕方で組み合わせたものを、非常識でも非科学的でも、すべて列挙する。これがつまり、論理空間であり、私の理解可能性の全体である。

そこで、このような考え方の線上で考えるならば、「翻訳」とは、相手の言葉を私の論理空間において理解することであると言えるだろう。ところが、明治の人たちの論理空間には"philosophy"が表現する概念も"society"が表現する概念も、含まれてはいなかった。そこで、新たな言葉を作ったのである。ここにおいて「習得」とは、新たな概念の習得であり、それゆえ論理空間の拡大を意味している。つまり、「翻訳」とは手持ちの論理空間を変化させずに相手を理解することであり、「習得」とは自分の論理空間を変化させることによって理解を進めることにほかならない。

「哲学」や「社会」の事例は論理空間の部分的な変化だったが、それを極端にすれば、まったく新しい論理空間の習得ということもありうる。いつか宇宙人と遭遇し、われわれはもしかしたら全面的に新しい論理空間を学ばねばならないかもしれない。そんなものが習得可能なのかと問われるだろうか。いや、われわれもまた、そのようにして母国語を習得してきた。われわれは、子どもの頃、はじめての言語を学び、はじめての論理空間を編み上げていったのである。

コミュニケーションにおける概念習得

異文化理解のような場面ではなく、日常のコミュニケーションに目を向けよう。新たな概念習得によって相手を理解することは、日常会話でもけっして稀ではない。

ここで、会話のあり方を次のように分類してみたい。

(1) 会話が何も問題なくなめらかに進行している。[1]

(2) 相手の言葉の意味がよく分からず、会話が滞る。

(2a) 翻訳が必要。

(2b) 習得が必要。

会話がなめらかに進行していても、実はよく聞いてみると話が食い違っていたということも、珍しくはない。しかし、いまはそうした問題にあまり深入りせず、なめらかに進行した場合にはそれでよしとしよう。問題は、相手の言葉の意味がよく分からない場合である。

まず、翻訳が必要となる場面から見よう。「翻訳」といっても、いま考えるのは日本語を日本語に「翻訳」する場面である。

例えば相手が私の知らない言葉を使ったとする。「ふきこぼれそうになったらびっくり水を入れて」「どこにあるのさ。そのびっくり水って」聞いてみると、なんのことはない、鍋に沸かしたお湯がふきこぼれそうになったときに水を差すことを「びっくり水」と言うのである。お湯が驚いてしゅんとなるからであろうか。ともあれ、私はこうして「びっくり水」を既知の言葉に翻訳して理解する。ここで私が学んだのは、すでに知っている概念に対する新たな表現であり、新たな概念ではない。それゆえ、これは「翻訳」のケースである。

あるいは、翻訳による理解にはこんな場面もありうる。ある人が「この仕事は私には役不足でできそうにないです」と言う。この場合、ほぼ瞬時に私はこの「役不足」という語を、私が正しいと考えている意味で理解するのではなく、「力不足」のような意味に翻訳して理解するだろう。

だが、翻訳ですべてが解決できるわけではない。「三枚におろす」という言い方が分からなかったとする。それを「魚を身と骨の三つの部分に切り分ける」と言葉で言われても、よく分からない。実際にやってもらい、「これが三枚におろすってことだ」と教えてもらわねばならない。私はそうして「三枚におろす」という概念を習得するのである。

相手が私の知らない概念を用いて話をしたとき、私はその概念を学ばねばならない。それはときに時間と手間のかかることともなる。例えば、碁を打っている人が、「薄い手だったか」とか「厚みには近寄らぬが肝心」とか言っていたとする。この「薄い」だの「厚い」だのを理解するには、碁を学ばねばならない。しかも、たんに碁の規則を知るだけではだめで、ある程度実践を積んで「薄い」とか「厚い」と言われる独特の感覚を身につけねばならないのである。[2]

　コミュニケーションはけっしてつねによどみなく進むわけではない。それでも、相手の用いている概念がすべて私にとって既知のものであるならば、つまり相手が私と論理空間を共有しているならば、相手の使っている未知の表現を私は私の知っている言葉に翻訳することで理解できる。だが、私の信じるところでは、二人の人が論理空間を完璧に共有していることなどありはしない。そしてそのギャップはしばしば日常の会話において露呈し、コミュニケーションをよどませる。その場合、もはや翻訳は無力でしかない。翻訳は相手の言葉をあくまでも私の論理空間の内で理解することである。それゆえ、私の論理空間をはみ出たものは、翻訳によっては理解できない。しかし、これまでにもしばしば遭遇してきたそのような場面を、われわれは新たな概念を習得することによって、そうして自分の論理空間を変化させることによって、乗り越えてきたのではなかったか。[3]

異なる概念枠はどこにあるか

翻訳不可能なものは言語ではないというデイヴィドソンの主張に対して、私は、翻訳不可能であっても習得可能な場合がある、ということを強調したい。

あるいは、デイヴィドソンはそのことを認めるかもしれない。彼が本当に言いたかったことは、習得可能性も含めて、まったく理解しえないものは言語ではない、ということだったのかもしれない。それならば私も反対はしない。翻訳もできず習得もできないもの（タコの身もだえ）は、もはや「言語」と呼べるようなものではないだろう。（「概念枠という考えそのものについて」の十二年後（一九八六年）に発表された論文「墓碑銘のすてきな乱れ」（"A Nice Derangement of Epitaphs," in his *Truth, Language, and History*, Clarendon Press, 2005. 柏端達也他訳『真理・言語・歴史』、春秋社）のデイヴィドソンならば、実際、そのように言うのではないかとも思われる。）しかし、そうだとすると、デイヴィドソンが為そうとした「異なる概念枠など存在しない」ということの論証は、失敗と言わざるをえない。というのも、習得による理解は、まさにそこに異なる概念があったことを示しているからである。

慎重に語ろう。異なる概念枠は、実のところ、現在形で確かめることができない。私は、「ここに私の知らない概念がある」と言うことができないのである。どういう概念であるかを知らないのに、どうしてそれが概念であると分かるだろう。宇宙人が「ポックン」という音を発したとする。それはたんにくしゃみのような意味のない音かもしれない。それが確かに概念を表わしていると分かるのは、私が「ポックン」の意味する概念を理解しえたときである。だから、その概念を習得する前には、未知の概念の存在を私は確かめることができない。[4]

ところが、習得したならば、そのときにはもうそれは「未知の概念」ではなくなっている。つまり、例えば「ポックン」が概念であると分かったときには、それはもはや未知ではありえない。かくして、未知の概念とは、現在形でその存在を確かめることはできず、「かつての私にとって未知の概念であった」という過去形でしか、姿を現わさないのである。[5]

異なる概念枠は、理解する前には姿を現わさず、理解したときにはもう異なる概念枠ではないものとなっている。この点を捉えて、「だからどの時点においても異なる概念枠など存在しないのだ」と言いたくなるかもしれない。だが、そうではない。なるほど、どの特定の時点においても、私は「異なる概念枠」なるものの存在を認めることはない。しかし、最初理解できなかった相手の言語を、そこに含まれる新たな概念を習得し、私の論理空間を変化させることによって、私は理解できるようになった。その理解の運動において、異なる概念枠の存在は示されるのである。

翻訳不可能でも言語でありうる。デイヴィドソンに反して、私はそう結論したい。

第9回　註

1　会話のなめらかさ

ここで「会話が何も問題なくなめらかに進行している」とは、「意思の疎通が十分に達成されている」ことを意味する。意見の対立があるとか、返答に窮する質問攻めにあい黙ってしまうといったことは、会話の潤滑さに影響しないものと考える。というのも、問題になっているのは相手の発話を理解できるかどうかだからである。相手の発話を十分に理解した上でその意見に賛成できないとか、その質問には答えられないというのであれば、目下の脈絡ではそれはそれで意思の疎通は達成されているとみなしてよい。

2　経験と概念理解

囲碁において「厚い」とはきわめておおまかに言えば「相手から攻められる余地が少

なく、そこに自分の勢力圏を形成しうるような碁石の配置」とでも言えるだろうか。逆に「薄い」とは「相手から攻められる余地があり、自分の勢力圏を形成することができないような碁石の配置」と言えるだろう。だが、この言葉だけを理解していても囲碁における「厚い」「薄い」の意味が十分に分かったとは言えない。実際私自身、少しは碁を打つが、ヘボであり、囲碁における「厚い」「薄い」という語の意味を十分に理解している自信はない。(いささか見栄を張ってしまった。「十分に理解していない自信がある」と言うべきであった。)

しかし、「ある語の意味が十分に分かる」とはどういうことだろうか。これについては、哲学者の間でも共通の見解があるわけではない。それゆえここでは、いささか独断的となるが、それでもあまり反論がこないようにかなり漠然と、「その語を十分に使いこなせること」としておきたい。生活の中で、あるいはさまざまな実践の中で、その語を用いて不都合なくことが為せること。ウィトゲンシュタイン風に言えば、その語を用いた言語ゲームに参加できることである。

そのとき、囲碁において「厚い」の意味が理解できているとは、適切な局面で「厚い」という語が使えること、そして「厚い」形であればどうなるのかといったことが適切に言えることであると言えよう。そのためには、ある碁石の配置が厚い形なのか薄い形なのかを判別する能力が要求される。それには、言うまでもなく、棋力がおおいに関わってくる。そのため、この概念を習得するには、かなりの時間と手間がかかるのである。

さて、私はむしろここからを書きたくて、この註をつけている。とはいえ、この先は本文の話題と密接に関連しはするが、多少そこからそれてしまうことになるので、なるべく手短に書くことにしよう。

実のところ、この事例はきわめて興味深い事例なのである。その特徴は、第一に、「厚い」「薄い」という語の意味を十分に理解するには経験が必要だということ。経験がなければ、ある形が厚いのか薄いのかも分からず、その語を適切に適用することができない。それゆえ第二に、「厚い」や「薄い」の意味理解は、理解しているかしていないかのいずれかではなく、経験に応じて浅い理解から深い理解へと段階的に推移していく。しかも、浅い理解であっても、まったくのまちがいではない。もちろん、まるで誤解してトンチンカンな場面で「厚い形だ」などと口走り、そのまちがいを指摘されることも初心者ならばあるだろう。しかし、ある程度経験を積めば、「厚い」ということがどういうことなのかもある程度分かってくる。それはもちろんまだ不十分な理解だが、まちがいというわけではない。さらに、プロの間でも何をもって「厚い」とみなすかは意見が分かれるという。その意味では、この概念に関しては全員が十全な理解の途上にあるのである。

このような特徴をもった概念には他にどのようなものがあるだろうか。正直に言って、私は答えに迷っている。ひとつの答えは、「すべての概念がそうだ」というものである。「犬」だろうと「赤い」だろうと、囲碁における「厚い」がもっているようなこうした特徴を備えている。だが、いまのところ私はそれとは違うもうひとつの答えに傾いている。すなわち、「このような特徴をもつ概念ともたない概念がある」と答えたい。では、どのような概念がそうした特徴をもつのか。そしてまた、このような特徴をもつ概念ともたない概念の違いは何に由来するのだろうか。

まずまちがいなく囲碁における「厚い」と同様の例になると私が考えている概念は、「誠実さ」である。「誠実さ」は「正直」とは違う。誠実であるがゆえの嘘というものも珍しくはないだろう。では「誠実さ」とは何か。おそらく、小学生にはまだこの概念を十分に理解することはできないのではないだろうか。人には、無限に多様と言ってもよい誠実さの形がある。「誠実さ」という概念の内実を理解するには、相応の人間理解が必要となる。そしてそれには人間関係における経験が要求される。それゆえ、ここでもまた、経験の多寡に応じて浅い理解から深い理解まで、段階があると言えるだろう。あるいは、「美しい」などもそのような概念――経験に応じて浅い理解から深い理解まであり、唯一の正解があるわけではない概念――であると、私は考えている。

それに対して、例えば「イワナ」と「ヤマメ」といった語はどうか。これらの概念も、ある程度いま論じている概念と似た特徴をもっている。私には両者の識別ができない。その意味で、私は「イワナ」と「ヤマメ」という概念を十全に習得してはいない。また、正しく識別できるようになるには経験が必要である。だが、「イワナ」と「ヤマメ」に対する私の理解は、「浅い理解」と言うよりは「不完全な理解」と言うべきであるように思われる。というのも、この場合には魚に関する専門家が「イワナ」と「ヤマメ」について完全な概念理解をもっており、それと異なる理解は単純に誤解とされるからである。

「イワナ」と「ヤマメ」の場合には、私に欠けているのはイワナとヤマメを識別するために十分な知識である。他方、囲碁における「厚い・薄い」とか人柄や言動の「誠実さ」といった場合には、知識ではなく洞察が要求されているのではないだろうか。イワナやヤマメの形態や生態といった知識の欠如がもたらす概念理解の不十分さは「不完全な」理解として現われるが、洞察には深浅があり、それゆえ浅い洞察しかもたない理解は「浅い」理解とされ、深い洞察を伴う理解は「深い」理解とされる。

では、何を洞察するのか。誠実さの場合で言えば、誠実さをその一部分として含む人間のあり方の全体であろう。誠実さはそれだけを切り離して理解できるようなものではない。誠実さは、その人の他の性格、能力、境遇等、あるいは誠実さを発揮すべき相手のあり方や状況等、さまざまな要因と織り合わされている。他の要因が変化すれば、部分的には同じ言動が誠実とも不誠実ともなりうるだろう。それゆえ、「誠実さ」という概念を理解するには、そうした他の要因全体とそれらの連関を見通さねばならない。ここに、洞察の深浅が現われる。

囲碁における「厚い」「薄い」も同様である。それは囲碁というゲーム全体の中で捉えられなければならない。ある碁石の配置を部分的に見て「厚い」とか「薄い」と言うことはできない。一局の碁の展開全体の中で、そしてそれは実際の進行だけでなく、実現しなかったがありえたさまざまな可能な展開の中で、さらにはおそらく対局相手の棋力に応じて、そうした全体を見通す中で、「厚い」とか「薄い」と言われるのでなければならない。このことが、洞察に深浅をもたらし、それが浅い理解と深い理解を分けるのである。

以上の考察が大筋として正しいのであれば、それは本文において私が追っている目下の問題とどう関わるだろうか。この註で確認したことは、ある概念は経験の多寡、あるいはそれに伴う洞察の深浅に応じて、その概念のもつ内実が異なりうるということである。囲碁においてある展開を「厚い打ち方」と評したとして、それはその評価者の経験によって異なる意味をもちうる。あるいはある人の言動を「誠実であった」と評価したとして、その意味は評価者の経験によって異なりうるのである。これは、経験のあり方によって、それゆえ個人ごとに、概念枠が異なるということを意味するのだろうか。多少ためらいは残るが、「その通り」と答えたい。実際、ある碁石の配置がどのような相貌をもって現われるかは、その人の囲碁経験に大きく左右される。あるいはまた、ある人の言動を誠実なものとして見るという点では一致していたとしても、それを見る人の人間経験と洞察のあり方に応じて、その誠実さの相貌はなお異なったものとなりうるに違いない。

3　固有名と論理空間

概念枠の違いにはならないが、私と他者との間での論理空間の違いとして最もふつうに見られるのは、その論理空間に含まれる個体の違いである。まず、用語の説明をしておこう。「個体」というのは言語哲学などで使われる用語で、個々の対象のことである。例えば、「ルートヴィヒ・ウィトゲンシュタイン」という名をもつ個人。人であれば「個人」だが、「ポチ」という名をもつ犬も、「富士山」という名をもつ山も、個別の対象であるから、そうした個別の対象を「個体」と呼ぶ。そして個体がもっている名は、言語哲学では「固有名詞」と言うよりは「固有名」と呼ばれる。(「固有名詞」は品詞を分類する語であり、「固有名」はその語の役割を分類する語という感じだろうか。

よく分からないが。）「ルートヴィヒ・ウィトゲンシュタイン」「ポチ」「富士山」、これらは固有名である。さて、論理空間は可能な事実（事態）から構成される。そこで、例えば私の論理空間には、中村実さんという人物に関して、「中村実さんは海岸で逆立ちをした」と記述されるような事態が可能なものとして含まれている。だがもちろん、中村実さんを知らない人の論理空間にはそんな事態は含まれてはいない。つまり、なんであれある個体aを知っている人と知らない人とでは、個体aに関する可能な事態の分だけ論理空間は異なっている。もっと平たく言えば、ある対象を知っている人はその対象についてあれこれ考えることができるが、知らない人はそれについて考えることができないということである。

個体は概念ではないから、その違いは概念枠の違いには反映されないが、知っている個体の総体は人によって異なるだろうから、その点において、事実上誰ひとり同じ論理空間を共有してはいないと言ってよいだろう。（もちろん、二人の人がいつも行動を共にし、その結果まったく同じ個体と出会い、まったく同じ個体を覚えているということも、原理的にはありうる。しかし、現実にはないことだろう。）

そこでもし相手の知らない固有名を用いてなにごとかを発言した場合、聞き手にはその意味が分からないことになる。例えば私が「中村実さんは毎朝海岸で逆立ちするらしいよ」とあなたに言ったとする。あなたは中村実さんを知らない。しかし、あたりまえのことだが、この場合には翻訳は無力である。そもそも中村実という対象があなたの論理空間にないのだから、翻訳のしようもない。そこでその意味を習得しなければならない。固有名の意味の習得の典型はその対象に出会うことである。「中村実さんて、誰？」とあなたは尋ねる。私は、この人だよ、と当人を指し示す。

ところで、ここにはきわめて興味深い問題がある。話はそれてしまうが、おまけとして読んでいただきたい。

話し手と聞き手とで共有されていない対象は、ほとんどの場合その会話の場所から離れた別のところにあり（中村実さんは高知にいる）、当の対象を指し示すことなど現実にはできない。そこでわれわれはたいていの場合、「ぼくの友人なんだけどね」と言うぐらいで済ませるだろう。極端な場合には、「うん、そういう人がいるんだ」で済ませてしまうかもしれない。私には、これはとても興味深いことに思われる。

ここで聞き手のもとに起こっていることを考えてみよう。「中村さんは毎朝海岸で逆立ちするらしいよ」「中村さんて、誰？」「中村実さん。知らなかったっけ。ぼくの友人なんだけどね」――このやりとりにおいて、聞き手はまだ「中村実」という未知の固有名の意味を理解してはいない。それゆえまた、その新たな対象を論理空間に取り込むこともできていない。このやりとりにおける聞き手の理解は、「野矢の友人で「中村実」という人がいるんだ」というところにとどまっている。だが同時に、必要とあらば話し手に頼んでその人物に会わせてもらうとか、その人物を特定できるような十分な記述を教えてもらうといった仕方で、自分も中村実氏を同定する能力を身につけることができるだろうという了解をもつ。ここにおいて「中村実」という固有名は、いわば「小切手」のように働いていると言えるだろう。聞き手はそれを「換金」しようと思えばできる。すなわち、いざとなれば対象に出会わせてもらうとか、さらなる記述を与えてもらい、その対象を自分の論理空間に取り込むことができる。もし話し手がでまかせを言っていて、そんな対象が存在しなかったとするならば、それは「不渡り」ということになる。ここにはまだ論ずべきことが多く残されているが（そして私はそれについてまだ明瞭な見通しをもっていないが）、ともあれ、固有名を用いたわれわれの会話の中には、ごくふつうのこととして小切手的なやりとりが行なわれているということ、これはとても興味深く、かつ重要なことであると、私には思われる。

4　未知の概念

「習得以前には未知の概念の存在を確かめることはできない」ということには反論があるかもしれない。例えば『純粋理性批判』のあるページを開いてみる。そこに「感性的直観」という言葉があったとしよう。しかしあなたはまだその意味を知らないとする。「感性的直観の多様を結合するものは構想力である。」なんのことやら。いったい、これは未知の概念がそこにあることの実例ではないのか。

いや、そうではないと言いたい。先の註3で用いた言い方をここでも使うならば、これはまさしく「小切手的使用」と言えるだろう。それが正当な小切手なのか、それとも不渡りのただの紙切れなのか、それは実際に換金してみるまでは分からないのである。ここで、あなたが開いたのがカントという偉大な哲学者の著作であることが決定的に重要なこととなる。つまり、カントの切った小切手ならば信用できると判断されるのである。それに対して、野矢というちんけな哲学者が何ごとか得体のしれないことを言ったとしよう。例えば、「いっさいの言説は再帰的なメタ同一性のもとに回収されねばならない」とか、「始原的無がその始原において根元的に逸脱していく」とか。どうだろう。善良な読者はこれも正当な小切手だと思うかもしれない。つまり、分からないのは自分が至らないせいであり、いつかこれらの言葉の意味するところを理解できるに違いない、と。だが、これは不渡りである。正直に言って、なんとなく書いていて楽しくなって、あと二、三個書きたくなったのだが、まったくの出まかせであり、私自身にも意味不明でしかない。ここには未知の概念などありはしない。

ことは相手がカントであっても同様である。信頼できる相手の発した言葉だからといって、それがなんの概念も表現しない不渡りの言語もどきではないと断言することはできない。それゆえ、やはり、「ここに未知の概念がある」と現在形で断言することはできないのである。

5　存在論的未知

ときにこんな台詞を耳にすることがある。「まだ地球には人類の知らない謎がたくさんある。」なるほどそうだろう。しかし、どうして「未知」があると分かるのだろう。例えば「まだ人類に知られていない昆虫はたくさんいる」と言われる。冷静に考えるとこの発言はナンセンスである。未知の昆虫は未知なのであるから、たくさんいるかどうかも未知であるに違いない。例えば「未知の鳥類があと二三〇種存在していることが知られている」と書けば、そのナンセンスは明らかだろう。こうした未知もまた、現在形でその存在を断言することはできず、既知に到達して初めて、これまでの未知を「未知であった」と過去形で語れるのである。

しかし、すべての未知がそうではない。現在形で語れる未知もある。例えば、現在北海道全域に何頭のヒグマがいるのか、われわれはその正確な数を知らない。ここにはまちがいなくわれわれの知らないことがある。そしてその未知を現在形で語ることができる。あるいは邪馬台国がどこにあったのか、われわれはまだ知らない。こうした未知は「われわれは……を知らない」と現在形で語れるのである。

では、現在形で語れる未知と現在形では語れない未知の違いはどこにあるのだろうか。それは、ひとことで言えば、それを知ることによって論理空間が拡大するかどうかの違いである。未知の概念を知ることは論理空間を拡大させる。それゆえ未知の概念の存在を、いまの論理空間のもとで語り出すことはできない。新種の昆虫を発見するということも、つまりは新たな概念がそこで形成されるということにほかならない。例えば、「カカトアルキ」という和名がつけられたナナフシにも似た昆虫は二〇〇二年に新種として認定されたものであるが、それによってわれわれの論理空間には「カカトアルキ」なる概念が新たに加わったのである。

他方、北海道全域にヒグマがいるということはわれわれの論理空間に含まれている。そして、ヒグマがいるからには、それは現在においてある確定した頭数であらねばならない。ただ、その実際の数値を、われわれは知らないのである。そこで、がんばって調査をして現在の頭数を正確に知りえたとしても、それによって論理空間が拡大されることはない。邪馬台国の場所についても同様である。邪馬台国があったということはわれわれの論理空間に含まれている。そしてあったからには日本のどこかにあったに違いない。将来研究が進んでその場所が特定できたとしても、それによって論理空間が拡大されるわけではない。このような場合には、その未知は論理空間の内部で語り出すことができることになる。

さて、そのように見ると、現在形で語ることのできない未知は、新たな概念を知るという場合だけではないことになる。論理空間を構成する礎石は、概念と個体であった。だとすれば、新たな個体を知ることも、論理空間を拡大する。それゆえ、未知の個体の存在もまた、現在形では語れないのである。とはいえ、これは多少われわれの実感に合わないところがあるかもしれない。例えば、「海にはまだわれわれが出会ったことのないクジラがいる」と主張したとする。これは新種のクジラがいるという意味ではない。われわれが出会ったことのないクジラ個体がいるというのである。そして、われわれはこの主張をあたりまえのことと感じるだろう。だが、ここまでの議論に即して潔癖に考えるならば、これもまたナンセンスなのである。出会ったことのないクジラ個体がいるということがどうして分かるのか。出会ったことがないのに。それゆえ、われわれに言えるのは「出会ったことがないクジラがいるだろう」という推量であり、そしてまた「いままで出会ったことのないクジラに出会った」という過去形の主張でしかない。

そこで、概念と個体の存在についての未知を、いささか仰々しいが「存在論的未知」と呼ぶことにしたい。現在形で語ることのできない未知は、論理空間の拡大に関わる未知である。そして論理空間の拡大は新たな概念と個体を知ることによってもたらされる。すなわち、現在形で語ることのできない未知とは、存在論的未知のことにほかならない。

10 翻訳可能でも概念枠は異なりうる

『広辞苑』で「たぬきそば」を引いてみるとこう出ている。「関東で、揚げ玉と刻んだ葱を入れた掛けそば。関西で、油揚げを入れた掛けそば。」こんなふうに、場合に分けて定義される概念というものもある。適当に作ってみることもできる。例えば、「キュウリンゴ」というのは、「我が家ではキュウリのことであり、我が家以外ではリンゴのこと」とか。そうすると私は、我が家ではキュウリを指して「キュウリンゴ」と言い、よそではリンゴを指して「あ、キュウリンゴだ」とか言うことになる。「キュウリンゴ」はただの冗談だが、ネルソン・グッドマンが「グルー（grue）」という概念を考案したのは、もちろん、おおまじめだった（N. Goodman, *Fact, Fiction, and Forecast*, Harvard U.P.,1954. (4th ed., 1983.) 雨宮民雄訳『事実・虚構・予言』、勁草書房）。「グルー」という概念を用いて提起された「グルーのパラドクス」と呼ばれる問題は、「帰納」に関わる問題であり、それゆえ相対主義に直接関わるようには見えないのだが、実は、相対主義の問題に密接に、そして決定的に、関わっている。実際私は、このパラドクスの検討によって、私自身の相対主義に対する考え方を大きく変えることになった。ともあれ、まずグルーのパラドクスを紹介しよう。

グルーのパラドクス

経験したことがらを一般化することを「帰納」と呼ぶ。いままでに何回も蚊に刺され、そこがかゆくなるということを経験すると、そのことから「蚊に刺されるとかゆくなる」と一般化する。これが、帰納である。

　個別の経験を一般化することには、どうしても論理的には埋めきれない飛躍がある。そこを追及したのが、哲学史上有名なヒュームの議論だった。そしてグッドマンは、ヒュームの議論が乗り越えられたとしてもなお、そこに現われてくる新たな問題を提起した。かりに、個別の経験を一般化することには問題がないとしても、そもそもその「個別の経験」なるものをどのように捉えればよいのか、それらの経験をどのような概念で捉えればよいのか、それが決まらないのではないか。グッドマンはそうわれわれに挑戦してくる。[1]

　例えば、蚊に刺され「かゆく」なった。しかし、それを「かゆい」という概念で捉えることにはどのような根拠があるのか。別の、それこそ「キュウリンゴ」のような概念（例えば「かゆねむい」）で捉えたとすれば、その経験は別の意味をもち、それゆえ「蚊に刺されるとかゆくなる」とは異なる一般化（「蚊に刺されるとかゆねむくなる」）がなされることになるだろう。それは、なぜ許されないのか。

グッドマンは「グルー」という変てこりんな概念を考案する。グルーは色を表わす概念であるが、「たぬきそば」のように、場合に分けて定義される。これまでに観察されたものについては、それがグリーンである場合、その色は「グルー」と呼ばれる。そして、これまでに観察されていないものについては、それがブルーである場合、その色は「グルー」と呼ばれる。いま現在（読者がこれを読んでいるいま）の時刻をtとしよう。簡略化して書けば、こうである。（「グルー」は「グリーン」と「ブルー」の合成語であるから、「緑」と「青」ではなく、多少ぶかっこうではあるが、「グリーン」と、「ブルー」を用いることにする。）

グルー {
　時刻t以前に観察されたもの……グリーン
　時刻t以前には未観察のもの……ブルー

少し練習してみよう。以前に見た新緑の葉の色、それはグルーだろうか。あるいは、来年見るだろう新緑の葉の色、それはグルーだろうか。答え——前者はグルーで、後者はグルーではない。では、以前に見た快晴の空の色はどうだろう。あるいは、明日以降に見る快晴の空の色は？　答え——前者はグルーではないが、後者はグルーである。

さて、このキテレツとしか言いようのない「グルー」という概念を用いると、どうなるか。

グッドマンはエメラルドの色を事例にとる。まずこれまで（すなわち時刻t以前）に観察されたエメラルドはグリーンであったから、それはまたグルーでもある。とすれば、ここからわれわれは「エメラルドの色はすべてグリーンである」（グリーン仮説）と一般化することもできるが、「エメラルドの色はすべてグルーである」（グルー仮説）と一般化することもできるはずである。そしてもしグルー仮説を採用するならば、これから観察されるエメラルドもグルーだと期待することになる。つまり、われわれの概念を使えば、これから観察されるエメラルドはグリーンではなく、ブルーだと予想される。

これまでの経験はグリーン仮説にもグルー仮説にも等しくあてはまる。それにもかかわらず、われわれは、グリーン仮説を採用し、グルー仮説など顧みようとさえしない。だが、われわれがグリーン仮説を採用することに、何か合理的な根拠はあるのだろうか。グルー仮説など、次のエメラルドが観察されるときに、あっという間に反証されるだろう、そうわれわれは考える。だが、反証されるのはグリーン仮説の方ではないと、何か根拠をもって言えるのか。

囲い込まれた概念

だって、グルーなんて妙ちきりんに場合分けされた概念はおかしいじゃないか。そう言われるだろうか。よろしい。では、グルーの仲間としてさらに「ブリーン（bleen）」という概念を考えてみよう。時刻t以前に観察されたものについてはブルーで、時刻t以前には未観察のものについてはグリーンであるとき、それは「ブリーン」と呼ばれる。

そのとき、ブルーやグリーンはグルーとブリーンを用いて定義できる。グリーンの場合だけ述べれば、「これまでに観察されたものについては、グルーであるとき、そしてこれまでに観察されていないものについては、ブリーンであるとき、それはグリーンである」となる。つまり、グルーやブリーンという概念を用いれば、グリーンやブルーの方こそ、場合分けされた合成的な概念となるのである。たとえて言えば、頭がライオンで胴体が牛の動物がいたとして、それを「ししうし」と呼び、頭が牛で胴体がライオンの動物がいたとして、それを「うしし」と呼ぶとするとき、ライオンと牛に言わせれば、ししうしとうししは自分たちの部分をつぎはぎしたキマイラ的動物ということになるが、ししうしとうししに言わせれば、ライオンこそししうしの頭とうししの胴体をもつキマイラなのである。（ややこしかったでしょうか？）

くりかえすが、グリーン仮説もグルー仮説も、これまでの経験によって等しく正当化されている。それゆえ、グリーンとグルーのいずれの概念を用いるのが正しいのかは、過去の経験を参照することでは答えられない。かくしてグッドマンは、われわれがグリーン仮説を採用してグルー仮説を無視することに、合理的な根拠はない、と結論する。

では、どうしてわれわれはグルーではなく、グリーンという概念を用いるのだろうか。グッドマンはこの問いに対して"entrenchment"という用語で答える。文字通りには「塹壕で囲む」という意味であるから、私としては「囲い込み」と訳しておきたい。（ちなみに、これまでの訳では「擁護」（雨宮民雄）、および「習慣の守り」（菅野盾樹）となっている。）われわれはこれまで、数えきれないほど、グリーンという概念を用いて一般化を行なってきた。松の葉はグリーンである、キュウリ（キュウリンゴではなく）はグリーンである、等々。それがすなわち、グリーンという概念が「囲い込まれている」ということにほかならない。もし、グリーンという概念を用いて一度も一般化が為されておらず、グルーもグリーンもどちらもまだ囲い込まれていないとしたならば、グリーンを選ぶ理由は何もないとグッドマンは言う。私としては、まだなんとなくもやもやした気持ちが残るが、どちらかと言えばグッドマンに賛成したい気持ちが強い。ともあれわれわれはその最初の一歩として、正当な理由なく（とはいえもちろん不当というわけでもなく）、グリーンを選んだ。そしてそれ以後、グリーンという概念を用いて一般化を続けてきた。われわれはその伝統の下にいる。いまグリーンを用い、グルーを用いないのは、われわれがその伝統の下で生きているからにほかならない。そして、それ以上の理由はない。

異なる概念枠とグルーのパラドクス

グッドマンの議論の中で、このパラドクスは飛び抜けて有名であり、私も、彼の著作を読む前からこのパラドクスだけは知っていた。さらには、授業で学生に紹介したりもしてきた。その一方で、デイヴィドソンの「概念枠という考えそのものについて」を検討し、頭を悩ませていた。だが、ずっと、グルーのパラドクスがデイヴィドソンの議論に対抗する鍵を与えてくれることに気がつかなかったのである。

グッドマンから手渡された鍵をその扉に差し入れたとき、それはまた、私が『論理哲学論考』の呪縛のひとつから解放される瞬間でもあった。私自身のそのときの驚きを少しでも感じてもらうために、まず、異なる概念枠とは異なる論理空間のことである、と考えてほしい。実際、この連載でもここまでおおむねそのような考え方で考察を進めてきた。その上で、こう問うてみたい。グルーやブリーンという概念を用いている人たちを「グルー人」と呼ぶとして、グルー人は、われわれとは異なった概念枠をもっているのだろうか。あるいは、グルー人の言語を「グルー語」と呼ぶとして、それは日本語とは異なる概念枠をもつ異なる言語なのだろうか。

異なった概念枠をもつ異なった言語である。そう言いたい。そう言いたいのだが、「異なる概念枠＝異なる論理空間」という考えに凝り固まった頭には、それができないのである。私の論理空間に、グルーという概念は存在しないのだろうか。いや、存在する。それはグリーンとブルーを用いて定義されている。そして私はその定義を理解した。だとすれば、私の論理空間にはグルーもブリーンも存在し、逆に、グルー人の論理空間にはグリーンもブルーも存在する。

「グルー」が日本語で定義されえたように、グルー語は日本語に翻訳することができる（逆もまた）。そしてデイヴィドソンの議論に従うならば、翻訳可能な二つの言語は実質的に同じ言語とみなされうるだろう。

こうして、相対主義の観点からグルーのパラドクスを捉えようとした私は、しばし混乱に陥った。私自身の直感は、グルー人は異なる概念枠をもち、グルー語は日本語とは異なる言語であると、強く訴えていた。だが、『論理哲学論考』－デイヴィドソンという路線で考えるかぎり、その直感をすくいとることができない。

私は自分の直感に従うことにした。そして、憑き物が落ちたように、（なんだ、デイヴィドソンがまちがっているんだ）と納得したのである。

前回、私は、翻訳不可能でも習得可能であれば、そこに異なる概念枠を認めることができると議論した。グルーのパラドクスは、さらに、翻訳可能であっても概念枠は異なりうるということを示している。グルーのパラドクスにおいて示唆されている概念枠の異なりは、そしてまたグルー語と日本語との言語としての異なりは、翻訳不可能性とか論理空間の異なりといった考え方では扱えないものなのである。[2]

グルー人とわれわれは何が違うのか

グルー人とわれわれでは、生き方、未来に対する態度が違う。それゆえ、世界の相貌が違っている。以前の新緑をグルーの相貌のもとに捉えようとしてみていただきたい。明日以後の快晴の空の色とかつての若葉の色を「同じ色」と考えるのである。私にはできない。グルーの定義を見せられれば、そうなのかと頭では理解するが、いわば体がついていかない。その意味では、われわれはグルーなる概念を「理解していない」と言うべきだろう。（翻訳可能だが理解不可能。）

グルーのような荒唐無稽な事例ではなく、もっとありそうな事例を考えよう。玉村豊男が名著『料理の四面体』で書いているところによれば、「羊と一生つきあう牧畜民族は、オスのおとなの生殖能力を持つ羊、オスのおとなのインポの羊、インポではないけれど去勢された羊、童貞の羊、童貞だけれどもインポらしい羊、相手がインポでもかまわないレズのメス羊、うまずめの羊、多産の羊、色っぽい羊、いやらしい羊など、さまざまの羊を、形容詞なしの一発の単語で表現することができる」のだそうである（文春文庫、一九八三年、一一〇ページ）。残念ながら現地語でなんと言うのか書かれていないので、かりに「相手がインポでもかまわないレズの羊」をその土地では「メメコ」と呼ぶとしよう。おそらく彼らにとってはある羊がメメコとしての相貌をもって立ち現われてくるに違いない。もちろん私には無理である。説明されれば、一応理解はするが、メメコの相貌など、まったく想像できない。

言葉は道具と似た側面をもっている。そこには、使いこまれた道具もあれば、使われることもなく放置されている道具もある。私にはメメコという概念を使いこなすことができない。使いこなせない概念は、私の概念枠を構成するものとはみなせない。なるほど、牧畜民たちの言葉は日本語に翻訳できるかもしれない。しかし、彼らが使いこなしている言葉が、われわれにはとても使いこなせないような日本語に翻訳されるかぎり、それは翻訳可能ではあっても、異なる概念枠をもった異なる言語であると言うべきだろう。[3]

ここには、『論理哲学論考』－デイヴィドソンという系譜には収まらない、新たな考察への端緒がある。どうやら、『論理哲学論考』から『哲学探究』への、ウィトゲンシュタインの転回点に触れるところに来ているようだ。

第10回　註

1　ヒュームの帰納の懐疑とグルー

ヒュームの議論については第12回でもっと詳しく見ることになる。ここではグルーのパラドクスとの対比についてだけ、簡単に補足しておこう。

ヒュームの議論は、ひとことで言えば過去と未来のギャップに関わっている。過去のことをどれほど精確に知ったとしても、未来が過去と同様であるかどうかは分からない。いままで太陽は東から昇った。いままで腐ったものを食べるとお腹をこわした。いままで蚊に刺されるとかゆくなった。しかし、未来もそうであるかどうかは分からない。未来が過去と類似したものになるだろうということは、いっさいの証拠を欠いた信念でしかない。大雑把に言って、これがヒュームの「帰納の懐疑」と呼ばれる議論である。それに対して、そもそもその過去をどう捉えるべきなのかが定まらないというのが、グッドマンが提示する「新たな帰納の謎」にほかならない。つまり、グッドマンの議論は過去と未来のギャップの問題ではなく、あるものごとをどのような概念で捉えるべきかという、概念使用の問題なのである。

2　グッドマンの相対主義

グッドマンは自分自身を「厳格な制限のもとにあるラディカルな相対主義」（*Ways of Worldmaking*, Hackett Publishing Company, 1978. 菅野盾樹訳『世界制作の方法』、ちくま学芸文庫、「まえがき」）とみなしている。『事実・虚構・予言』ではグルーのパラドクスは帰納に関する新しいパラドクスとして提示されていたが、実は、それは彼の相対主義の脈絡に位置づけられるべきものだったのである。

グッドマンの相対主義について一点だけ、述べておきたい。『世界制作の方法』という書名からもうかがえるように、グッドマンは、世界はわれわれによって作られるものだと考えている。しかし、だからといって、デイヴィドソンが批判する「内容と枠組」の二元論に陥っているわけではない。グッドマンはこう述べる。「われわれの知るかぎり、世界制作はつねに手持ちの世界から出発する。制作とは、すなわち改作《リメイク》なのである。」（前掲書六ページ、邦訳二六ページ（訳文は拙訳））グッドマンはここで枠組と独立な内容——無垢の素材——のごときものを想定してはいない。すでになんらかの枠組のもとにある世界が手元にある。それを作り直していくのである。『世界制作の方法』では、そうして、世界を改作する方法が検討されていく。説明は省略して、見出しだけ並べてみよう。現在のわれわれの世界を改作していくやり方には次のような操作が考えられる。①分解したり合成したりする、②重みづけ・強調点を変更する、③基本的なものと派生的なものの順序付けを変える、④削除したり補充したりする、⑤誇張したり歪めたりといった変形を施す。これらは、一定の枠組のもとにあるいまの世界を元にして、それをリメイクするやり方にほかならない。それゆえ、デイヴィドソンが概念枠相対主義に見て取り、厳しく糾弾したような、枠組以前の内容を枠組で処理するという枠組と内容の二元論を免れているのである。これは、グッドマンの相対主義の重要な特徴と言えるだろう。

3　サピア＝ウォーフの仮説

言語と概念枠に関しては、「サピア＝ウォーフの仮説」が有名である。それはE・サピアとB・L・ウォーフの二人によって提唱された考え方で、「言語相対仮説」とも呼ばれる。とはいえ、明確な定式化を与えられているわけではなく、その仮説には二つの側面があるとか強い形と弱い形があるといったようなことが指摘されもするが、いまは細かいことはどうでもよい。きわめて大雑把に述べておこう。「言語は経験を組織化する。それゆえ言語が異なれば世界把握の仕方が異なる。」おおむねこのようなものがサピア＝ウォーフの仮説と言ってよいだろう。

こう言っては失礼だが、これはたいへん素人受けする考え方である。もちろんプロの言語学者や文化人類学者たちにもきわめて大きな影響を与えたが、おそらく現在では手放しでこの仮説を支持する研究者はいないのではないだろうか。そこで、私の議論を読んで、「なんだ、サピア＝ウォーフの仮説か。遅れてるな」と思われた読者も少なくないのではないかと危惧する。いや、なるほど私の書いたことはサピア＝ウォーフの仮説をかつぐものになっている。しかし、「遅れてる」とか「素朴だ」とか言われるのは、なんというか、しゃくにさわる。少し説明を加えておきたい。

この仮説でよく引き合いに出されるのが、エスキモーないしイヌイットの言葉である。カナダのイヌイットたちは、降っている雪片を「カニック」、飲料水用の雪を「アニユ」、積もっている雪を「アプット」、きめ細かな雪を「プカック」、吹雪を「ペシュトック」、イグルーと呼ばれる雪の家を作るために切り出した雪を「アウベック」等々、雪に対して二十数種に細分化した語彙をもつという。しかも、彼らはそれらを総称する日本語の「雪」にあたる語をもたない。（宮岡伯人「文化のしくみと言語のはたらき」、『言語人類学を学ぶ人のために』、世界思想社、一九九六年、所収）そしてこのような事実から言語相対主義者は、日本人とイヌイットたちでは、雪に関わる経験や世界の組織化が異なっており、それゆえ異なった世界に住んでいるのだ、と論じていくのである。

では、われわれは「カニック」とか「アニユ」といったイヌイットの言葉に対応する概念をもっていないのだろうか。彼らはわれわれと異なる概念枠をもっていると言うべきなのだろうか。いや、そう結論するのは短慮というものだろう。反論は簡単である。いま君はそれらの言葉の意味を日本語で説明したじゃないか。終わり。「カニック」は降っている雪片、「アニユ」は飲料水用の雪、等々。それらは日本語に翻訳可能である。ならば、日本語でもそれらの概念を表現することができる。ならば、われわれと彼らとで概念枠が異なるとは言えない。

私自身のことを言わせてもらうならば、はるか昔、大学生の頃はサピア＝ウォーフ的な考え方に無反省に共感していた。言葉が違うなら、世界が違うのだ。言葉は世界を記述するだけじゃない、世界を作るのだ。すごいなあ。しかし、哲学をやり始め、大学院生ともなり、ひねくれてくると、エスキモーの言葉だって、長ったらしく言えば日本語で翻訳できるじゃないかということに気づき、サピア＝ウォーフの仮説の輝きは急速に消えていったのである。

だが、いま私は再び考えを変えた。翻訳できるからといってわれわれもその概念をもっているとは言えない。そのことに気づかせてくれたのが、グッドマンの「グルー」だったのである。「グルー」は日本語で定義できる。だが、われわれは「グルー」などという概念をもってはいない。では、「飲料水用の雪」という概念はどうか。微妙だと言いたくなる。ならば、「イグルーを作るために切り出した雪」はどうか。さすがに日本人たるわれわれはこの概念はもっていない、そう言いたい。二つの言語で概念枠が同じなのか異なっているのかは、そんなに単純に決められないのである。単純に「翻訳できるならば概念枠も同じである」と言うことはできないし、逆に、「ある言語はそれを一語で表わしているがわれわれの言語ではそれを二語以上から成る句ないし文の形で説明することしかできない。だから両者で概念枠は異なる」と言うこともできない。実際、「ベシュトック」が一語であり、それに対応する「吹雪」が「吹く」と「雪」から成る合成語だということから、日本語には吹雪という概念が存在しないなどと結論するのは暴論だろう。

問題はあくまでもその概念が実際に使用されているかどうかにある。その言語使用の実態を見なければ、語彙の存在や翻訳可能性だけからでは概念枠の異同は結論できない。生活やさまざまな実践の中でその概念が頻繁に使用される基本的なものであるならば、それはその生活や実践にとって中心的な概念と言える。ときどき使用されるがそれほど頻繁ではないし基本的でもない、そういう概念も数多くある。他方、「グルー」のように、なるほど日本語で定義することはできるが、しかし言語使用にはけっしてのってこないような概念もある。その場合には、われわれはその概念をもっているとは言えない。

　こうした観点からすれば、ある概念が一語で言い表わせるのか、それとも長々とした表現でしか言えないのか、それは本質的な違いと言わねばならない。長ったらしい表現は言いにくい。この非本質的とも思える理由が、ここにおいてまさに本質的なものとなる。言葉は道具である。そして道具にとって使いやすさは本質的な問題である。頻繁に使用される基本的な道具は使いこまれ、使いやすいものとなっている。それゆえ、イヌイットたちがさまざまな雪を一語で言い表わしているということは、やはりそこにわれわれと異なる概念枠が存在していることを示唆しているのである。日本人たるわれわれもまた、ベシュトック（吹雪）の相貌は見るだろう。しかし、われわれはある雪をアウベック（イグルーを作るために切り出した雪）として見ることはない。

11 そんなにたくさんは考えられない

私にはどれだけのことが考えられるのか

ウィトゲンシュタインは思考可能性の総体をかなり多目に見積もった。私よりずっと頭がよいから、ではない。『論理哲学論考』の目的は、どうしたって語りえないギリギリのところを示すことにあった。だから、ここまでは語りうるという限界、思考可能性の限界は、目一杯広くとられていてよかったのである。他方われわれは、論理的可能性の一部分しか実際に思考可能ではない。私は、論理空間のほんの片隅で、あれこれ考えている。

例えばグルー。前回見たように、この突拍子もない色概念は、日本語で定義可能であり、それゆえ私の論理空間の中に含まれている。だが、グッドマンに言われなければ、こんな概念など思いつきもしなかっただろう。グルーなどという概念は、われわれの言語実践においてはけっして使用されることがない。(後期ウィトゲンシュタインの「言語ゲーム」という用語がお好みなら、「論理空間には含まれるが言語ゲームでは使用されない」、そう言ってもよいだろう。）

他にも、論理空間には含まれながら実際には一顧だにされない可能性が大量にある。「なんだそりゃ」と言われるだろうが、例えば今夜隕石が落下して私の勤務先の大学が破壊されるかもしれない。例えば財布に入れておいた一万円札が勝手に増殖して二万円になっているかもしれない。そんな可能性でも、論理的には可能である以上、論理空間には含まれている。『論理哲学論考』の意味において思考可能であり、語ることもできる。だが、それは私の行動に影響を与えるようなものではまったくない。誰が隕石の落下やお札の自然増殖を当てにして日々の行動を決めるだろう。

このように考えると、論理空間が開く論理的可能性の中には、私の行為に関わる可能性と、私の行為にはまったく関わらない可能性があることになる。私の行為に関わるものを（私にとっての）「生きた可能性」と呼び、関わらないものを（私にとっての）「死んだ可能性」と呼ぶことにしよう。そして論理空間の中で生きた可能性によって作られる部分空間を「行為空間」と呼び、そのあり方を立ち入って調べてみることにしたい。[1]

概念をもつとはどういうことか

私はいま、グルーと隕石と一万円札の事例を、十把ひとからげに「死んだ可能性」として捉えた。だが、私の考えでは、それらはすべてタイプが異なっており、異なった仕方で「死んでいる」。まず、概念の問題から考えていこう。

「概念をもつ」とはどういうことだろうか。なるほどグルーという概念は論理空間に含まれている。しかし、私はグルーなどという概念を使用することができない。その意味では、私はグルーという概念を所有してはいない。

グルーのようなとっぴな例ではなく、もっとありそうな例で考えてみよう。例えば、サラブレッドでは交配における「インブリード」が厳格に規定されており、「血統表で5代前までに同一の祖先をもっているような配合のこと」とされる。いま、花子は「血統表」も「5代前」も「祖先」も「配合」も理解し、それゆえこの規定は理解できるのだが、「インブリード」という言葉は知らないし、なんでそんなことが問題になるのかもさっぱり分からないとしよう。彼女は、インブリードという概念をもっているのだろうか。

花子は、インブリードの規定を読めば理解できる。それゆえ、花子の論理空間にはインブリードという概念は含まれていると言える。しかし「インブリード」という言葉は知らず、インブリードという概念の使い道も分からない。それに対して、そもそも血統表や配合という概念をもたず、インブリードの規定を見ても理解できない人（太郎がそうだとしよう）もいる。太郎の場合には、インブリードという概念も彼の論理空間には含まれていないことになる。あるいはまた、「インブリード」という語を駆使し、「なんとかの3×4」だの「奇跡の血量」だの言う人たちもいる。

太郎の場合を、その概念は論理空間に「存在しない」と言い表わそう。そして花子の場合は、その概念は彼女の論理空間に「存在する」が、彼女はその概念を「所有していない」と言うことにしたい。インブリードという概念を「所有している」と言えるのは、第三の場合ほど駆使できなくともよいだろうが、少なくともインブリードという概念の眼目を理解し、その概念を実際に使用できる人たちの場合である。[2]

概念を使用することと概念を所有すること

ここで、少し説明を補っておきたい。私は概念が論理空間に存在することとその概念を所有していることを区別したが、それはけっして言語使用と完全に切り離された概念が存在しうることを意味してはいない。なるほどグルーという概念は使用されない概念でしかない。しかし、それでも言語使用とまったく切り離されているわけではない。グルーはふつうに使用されている日本語で定義することができる。あるいは、花子はインブリードという概念を使用することができないが、「血統表」「祖先」「配合」といった言葉は使える。つまり、すでに所有している概念、花子にも使用可能な概念を用いて、インブリードというまだ使用可能ではない概念を定義することができる。これが、花子の論理空間にインブリードという概念が存在するための基礎なのである。

逆に言えば、すでに所有している概念を用いて新たな概念を定義する場合、その「新しさ」はけっして論理空間になかった新たな概念を導入するという意味での新しさではない。このような定義は論理空間を拡大しないのである。では、「新たな概念を定義する」とは、どういう新しさなのか。それはつまり、行為空間にとっての新しさにほかならない。ただし、定義されただけではまだその概念を所有するには至っていない。グルーのように、定義はされても使用されない概念もある。しかし、例えば花子がインブリードという概念の定義を教わり、さらにそれを使いこなすようになったとき、花子はインブリードという概念を所有したことになる。定義は、新たな概念所有の端緒を与えるのである。

習慣によって無視される可能性

行為空間が排除している「死んだ可能性」の第二のタイプを見よう。今夜隕石が落ちて私の勤める大学が破壊されるかもしれない。そんな可能性。それはけっして理解不可能な命題ではないし、空想することもできる。その意味で、その可能性は確かに私の論理空間に属している。だが、それはまた、私の行為に関わってこない可能性でしかない。私はけっして、そんな可能性を考慮に入れて何ごとかを為したり、あるいは為さなかったりする（隕石が落ちるかもしれないんだから授業の準備なんかやってられるかい）ということはない。このように、論理空間に属する論理的可能性の多くは、はなから無視されている可能性にほかならない。

われわれは多くの場合、いわば石橋を叩かずに渡る。例えば、私は玄関を一歩出たところに大きな落とし穴が仕掛けられているのではないかとチェックしたりはしない。逆に空しい期待も抱きはしない。何の根拠もなければ、庭に黄金が埋まっているかもしれないなどと期待することもない。そしてこうしたことはけっして軽率と責められるべきことではない。グッドマンはグルーのパラドクスを論じたときに、われわれの概念使用がグルーではなくグリーンに「囲い込まれている（entrenched）」と論じたが、私はその用語をこの場面にも拡張して適用したい。われわれの思考は習慣によって囲い込まれている。そして習慣の囲い込みから排除された無数の可能性を、われわれは端的に無視している。それが、われわれの生活の仕方、生き方なのである。習慣による囲い込みを解き放ち、すべての論理的可能性を考慮しチェックしなければならないとしたら、私は隕石の落下を心配し、一歩毎に落とし穴におびえ、いたるところ黄金を求めて掘り返すことになるだろう。われわれの生活は無数の可能性を無視することによって成り立っているのである。

ただし、習慣は変わりうる。簡単に変えられるものではないが、万古不易のものでもない。それゆえ、論理空間の中のどの可能性が囲い込まれ、どの可能性が無視されるのかも、変化しうる。例えば、いま私は道ですれ違う人が私に襲い掛かってくる可能性を無視して通りを歩いている。だが、そんな呑気なことではすまない世の中になりつつあるようにも思われる。いまは死んでいる可能性も、絶対的に死んでいるのではなく、われわれの生き方に相対的に死んでいるにすぎない。状況が変われば、それは生き返りうる。

世界像と探求の論理

財布の中で一万円札がひとりでに増える。この可能性を検討しよう。これもまた死んだ可能性であるが、隕石の事例とは異なる第三のタイプのものとなっている。例えば、ほんとに隕石が落下して大学の建物を壊したとしよう。私は心底驚く。しかし、その状況を目の前にし、説明を聞けば、隕石の落下という事実を私は認めるだろう。驚きをもって受け入れる、これは無視されていた可能性が実現したときの特徴である。では、一万円札の事例はどうか。財布に一万円札を一枚入れた。あとは千円札が数枚。その財布を、お金の出し入れをすることもなくしばらく持ち歩いてから開いてみる。すると、なんと一万円札が一枚増えている！　私はそれをどう見るか。「うわあ、一万円が勝手に増えてくれた」と、驚きをもって受け入れることができるだろうか。

増えた一万円札を見た私は、喜ぶよりもむしろいぶかしく思うだろう。一万円札がひとりでに増える、それはありえないことである。ありそうにないというのではない。隕石の場合のようにたんに蓋然性がきわめて小さいというのではなく、可能性ゼロのありえなさである。

だが、この「ありえなさ」はどういうものなのだろうか。というのも、「一万円札がひとりでに増える」は無意味でも矛盾でもないからである。論理空間はそれを「ありうる」と言い、われわれは「ありえない」と言う。ここには、習慣による囲い込みに反する「ありそうになさ」とも、論理的な「ありえなさ」とも異なる、独特の「ありえなさ」がある。「お札はひとりでに増えはしない」、この命題を「お札保存則」と呼ぼう。われわれの生活において基本的かつ重要な法則である。しかし、私の考えでは、お札保存則もまた絶対的な真理ではない。（そもそも絶対的な真理など存在しないと私は考えている。）何があろうとお札はひとりでに増えはしないと断定するだけの絶対確実な根拠など、われわれはもっていない。だが、絶対的な真理ではないにもかかわらず、お札保存則に反することは「ありえない」のである。ここには、「探求の論理」と呼ぶべきものが働いている。

一見お札が増えたかのように見える事態が起きたとしよう。われわれはしかし、それでもお札保存則の正しさを疑いはしない。なぜか。「お札保存則を維持するように他の原因を探せ」、これが暗黙の内にわれわれが従っている探求の指針だからである。お札が増えたように見える事態の原因を調べるとき、われわれはお札保存則を疑うのではなく、「ひとりでに増えた」という以外の、他の原因を探す。記憶まちがいではないか。一枚だけ入れたつもりが二枚入ったのではないか。誰か善意の人がこっそり入れてくれたのではないか、等々。お札保存則に対する疑いは、そうした探求に先立って（すなわちア・プリオリに）選択肢から抹消されている。われわれの為すすべての探求は、お札保存則に対する疑いを回避するように行なわれる。行なわれねばならない。それが、われわれの探求の論理なのである。（自然科学がこうした探求の論理をもつことは第26回（最終回）でさらに立ち入って論じることになる。）

世界のあり方を探求するさいに働くこのような指針を『確実性の問題』のウィトゲンシュタインにならって「世界像」と呼ぼう。お札保存則は、われわれの世界像なのである。だから、絶対的真理ではないにもかかわらず、われわれにはお札保存則を疑うことができない。[3] 逆に、いまのわれわれにとっては死んでいる可能性も、異なる世界像のもとでは生きた可能性になりうる。例えば、人を呪い殺す可能性や草木が人間の言葉を理解する可能性。われわれは現代においてそれを死んだ可能性とみなす。しかし、そうしたことが生きた可能性となっているような、われわれとは異なる世界像もありうるだろう。

論理空間と行為空間

まとめよう。論理空間は論理的可能性の総体である。しかし、そのすべてが私の行為に関わるわけではない。第一に、論理空間に存在する概念の多くを、私は所有していない。第二に、習慣による囲い込みからはみ出た可能性を、私は端的に無視する。そして第三に、われわれの世界像に反するような可能性は抹消される。論理空間の中で、これら死んだ可能性を排除して残された部分が、行為空間である。

広大な論理空間の中で、私はその一部分である行為空間というささやかな領土に生きている。行為空間が論理空間において占める割合というのは、全宇宙に対する地球の小ささよりも、はるかに小さいものとなる。そうして私は、論理空間を自分の身の丈のサイズに「囲い込んで」いる。

いや、むしろ逆に言うべきだろう。私はまず行為空間に生きている。そこからのみ、論理空間は張られる。論理空間を囲い込んだものが行為空間であるというよりも、行為空間を延長したものが論理空間なのである。さもなければ、論理空間もただ砂上の楼閣にすぎない。

第11回　註

1　行為空間と相対主義

ここから数回にわたって「行為空間」の話が続くことになる。読んでいただければ明らかだと思うが、行為空間の議論は前回までの議論の延長上にある。しかし、今後直接に相対主義が話題に上ることはない。そこで、「相対主義はどこに行ったの？」と思う読者もいるのではないかと懸念する。というか、われながら本文は不親切だと思うので、来し方を振り返りつつ、少し補足しておきたい。

私の目的は反相対主義者を相対主義へと転向させることにはない。実に、「草食系相対主義」らしく、相対主義に共感してくれないなら、それはそれでしょうがないと思うのみである。しかし、相対主義は混乱した不整合な立場だと言われると、黙ってはいられない。私は相対主義に立ちたいと考えているので、相対主義は明確で一貫した立場であってくれないと困る。そこで、いかに草食系であれ、相対主義が不整合な立場だと論じる相対主義のパラドクスをどう克服するか、そしてまた相対主義を維持不可能であり、そもそも理解不可能な立場だと断罪するデイヴィドソンの批判をどうクリアするか、この二つは避けて通れぬ問題となる。

まず、相対主義のパラドクスがどうなったのかを見よう。私は、相対主義という立場そのものには「絶対性」があると考える。つまり、反相対主義ないし絶対主義はまちがっていると考えている。ついでにひとこと述べておくならば、私が彼らを転向させようとしないのは、彼らにも相対主義者としての態度をとって「絶対主義も彼らにとっては正しいのだ」と考えるからではなく、たんにめんどくさいからでしかない。私は彼らをまちがっていると思うが、彼らを更生させる義理はないので、ほっておくのである。

私は相対主義を絶対的に正しいと考えている。だが、相対主義を語り出された一つの主張と考えると、その絶対性はただちにその主張の絶対的真理性を意味することになる。それは嫌である。そこで私は、「相対主義は語りえない」と結論した。しかし、この結論は、その語りえなさを明らかにする道行の出発点にすぎない。さしあたり私は、相対主義をテーゼではなく生き方として捉え、相貌の違いなどに訴えてその語りえなさを少しでも浮き彫りにしようとした。だが、この話はまだ終わってはいない。この連載でも、さらに続く回でこうした問題を考察していくことになる。相対主義という言葉こそ出さないが、この議論はなお継続されると考えていただきたい。

それに対してデイヴィドソンの批判に関しては、ここで取り上げた彼の論点について言えば、クリアできたと考えている。今回登場した「行為空間」という言葉を用いて整理しておこう。

自分と異なる概念枠をもった相手を「他者」と呼んでおくことにする。そのとき、二通りの他者がいることになる。「論理空間の他者」と「行為空間の他者」である。論理空間の他者とは、論理空間を共有していないために概念枠が共有できていない他者にほかならない。その場合、論理空間を共有していない相手の言語を私の論理空間に翻訳することはできない。それゆえそこには翻訳不可能な言語の問題が現われる。そして私はその問題に対しては、翻訳可能性ではなく習得可能性に訴えてデイヴィドソンの批判に応答した。異なる論理空間を習得することはできるかもしれない。そしてめでたく習得できたならば、その習得以前から習得以後への運動において、論理空間の他者の存在が(過去形で)示されることになる。

行為空間の他者の場合には、論理空間は共有されているので相手の言語は翻訳可能となる。だが、私はその言葉を頭では理解できるが実際に使いこなすことはできない。また、通り一遍の理解は示せるが、深い理解はもてない。これが、「翻訳可能ならば概念枠も同じはずだ」というデイヴィドソンへの再反論となる。翻訳可能でも、行為空間が異なるならば、そこには異なる概念枠が開かれるのである。

ここで導入された行為空間という考え方は、私が「生き方」と漠然と述べておいたことを少しでも解明する努力のひとつにほかならない。また、そもそも『論理哲学論考』の「論理空間」という考えに縛られていたために、私は、他者性あるいは相対主義の問題を前にぐずぐずしていたわけなのだが、行為空間という考えに踏み込むことによって、ようやくその呪縛から脱け出たのである。かくして、この連載も、ここからは『論理哲学論考』の呪縛から解放された歩みを見せることになる。

2 概念所有の深さ

第9回の註2において論じたことをここで考えあわせてみたい。囲碁における「厚い・薄い」という概念、あるいは「誠実さ」のような概念、こういった概念は他の要因との連関性を見通さねばならず、その洞察の深浅に応じて意味理解にも浅い理解から深い理解まで段階が生じると私は論じた。例えば私の場合、ある程度は囲碁における「厚い」という語の意味を理解している。しかし、それはまだ深い理解には達していない。このような場合、概念所有も「浅い」と言うべきだろう。私はその概念をある程度使えるが、使いこなすには至っていない。

ここで確認しておきたいのは、行為空間は論理空間の「部分空間」であると書いてしまったが、行為空間の内と外を分ける明確な境界は存在しないということである。むしろ論理空間の中に概念所有の「パースペクティブ」があると言った方がよいかもしれない。ウィトゲンシュタインの論理空間は、すべての可能性がただそこに収められているだけでしかないが、それらの論理的可能性の中には、私に身近で、私がふだん使いこなしている概念から、もっと疎遠で浅い理解しかもっていない概念、さらにはグルーのようにまったく死んでいる概念まで、私にとっての「近さ－遠さ」がある。このように段階的に裾野をひいたもの、それが行為空間にほかならない。

3　世界像

「世界像」についてもう少し説明しておきたい。世界像とは、ひとことで言えば、探求の前提としてわれわれが暗黙のうちに受け入れている世界のあり方である。

世界のあり方は探求によって明らかにされる。例えば、縄文人たちは保存食を作っていた。木の実の粉でクッキーのようなものを焼いたり、魚の干物なんかも作っていたらしい。こうしたことは、考古学的な探求によって明らかにされることである。だが、その考古学的探求は、すでに世界のあり方についてのなんらかの了解のもとに成立している。縄文時代にも地球が存在していたということ、縄文人がかすみを食べて生きていたわけではないこと、こうしたことは縄文人の食生活についての探求が暗黙のうちに踏まえていることである。もし縄文時代にも地球が存在していたことや縄文人がものを食べて生きていたことを疑うのであれば、われわれは縄文人の食生活を調べるという探求へと踏み出すことさえできないだろう。

もっと身近な例をあげよう。私がいつも使っているハサミが見当たらないとする。どこにあるのか、私は探さねばならない。ところがこの探求もまた、世界のあり方についての暗黙の了解のもとに成立している。私は引き出しを開け、中を探し、そこにハサミがないことを確認する。そのとき私は、「ハサミが自然消滅した」とか「いまはなくとも、しばらくするとこの引き出しの中にハサミが自分で移動してくるかもしれない」などとは考えない。ハサミの探索において、ハサミが自然消滅しないことやひとりでに移動したりはしないことが、世界のあり方についての基本了解となっているのである。

　このように、世界のあり方についての探求は、ある種のことがらを鵜呑みにすることによって成り立っている。その鵜呑みにされたことがらを、ウィトゲンシュタインは『確実性の問題』において「世界像」と呼ぶ。縄文時代にも地球が存在していたこと、縄文人がものを食べて生きていたこと、あるいはハサミは自然消滅しないこと、ハサミはひとりでに移動したりはしないこと、こうしたことは、縄文人が干物を食べていたことよりも、あるいはハサミがこの引き出しにはないことよりも、確実な真理というわけではない。世界像はなんらかの探求によって確立された真理なのではない。われわれは考古学の研究を行ない、あるいはハサミ探しを行なう。そのさい、こうした世界像を認めなければ考古学もハサミ探しも成り立ちえない。だから、これらの世界像を認める。それは自覚的に認められているのではなく、考古学の研究やハサミ探しといった実践を学ぶさいに、無自覚のうちに、暗黙裡に、呑みこまされているのである。ウィトゲンシュタインの印象的な言葉を引いておこう。「私が私の世界像を引き受けているのは、その正しさが確認済みのものだからではない。さらに、私がその世界像の正しさを確信しているからでもない。私の世界像は私が受け継いだものであり、ものごとの真と偽を区別するのも、その世界像を背景として為されるのである。」(*Über Gewißheit*, Basil Blackwell, 1969. 黒田亘訳「確実性の問題」、『ウィトゲンシュタイン全集9』、大修館書店、所収(引用は拙訳))

12　一寸先は闇か

これからも蚊に刺されたらかゆくなるのだろうか

いままで蚊に刺されたらいつもかゆくなった。だから、これからも蚊に刺されたらかゆくなるだろう。われわれはそう考える。「帰納」と呼ばれる推論である。だが、そんな推論はありえないと、『論理哲学論考』は断罪する。「現在のできごとから未来のできごとへと推論することは不可能なのである。／因果連鎖を信じること、これこそ迷信にほかならない。」（五・一三六一）ここにおいてウィトゲンシュタインは、ヒュームの破壊的な側面を忠実に受け継いでいる。

帰納を巡るヒュームの議論には、ネガティブな側面とポジティブな側面がある。ネガティブな側面においてヒュームは、帰納の可能性を否定しさるかのような懐疑論を提示する。他方ポジティブな側面では、われわれが帰納的な推論において本当は何をしているのかを、明らかにしようとする。まず、ネガティブな側面から見ていこう。

「蚊に刺されるとかゆくなる」、名前をつけておいた方が便利なので、「蚊の法則」と呼ぶことにする。われわれは蚊の法則を信じている。では、なぜそう信じているのか。その問いに対するふつうの答えは、「だっていままで蚊に刺されるとかゆくなったから」というものだろう。実際に蚊に刺された過去の経験に基づいて、われわれは蚊の法則を確立した。さて、ここで、いかにも「哲学」と言うべき子どものような問いが発せられる。「いままでそうだったからといって、どうしてこれからもそうだと考えるのか？」

われわれはこれまでの世界のあり方にさまざまな規則性を見出してきた。蚊の法則もそうであるし、物は手を放せば落下する。春には桜が咲き、秋には楓が紅葉するだろう。そして見出した規則性を未来に投影する。そのとき、「過去に成り立っていた規則性は未来にも成り立つ」と考えている。この命題を「自然の斉一性《せいいつせい》の原理（the principle of the uniformity of nature)」、あるいはたんに「斉一性の原理」と呼ぼう。過去の規則性が未来にも成り立つという意味で、われわれは過去と未来の斉一性を信じているのである。帰納はこの原理に依拠している。もし斉一性の原理を信じていないのであれば、過去にいくら蚊に刺されてかゆくなったとしても、未来もそうだと考えることはないだろう。

ここで、強烈なパンチが繰り出される。こう問われる。斉一性の原理を信じる根拠は何か。過去の規則性が未来にも成り立つだろうと、いったい何を根拠に信じているのか。「だってこれまでずっと斉一性の原理は成り立ってきたじゃないか」、そう答えられるだろうか。よろしい。これまで斉一性の原理は成り立ってきた。だが、どうしてこれからも成り立つと言えるのか。「これまで斉一性の原理が成り立っていたからこれからも成り立つだろう」というのは、すでに斉一性の原理を前提にするから言えることでしかない。しかし、いまはまさにその斉一性の原理を信じる根拠が問われている。だとすれば、そこにおいて斉一性の原理を前提にして答えることは許されない。

だが、他にどうしようがあるだろう。これからも斉一性の原理が成り立つことを正当化しようとすれば、未来と過去の斉一性を前提にするしかない。しかしそれはここでは前提にできない。だとすれば、結論はこうなる――斉一性の原理は正当化不可能。それゆえ、帰納もまた正当化不可能。すなわち過去の規則性を未来に投影することには根拠がない。『論理哲学論考』ならばそれを「迷信」と呼ぶだろう。これまで蚊に刺されてかゆくなったからといって、これからもそうだと考えるのは、迷信にすぎない。過去に見出された規則性が未来にも成り立つ保証はまったくない。

これはグロテスクな帰結である。われわれはふつう、未来のことだってある程度は分かると考えている。蚊に刺されたらまずまちがいなくかゆくなるだろうし、地球上でティーカップを手放せば、支えを失ったそれは下に落ちていく。物の落下に関しては「確実」とさえ言いたくなる。手を放せば物が落ちていくことを、私は「知っている」と言ってもよいだろう。だが、過去の規則性を未来に投影することが無根拠だというのであれば、未来に何が起こるかは完全な闇の内に閉ざされることになる。未来に向けての予想は、いっさい根拠をもたぬ当てずっぽうにすぎない。

論理空間と帰納

なぜ、こんな過激な結論になるのだろうか。ここで、前回導入した論理空間と行為空間の対比を思い出していただきたい。この対比を用いて問題を整理することができる。論理空間は論理的に可能なあらゆる事態をそこに開いている。他方、われわれはそんなすべての可能性を考慮することなく、そのごく一部分の可能性だけを考えて生きている。私はそれを「行為空間」と呼んだ。なるほど、論理的には蚊に刺されてもかゆくならないかもしれないし、ティーカップを手放しても下に落ちないかもしれない。しかしわれわれはそのような可能性を端的に無視する、あるいは、抹消する。行為空間の内部では、私は蚊に刺されればかゆくなることを知っているし、地球上で手を放せば物は落下するということを知っている。だが、行為空間という限定を解除して、いっさいを論理空間へと開いてしまうならば、われわれが無視し抹消していた無数の可能性がそこに立ち上がってくることになる。しかも、行為空間において考えられていた諸可能性と同等の力をもってそれらは立ち上がってくる。手を放せば物は落ちるかもしれないし、落ちないかもしれない。論理的には、どちらの可能性も均等に開かれている。過去の経緯がどうであれ、未来の可能性は、あらゆる論理的可能性がすべて同じ重みをもって開かれてくるのである。

かくして、論理空間だけを考えていた『論理哲学論考』においては、斉一性の原理はまったく根拠をもたない迷信にすぎないものとなる。だが、本気で一寸先は闇（完全な闇！）と考えて生きていくことはわれわれにはできない。われわれは論理空間に生きているわけではない。

習慣

懐疑論者としてのヒュームもまた、行為空間を出て、すべての論理的可能性を均等に見渡すのっぺりとした論理空間に立つ。だが、ヒュームは、『論理哲学論考』のウィトゲンシュタインとは異なり、論理空間に安住の地を見出そうとはしない。ヒュームはそこから折り返し、行為空間へと立ち戻ろうとする。ヒューム自身の言葉に耳を傾けてみよう。

> 推理や推論を新たに加えることなく、過去の反復から得られるものを、われわれはすべて「習慣」と呼んでいる。そこで、確実な真理として次のように言ってよいだろう。現在の印象に続いて生じる信念は、すべてこの習慣という起源にのみ由来する。（中略）われわれが発見しうるような結合が対象間にあるというのではなく、ある対象の出現から他の対象の存在を推理しうるのは、われわれの想像に作用する習慣という原理の

みによっているのである。（『人間本性論』一・三・八）

「印象」という用語が使われているが、これはヒューム独特の用語で、いま現在知覚していることだと考えればよい。知覚は未来に対する思いを伴っている。蚊が飛んでいるのを見るとき、われわれは刺されたらかゆくなるだろうものとしてそれを見ている。ティーカップを持っているとき、手を放せば落ちるという思いがそこに伴い、また、この高さから硬い床に落とせば割れるだろうとも思う。あるいは冬枯れた桜の枝を見ると、春の開花を待ち遠しく思う。これらはすべて過去の経験によって身についた習慣だと、ヒュームは言う。いわば思考の癖である。それは条件反射的な身体反応であり、後天的に身についたものとはいえ、動物が示すさまざまな本能的習性と違いはない。自然科学をはじめとするわれわれの知的探求の活動は、実はその根底において、こうした動物的とも言える身体反応に支えられているのである。

世界像としての斉一性の原理

私はヒュームのこの洞察に最大限の敬意を払いたい。知性の基底に潜む人間本性《ヒューマンネイチュア》の発見の重要性は、どれほど強調してもしすぎることはない。とはいえ、百パーセント同意するというわけでもない。

帰納を習慣として捉えるヒュームの立場は、「人間は帰納する動物だ」と言っているに等しいものである。それは「ツグミは渡りをする鳥だ」と同様の主張であり、帰納を本能的な、いわば動物行動学的なレベルで、そしてそのレベルだけで捉えている。しかし、それは実のところ事柄の半分にすぎない。前回導入した用語を使うならば、帰納はまた「世界像」にも関わっている。

斉一性の原理に反すると思われるようなことが生じたとしてみよう。過去に成り立っていた規則性が、いまや成り立たなくなる。蚊に刺されたけれどかゆくない。手を放してもティーカップが落ちない。春なのに桜が咲かず、秋なのに楓が紅葉しない。そのときわれわれは、「斉一性の原理が成り立たなくなってしまった！」と考えるだろうか。

例えば、蚊に刺されたけれどかゆくなかったとしよう。そのときわれわれは、なぜ今回はかゆくならなかったのか、その原因を知ろうとするだろう。そして探求の結果こんなことが分かったとする。蚊に刺されてかゆかったのは、血が固まらないようにする物質を含んだ唾液を蚊が注入するからであり、もし蚊が血とともにその物質もすっかり吸いとってくれたならば、ほとんどかゆくならないのだ、と。これはどうも事実であるらしく、だから叩かず驚かさずゆっくり血を吸わせてあげればかゆくならないというのだが（ほんとかね）、それはともかく、こうして蚊の法則は、「蚊に刺されるとかゆくなる」から「蚊の唾液が注入され体内に残るとかゆくなる」へと修正される。ここでのポイントは、斉一性の原理を維持するように法則を修正することにある。

「斉一性の原理が成り立つように規則性を見出せ」、これはわれわれが法則を探求するときの指針なのである。斉一性の原理が一見破れているかのような現象が生じたならば、われわれは斉一性の原理を疑うのではなく、過去の規則性が適切に捉えられていなかったのだと反省する。そうして、未来へと投影可能になることを期待して、過去の規則性を捉え直すのである。それゆえ、われわれの探求において斉一性の原理が反証されることはありえない。すべての探求は、過去と未来の斉一性を保持するように、為されねばならない。

私は前回、世界のあり方を探求するさいの枠組としてわれわれが鵜呑みにしていることがらを「世界像」と呼んだ。その意味で、「この世界は過去と未来が斉一的である」とは、まさしくわれわれの世界像なのである。

このことは、習慣という観点が無効であることを意味してはいない。われわれは実際に未来を過去の延長として捉える習慣を身につけている。頭で考えるより先に、体がそのように反応する。もしそうでなかったならば、おそらく斉一性の原理を探求の指針として引き受けることも不可能だっただろう。だが、ひとたびそれを探求の指針として引き受けたならば、それはたんなる習慣に留まるものではない。斉一性の原理はわれわれがどのように探求すべきかを指示するものであり、われわれの探求を導く規範なのである。

行為空間の中で

かくしてわれわれの行為空間は、過去と未来の斉一性を当てにするわれわれの習慣によって囲い込まれ、また、斉一性の原理を世界像として引き受けることによってそれに反する無数の可能性が抹消されたものとなる。そしてそのように限定された行為空間の中で考えるとき、はじめて「根拠のある帰納」と「無根拠な帰納」が区別される。例えば、過去に一度だけ揚げまんじゅうを食べてお腹をこわした人が、「揚げまんじゅうを食べるとお腹をこわす」という法則を立てたとすれば、それは証拠不十分とみなされるだろう。あるいは、「右足から玄関を出ると事故にあわない。いままでずっとそうだった」と言う人がいたとすれば、われわれとしてはそこに合理的な正当化を認めることは難しい。

他方、行為空間の中に立つならば、そこにおいてヒュームのように習慣をもちだすことは的はずれでしかない。いままで地震雲と呼ばれる形の雲が出たときには必ず続けて地震が起こっていたとしよう。いったい地震雲と地震の間には法則的関係があるのか。それに対して、そこに法則を認める人がその根拠を求められて「そう考える習慣が身についているからだ」と答えても、何を言ってるんだか分からない。われわれはそこで、地震雲と地震の関係を支持するような証拠を提示し、その証拠が問題の法則を合理的に正当化するものであることを示さねばならない。[1]

行為空間の中では、われわれは証拠を挙げ、理由を述べて、合理的にふるまわなければならない。他方、われわれがなぜ広大な論理空間の片隅にすぎないこの行為空間で生きるのか、そのことにはもはや合理的な根拠はない。習慣は動物的に身についたものであるし、われわれが引き受けている世界像も、なぜこの世界像を引き受けるのか、根拠を提示できるようなものではない。われわれは行為空間の中で証拠の支えを信頼するのであり、行為空間そのものは証拠によって支えられたものではない。それはわれわれの根拠なき生き方にほかならない。われわれは、一寸先は闇の論理空間の中で、一寸先は闇ではない生き方をしている。[2]

第12回　註

1　行為空間と理由の空間

行為空間の中で理由を与えたり正当化したりするといっても、ここにはいささかややこしい事情がある。前回論じたように、行為空間は、①概念所有、②習慣による囲い込み、③世界像、という三つの観点から制限を与えられた論理空間の部分である。そのとき、どのような概念を所有しているかは人によって異なりうるため、行為空間も人によって異なりうるものとなる。あるいは、習慣は特定の共同体の中で共有される部分が大きいと考えられるが、それでも人によって異なりうる。世界像はおそらく習慣よりもさらに共同体で共有されていると考えられるが、やはり人によって異なりうるものであるだろう。そのとき、理由を与えたり正当化をしたりするやりとりは、単純に共有された行為空間の中で為されるとはかぎらないことになる。例えば、囲碁の熟達者が私程度のヘボ碁打ちに自分の着手の理由を説明してくれたとしても、私はその理由に対して浅い理解しかもてないだろう。あるいは、ある人がたえず背後を気にしながら歩いていたとして、その理由を尋ねたら「だって、いつ後ろから人が襲ってくるか分からないじゃないか」と答えたとする。私に関して言えば、いまの生活習慣として、ふつうに街を歩いているときに背後からいきなり襲われる可能性など端的に無視している。（とはいえ、先頭に並んで電車を待っているとき、ひょっとして後ろの人に突き飛ばされやしないかという思いが一瞬頭をよぎることはないではない。）このような自分と異なる行為空間から発信された理由説明は、まったく分からないとは言わないが、完全に分かるとも言い難いものとなっている。

　理由づけや正当化の可能性の全体を、ウィルフリッド・セラーズは「理由の論理空間」と言い、ジョン・マクダウェルはそれを受けて「理由の空間」という概念に依拠した議論を展開した。おそらく、それらは私がここで行為空間と呼んだものと密接な関係をもっている。しかし、正直に言えば、私は「理由の論理空間」や「理由の空間」が正確にどのようなものであるのか、理解していない。私が「行為空間」と言うとき、それは論理空間の部分である。では、「理由の論理空間」も『論理哲学論考』が言う意味での論理空間の部分なのだろうか。マクダウェルが言う「理由の空間」はどうなのだろう。憶測でものを言えば、「理由の論理空間」や「理由の空間」が言う「空間」は『論理哲学論考』の論理空間とは別物であるように思われる。だが、いまはそのことには目をつぶってみよう。そして、理由の空間は論理空間の一部分であるとする。ではそのとき、行為空間と理由の空間はどのような関係にあるのだろうか。両者は論理空間内の同じ領域を指定するのだろうか。それとも理由の空間は行為空間のさらに部分なのだろうか。あるいは逆に理由の空間が行為空間をはみ出しているなどということもあるのだろうか。

この微妙な問題をここで論じつくすことはできないが、さらなる考察のきっかけとして、過度に単純化された描像を与えておきたい。例えば熟達した棋士とヘボ碁打ちのやりとりの場合のように、行為空間が共有されていない人の間で理由説明や正当化が為されることがある。しかもそれはけっして珍しいことではない。いまAさんとBさんは同じ実践に参加しているが、Aさんはベテランであり、Bさんはまだ初心者だとしよう。そして単純に、Aさんの行為空間はBさんの行為空間よりも大きいとする。(例えば、AさんはBさんより多くの概念を所有している。)そのとき、二人の間での理由説明や正当化のやりとりは、さしあたり初心者Bさんの行為空間にあわせて行なうしかない。そうしなければBさんがそれを理解できないからである。だが、それと同時に、Bさんには早くベテランAさんのレベルになるようにという圧力がかかる。つまり、Bさんはこの実践に参加する以上、自分の行為空間をその実践に合わせて修正・拡大していかなければならないのである。経験を積み、所有すべき概念を習得し、その概念理解もより深いものとしなければならない。あるいは、この実践に要求される習慣形成がまだ為されていないのであれば、必要な習慣も形成しなければいけない。必要な世界像を新たに獲得しなければならない場合もあるだろう。私にはよく分からないが、例えば兜町で働くには、私が所有していない概念だけでなく、新たな習慣、そして新たな世界像も獲得しなければいけないのではないだろうか。そうしたことがいっそうはっきりしてくるのが、宗教だろう。カトリックの初心者とベテラン(こういう言い方でよいのだろうか)では、おそらく世界像においても違いがあるだろう。こうして、ある実践は、参加者に特定の行為空間の形成を要求する。そして、その実践の参加者たちが全員要求されるレベルに達し、全員の行為空間が一致したならば、そのとき、それがその実践における理由の空間になると考えられる。
あまりに単純な図式であるが、私としては、だいたいこんな感じかなあ、と思うのである。

2　進化論的正当化

われわれのもっている信念の正しさに関して、「進化論的正当化」と呼びうる議論が出されることがある。自分たちの環境に関して誤った信念をもっていれば、生存に危険がもたらされるだろう。しかし、人類は現在このように生き延びてきている。ということは、人類が全体としてもっている環境に関する信念はおおむね正しいはずだ。大略このような議論である。

なるほどこの議論はわれわれに訴えるものをもっている。しかし、少なくとも帰納に関する目下の議論には無力である。いったい、斉一性の原理を進化論的に正当化できるだろうか？

人類は斉一性の原理を信じてこれまで生きてきた。そしてご覧のとおり、生き延びてきた。だから、斉一性の原理は正しいはずだ。このように言われる。だが、これまで斉一性の原理を信じて生き延びてきたからといって、これからもそうだと、どうして言えるのか。これからはむしろ斉一性の原理など投げ捨ててもっと柔軟でケース・バイ・ケースの世界像をもっていなければ生存はおぼつかないことになるかもしれない。いままで斉一性の原理を信じることがわれわれを生き延びさせてきたから、これからも斉一性の原理を信じることで生き延びていけるだろうと考えることは、まさに斉一性の原理を前提にした考えでしかない。つまり、進化論的正当化もまた斉一性の原理を前提にして初めて成り立つのである。だとすれば、斉一性の原理を進化論的に正当化することはできない。

13 ザラザラした大地へ戻れ！

ザラザラした大地とツルツルした氷の上

ウィトゲンシュタインの哲学における前期から後期への転回は、一言で言いきってしまえば、「ツルツルした氷の上からザラザラした大地への帰還」であった。

われわれはツルツルした氷の上に入り込み、摩擦がなく、それゆえある意味では条件は理想的なのだが、まさにそのために歩くことができない。われわれは歩きたいのだ。だから、摩擦がなければならない。ザラザラした大地へ戻れ！（『哲学探究』第一〇七節）

ツルツルした氷の上——それは『論理哲学論考』の土地である。『論理哲学論考』は、よく知られているように、「語りえぬものについては、沈黙せねばならない」という言葉で終わる。その後、本当にウィトゲンシュタインは哲学的に沈黙する。『論理哲学論考』の原稿が完成したのが一九一八年であり、ケンブリッジで哲学を再開するのが一九二九年。大雑把に言って、彼の三十代は（小学校の先生や修道院の庭師の手伝いをしながら）語りえぬものに対して沈黙していた時期であったと言える。

この沈黙の時期を挟んで、ウィトゲンシュタインの哲学はおおまかに前期と後期に分けられる。前期の主著は『論理哲学論考』であり、後期の主著は『哲学探究』である。そして、『哲学探究』において『論理哲学論考』は批判され、まったく新しい考え方が探られていく。（とはいえ、それによって『論理哲学論考』が葬り去られてしまうわけではないと私は考えている。それについては『『論理哲学論考』を読む』（ちくま学芸文庫）の「文庫版あとがきにかえて――『哲学探究』から見た『論理哲学論考』」を参照していただきたい。）

『論理哲学論考』というツルツルした氷の上には、あらゆる論理的可能性が均等に開ける、のっぺりとした論理空間が広がる。前回、われわれはヒュームの帰納の懐疑を論じ、行為空間を離れてただ論理空間に留まろうとするならば一寸先は完全な闇となってしまうことを見た。もう一度、ツルツルした氷の上に迷いこんでみよう。論理空間において、すべては完璧に論理的であるにもかかわらず、いや、完璧に論理的であるからこそ、われわれはまったく歩くことができなくなる。この不条理にほとほと疲れ果てた者のみが、何気ない地面のありがたみを心の底から実感できるだろう。

規則のパラドクス

『哲学探究』で示される、ツルツルした氷の上の不条理の中でもとりわけ有名なもの、そして『哲学探究』の核心に位置するものが、いわゆる「規則のパラドクス」である。

教師が生徒に「0から始めて2ずつ足していく」と規則を与える。生徒はそれに従って「0, 2, 4, 6, ……」と続ける。教師はそれを途中でさえぎり、一〇〇〇までの範囲でさらにいくつかテストをしてみる。「五〇〇からだとどうかな。」「500, 502, 504, 506, ……」だいじょうぶ。いくつか出したテストのすべてに合格した。もういいだろう、この生徒は理解した。ところが、念のために「一〇〇〇からだとどうなる？」と尋ねると、なんとその生徒は「1000, 1004, 1008, ……」と書き始める。

われわれは彼に言う。「何をしてるんだ。よく見てごらん！」――彼は何を注意されたのか理解できない。われわれは言う。「いいかい、2を足さなくちゃいけないんだ。最初の方のやり方を見てごらん！」――彼は答える。「えっ、違ってるんですか？　ぼくは、こうしなければいけないと思ったんです。」――あるいは彼がその数列を示しながらこう言ったとしたらどうか。「でも、ぼくはずっと同じやり方でやってるのに！」（第一八五節）

すでにザラザラした大地の上に立っているわれわれには、このエピソードはまったく不可解でしかないだろう。ここでウィトゲンシュタインが何を問題にしたいかを理解するためには、われわれもまたツルツルした氷の上に迷いこんでみなければならない。

「2を足す」ということの意味をまだ理解していない子どもを考えてほしい。そして「2を足す」ということの意味をどうすれば教えられるか、考えてみよう。ふつうにやることは、いくつかの事例で具体的にやってみせることだろう。例えば一〇〇以下の数でやってみせたとする。そしてわれわれは言う。「以下同様。」――ここに、問題のすべてがある。

この場合、どのようにやるのが「以下同様」なのか。例の生徒は、以下同様にやったつもりが、「1000, 1004, 1008」だったのである。われわれとしては、それは「4を足す」だろう、と言いたくなる。しかしその生徒は、「4を足してなどいません。だって、もし4を足すなら、「1000, 1008, 1016」となるはずでしょう？」と答えてくるかもしれない。

やってみせたのが一〇〇以下の数だったということはまったく本質的ではない。数列は無限にある。だから、ある程度教えたらどうしたってあとは「以下同様」となるしかない。教える範囲が一〇〇までだろうと、一億までだろうと、問題の構造に違いはない。問題の根は「以下同様」をどうすれば理解させられるか、というところにある。

「以下同様」と『論理哲学論考』

この議論は、実のところ、『論理哲学論考』の核心部分に対するウィトゲンシュタイン自らの挑戦にほかならない。われわれの経験が有限であるかぎり、論理空間もまた（巨大ではあるが）有限のサイズに留まる。それゆえわれわれは無限そのものを思考することはできない。そこでウィトゲンシュタインは『論理哲学論考』において、無限を一定の操作の反復として捉えた。雰囲気をつかんでもらうために、たわいもない事例を示そう。例えば一枚の紙を裏返すという操作を考える。この操作は、飽きるとか死ぬとか言わなければ、いつまでも繰り返すことができる。これが、『論理哲学論考』の捉えた無限である。重要なことはただ一点、無限を「無限に対象が存在すること」として捉えるのではなく、一定の操作の無限の反復として捉えること。それは「ここに無限がある」と言えるようなもの（実無限）ではなく、ただ「いつまで続けてもよい」という無限（可能無限）にほかならない。だとすれば、無限を捉えるには、「以下同様」ということの成立がどうしたって不可欠なものとなるだろう。ここでわれわれは、『論理哲学論考』の草稿に記された次の言葉を見逃すわけにはいかない。

「……」という記号で表わされる「以下同様」という概念は、最も重要な概念のひとつである。（『草稿』一九一六年一一月二一日）

もしかしたら、この時点でウィトゲンシュタインはすでにきな臭さを感じとっていたかもしれない。すべてを明晰に見てとり、明晰になりえないところは沈黙すべしと訴えた『論理哲学論考』が、その核心において、「……」などというよく分からぬ記号に甘んじなければならない。その気持ち悪さ。「以下同様」、これは『論理哲学論考』の要であると同時に、『論理哲学論考』をはみ出したものなのではないか。まさに『論理哲学論考』において伏在していたその問題が、規則のパラドクスにおいて噴出したのではないか。[1]

氷上で「以下同様」は無力となる

具体例を示され、「以下同様」と言われる。あなたはその具体例を延長していかねばならない。だが、その具体例からどのような規則を読みとればよいのか。そのさい、知的能力の欠如ではなく、むしろ過剰な知的能力こそが問題を発生させる。論理空間をすべて見渡せるような知性の持ち主であれば、われわれが思いもよらないような規則をそこに読みとることができるだろう。「2を足していく」という規則に対して教師は一〇〇以下の具体例を示す。ところがそれは「一〇〇〇までは2を、二〇〇〇までは4を、三〇〇〇までは6を、……のように足していく」とわれわれなら表現するような仕方で解釈されるかもしれない。先のエピソードに登場した生徒はまさにそのように解釈したのである。あるいはもっと、われわれに言わせれば複雑怪奇な（しかしその知性体に言わせればこの上なくシンプルな）規則が読みとられるかもしれない。その知性体は、頭がよすぎて、その具体例のもとに論理的に可能なあらゆる解釈が見えてしまい、「以下同様」と言われてもただ途方に暮れてしまうのである。かくして、こう結論される。「規則は行為の仕方を決定できない。なぜなら、いかなる行為の仕方もその規則と一致させることができるからである。」（『哲学探究』第二〇一節）これが、「規則のパラドクス」と呼ばれるものである。

規則のパラドクスの破壊力は、数列の事例を越えてあらゆる規則に及ぶ。規則は一回適用されて終わりではなく、無限個の適用例をもつ。それゆえわれわれは、有限個の具体例でその規則を学び、それを新しい場面へと延長していかなければならない。だが、「以下同様」が成立しない氷の上では、どれほど具体例を示してもそれは将来の適用を定めてはくれない。かくして、「規則」の名にふさわしいあらゆるもの——法律、ゲームの規則、日本語の文法、等々——が失効する。もちろん、論理もまたその効力を失う。

ここには論理空間の皮肉がある。あらゆる論理的可能性を立ち上がらせ、それらをすべて等価なものとして受け止めるとき、「以下同様」という言葉はもはやわれわれの行動を限定する力を失う。しかし、「以下同様」ということが成り立たないのであれば、論理もまた成り立ちはしない。論理的可能性を最大限に追求した結果、むしろ論理は砕け散ってしまうのである。

ザラザラした大地への帰還

歩くために、われわれは摩擦のあるザラザラした大地に立たなければならない。そこはヒュームが「人間本性《ヒューマンネイチュア》」と呼んだもの、グッドマンが「習慣による囲い込み」として捉えたもの——すなわち『論理哲学論考』がまったく視野に入れていなかったもの——に支えられた土地、われわれの用語を用いるならば「行為空間」である。

改めて、われわれのふだんの活動を見直してみよう。そこでは「以下同様」という言葉はもちろん効力をもっている。ただし、具体例を示し、「以下同様」と唱えればもはやいかなる誤解の余地もなく以後の行動が定まるというわけではない。十分な具体例を示しても、誤解されてしまうことはある。しかしポイントは、誤解を誤解として認めあい、そしてさらなる説明を加えてその誤解を正すことができるということである。つまり、「以下同様」と言えばそれですべてが完全に決まるわけではないが、われわれが実際に「規則に従う」と呼んでいるさまざまな実践が成り立つ程度には、「以下同様」という言葉は効力をもっているのである。

なぜか。なぜ、「以下同様」という言葉がわれわれの場合には効力をもちえているのだろう。それは、われわれがおおむね似たような本性《ほんせい》をもっているから。——いや、もっと正確に言おう。自分がどんな本性や習慣をもっているのかなど、分かりはしない。例えば「2を足す」と言われて一億のあとに「一億二」と答える反応傾向を自分がもっていることを、私はいま、それに実際に答えてみることによって、初めて知ったのである。自分がどのように反応する傾向をもっているのかなど、実際に反応してみるまでは分からない。それゆえ、「われわれはおおむね似たような本性をもっている。だから、「以下同様」という言葉も効力をもつ」などという気楽な物言いは許されないのである。

論理空間に含まれるすべての可能性を均等に考慮する存在を〈神〉と呼ぼう。それに対して、論理空間内の多くの可能性を最初から無視して行動する存在を〈人間〉と呼ぼう。われわれは〈人間〉である。「以下同様」という言葉が効力をもち、規則に従う実践を開けるのは〈人間〉だけである。だが、逆に〈人間〉ならば必ず「以下同様」が効力をもつとまでは言えない。例の生徒を思い出そう。彼もまた〈人間〉である。ただし、われわれとは異なる反応傾向（一〇〇〇以上では「1000, 1004, 1008」と続ける反応傾向）をもっていた。彼のような〈人間〉が共同体を作れば、それはそれでわれわれとは別の実践がそこに開かれたに違いない。この生徒のような〈人間〉をわれわれにとって異質な〈人間〉と呼び、そうでない場合、同質な〈人間〉と呼ぼう。「同質」といっても、それは完全な反応傾向の一致でなくともよい。ただ、実践を破壊しない程度の同質性が求められる。

では、いま実践を共有しているわれわれは、同質な〈人間〉たちなのか。あなたと私は、同質な〈人間〉なのか。それは分からない。自分がどういう反応傾向をもっているのかさえ分からないのだから。あなたの反応傾向と私の反応傾向を、すべてにわたって比較し、その同質性を確認することなど、できはしない。しかし、それでも、われわれの実践はわれわれの同質性を見込んでいる。それは習慣による囲い込みでもあろうが、むしろ私はそれをわれわれの「人間像」であると捉えたい。行為空間の議論において私は、囲い込みと世界像によって論理空間から切り取られた部分空間として行為空間を規定した。この世界像の一種として、人間像を考えたい。めいっぱいずさんな言い方をすれば、「われわれは神ではない。みんなちょぼちょぼで、みんな似たりよったりだ」、この人間像が、われわれの実践には織り込まれているのである。この人間像を手放せば、いっさいの実践は破壊される。

論理もまた、ひとつの実践にほかならない。論理空間は〈神〉の住み家であろうが、しかし、論理空間は〈人間〉が張るのである。本性と習慣によって囲い込まれた行為空間において初めて、「以下同様」という言葉は効力をもつ。そして「以下同様」の力によって初めて論理空間は形成される。だから、最初に論理空間があってそこから行為空間が切り取られるのではない。まったく逆である。まずわれわれはわれわれの行為空間に生きる。そこから、そしてそこからのみ、論理空間を張ることができる。[2]

第13回　註

1　論理空間・無限・規則のパラドクス

「論理空間」という抽象的な道具立てを用いていると、だんだんその概念がいいかげんになってくることがある。論理空間は、この現実世界をその一つの要素としてもつような、すべての可能な世界の集合であるが、「論理」という言葉に引きずられて、それを言語的なものと捉えてしまったりもする。さすがにそういうまちがいはもう犯さないが、しかし、それにもかかわらず、何を思ったか、私は雑誌連載時における今回の原稿で、「論理空間は無限の可能性を含んでいる」と書いてしまった。よほど拡大解釈すればそうも言えないことはないが、まあ、まちがいである。しかも、プロとしては恥ずかしいまちがいである。困ったことである。

本文のその箇所は書き直しておいたが、ここでもう少し補足説明をしておきたい。規則のパラドクスは『論理哲学論考』の精神の核心部分を破壊する。私はそう考えている。そこでまず『論理哲学論考』の精神について、手短に説明しておかねばならない。『論理哲学論考』においてウィトゲンシュタインを導いていた最も根本的な問いかけは、こうであった。――ア・プリオリな世界の秩序は何か。

ウィトゲンシュタインは『論理哲学論考』の草稿にこう書きつけている。

私が書くもののすべてがそれを巡っている、ひとつの大問題――世界にア・プリオリな秩序は存在するか。存在するのならば、それは何か。（『草稿』一九一五年六月一日）

われわれは経験によってさまざまな世界の秩序を知る。だが、いっさいの経験に先立って、すなわちア・プリオリに、われわれに知られる世界の秩序があるのではないか。例えば、論理はそのようなア・プリオリな秩序なのではないか。これに対して、「そのとおり、論理はア・プリオリな秩序である」と答え、そしてそれがいかにして可能になっているのかを解き明かしたのが、『論理哲学論考』にほかならない。

だが、論理空間は、「論理」という名をつけられてはいるが、ア・プリオリに形成されるものではない。論理空間はわれわれがどのような対象に出会い、どのような概念をもっているかに依存している。つまり、論理空間のあり方は経験（および伝聞・学習）に依存しているのである。では、論理はどこに見てとられるべきなのか。――操作において。これが『論理哲学論考』の自慢の一手だった。

まず、操作とア・プリオリな秩序がどうして結びつくのかを感覚的に捉えておくために、準備運動として身近な例を出してみよう。例えば、「裏返す」という操作。さまざまなものを裏返すことができる。書類を裏返す、ノートパソコンを裏返す、焼魚を裏返す、畳を裏返す。そして、何を裏返そうとも、二回裏返すと元に戻る。この「二回裏返すと元に戻る」というのは、裏返すという操作の本性から必然的に成り立つことであり、何を裏返すかには依存しない。あえて大仰な言い方をすれば、「なんであれ二回裏返すと元に戻る」という法則はア・プリオリに成り立つのである。そして、論理のア・プリオリ性もこれと同じ仕方で論じられる。

さて、論理を操作において見てとるという『論理哲学論考』の洞察を説明しよう。ただし、いまはその洞察の核心だけを取り出せばよいので、論理的な語彙のうち、否定だけに限定して説明することにする。そこで、説明のために、きわめて簡単な論理空間を考えてみよう。可能な事態はAとBという二つだけであると想定する。そのとき可能な世界のあり方として、形式的には、事態AとBが成立している世界、事態Aが成立している世界、事態Bが成立している世界、そして事態Aも事態Bも成立していない世界の四通りがあることになる。事態AもBも成立していないということを空集合の記号を用いてφと書くことにすれば、次のように書ける。

$$W_1 = \{A, B\}$$
$$W_2 = \{A\}$$
$$W_3 = \{B\}$$
$$W_4 = \phi$$

この四つの可能な世界を集めたものが、この場合の論理空間である。いったい、事態AもBも成立していない世界というのはまったくの虚無世界で、そんなものが可能なのかという問題は、いまは措いておくことにしよう。この四通りが可能な世界のすべてであり、現実に成り立っている世界は、W_1、W_2、W_3、W_4のうちのどれかだということになる。実際にはもちろん、考えるべき事態はもっとはるかに数が多いので、論理空間は途方もない大きさになっている。いま与えた四つの可能な世界だけからなる論理空間は、あくまでも否定ということを説明するための道具立てとして与えた、最小限の論理空間である。

そこで、この最小限の論理空間のもとで、例えば「A」と主張したとする。これは、「事態Aが成立している」という主張であり、言い換えれば「現実世界はW_1かW_2のいずれかである」という主張である。命題「A」が指定する論理空間の中のこの部分領域$\{W_1, W_2\}$を命題「A」の真理領域と呼ぶことにしよう。（なぜ「真理」領域と称するかといえば、現実世界がW_1かW_2のどちらかであれば、そのとき命題「A」は真になるからである。）一般に命題は、論理空間中にその命題に対する真理領域を指定する。そのとき、否定は真理領域を反転する操作として捉えられる。「A」の否定「Aではない」を考えよう。「A」は｛W_1, W_2｝という真理領域を指定する。それに対して「Aではない」は「Aは成立していない」という主張であるから、｛W_3, W_4｝という真理領域を指定するものとなる。｛W_3, W_4｝は、論理空間の中で｛W_1, W_2｝以外の領域を取り出したものにほかならない。つまり、否定「Aではない」とは、論理空間において「A」の真理領域を反転させる操作なのである。

そのことは、二重否定が肯定に等しいという論理法則（二重否定則）を説明する。否定とはまた、真理領域の反転であるから、二回反転させると元に戻るというわけである。このことは真理領域の反転である以上、何を反転しようとも、それを二回操作すれば元に戻る。これは反転という操作の本性からして、必然的にそうである。これが、二重否定則がア・プリオリに成り立つ理由にほかならない。

ウィトゲンシュタインはさらに、他の論理的な言葉もまた否定と同様に真理領域に対する操作であると考えた。詳しい説明は省くが、一応、書いておこう。

AかつB……Aの真理領域とBの真理領域の共通部分を作る操作
AまたはB……Aの真理領域とBの真理領域を合わせた領域を作る操作
AならばB……Aの否定の真理領域とBの真理領域を合わせた領域を作る操作

「AならばB」などは説明がないと分からないかもしれないが、いまは詳しい説明は省くことにする。ポイントは、「かつ」や「または」や「ならば」といった論理的推論に用いられる言葉が、否定と同様、論理空間上の操作を表わすということにある。

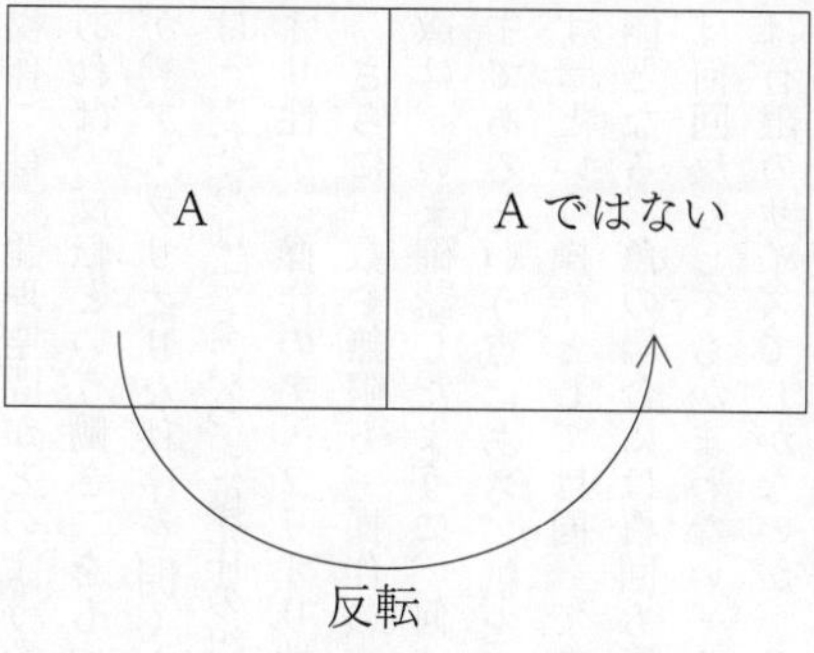

『論理哲学論考』の道具立ては、論理空間と操作、これですべてと言ってよい。ここから、『論理哲学論考』の基本的な主張のすべてが導き出されてくる。

論理空間は、われわれがどのような対象に出会い、どのような概念をもっているかに依存している。つまり、論理空間のあり方は経験に依存している。他方、操作（例えば否定に対応する反転という操作）は、論理空間がどのようなものであろうとも、そこにおいて一定の働き（否定であれば、反転という働き）をもっている。つまり、操作は経験に依存しない。操作こそが、ア・プリオリな秩序を開くものなのである。そして論理は、「否定」「かつ」「または」「ならば」といった操作の組合せによって説明される。かくして、論理のア・プリオリ性が、操作のア・プリオリ性から説明されることになる。

さらに、数や無限も、操作の本性から見てとられる。操作がもっている最も重要な特徴は、いま確認したように、何に対してその操作を施そうとも、それは同一の操作のままであるという点にある。紙を裏返そうが、魚を裏返そうが、畳を裏返そうが、「裏返す」という操作としては同一である。そこで、同一の操作を何度でも反復することが可能となる。魚の場合には百回も裏返すと身が崩れ果ててしまうだろうが、真理領域ならば何回反転してもかまわない。ここに、無限が姿を現わすのである。論理空間そのものは有限のサイズでしかないが、そこにおける操作は、いつまでも続けられるという意味で、無限回でありうる。そしてその操作の反復回数こそが、自然数にほかならない。こうして、論理および数学というア・プリオリな秩序が、操作という観点から説明されていくのである。これが、「世界にア・プリオリな秩序は存在するか。存在するのならば、それは何か」という問いに対する『論理哲学論考』の解答であった。

ここに、規則のパラドクスが炸裂する。

「2を足す」という規則を考える。これは「2を足す」という操作である。0にその操作を施すと2となり、さらに4、6、8、と続く。だが、規則のパラドクスに登場する生徒は、一〇〇〇を越えたところから「1000, 1004, 1008, ……」と書き始める。そして注意されると、「でも、ぼくはずっと同じやり方でやってるのに！」と訴えるのである。これはまさしく、「ある操作を同じ仕方で適用する」ということへの挑戦にほかならない。

操作は、何に対して施されようとも、同一の操作のままである。そしてそのことが、ア・プリオリな秩序を成り立たせる。『論理哲学論考』はそう考えた。だが規則のパラドクスは、いまや、『論理哲学論考』におけるこの構図を突き崩すのである。

2　ア・プリオリな秩序

ザラザラした大地に降り立ったわれわれは、「ア・プリオリな秩序は存在するか」という『論理哲学論考』の問いにどう答えることになるのだろうか。

ここで、「ア・プリオリ」ということの内に、二つの意味を区別しなければならない。あえて名前をつければ「弱いア・プリオリ」と「強いア・プリオリ」である。

例えば、「A、または、Aではない」という、排中律と呼ばれる論理法則がある。これはAにどのような事態を表現する命題を入れようと、必ず真になるとされる。例えばAに「クジラにはヘソがある」という命題を入れてみよう。実際にクジラにヘソがあろうがなかろうが、そんなことにはおかまいなしに、「クジラにはヘソがある、または、クジラにはヘソがない」は真となる。それゆえ、排中律「A、または、Aではない」の正しさは命題Aの真偽に依存しないものとなっており、その意味で、ア・プリオリに成立すると言える。これが、私が「弱いア・プリオリ」と呼びたいものである。そして弱い意味でなら、ザラザラした大地に降り立ったわれわれとしても、論理はア・プリオリだと認めることができる。

他方、『論理哲学論考』が論理のア・プリオリ性を言うときには、もっと強いことが言われていた。論理は操作の本性から説明される。そして操作は、論理空間がどうであれ、同一の働きをもつ。それゆえ、論理は論理空間のあり方にさえ制約されない。そのような意味で、論理は世界のあり方から独立とされる、すなわち強い意味でア・プリオリだと言われるのである。

だが、いまやその考えは否定される。規則のパラドクスに登場した生徒は、「2を足す」という規則に対して、自然にわれわれと異なる反応をする反応傾向をもっている。彼のような人たちが集まった共同体では、おそらく論理もまたわれわれとは異なったものとなるに違いない。つまり、論理のあり方はその根底においてわれわれの自然な反応傾向のあり方（人間本性《ヒューマンネイチュア》）に依存しているのである。このことは、論理に対して強い意味でのア・プリオリ性が成り立たないことを意味している。われわれが生物としてどのような本性をもっているのか、あるいはわれわれがどのような習慣を形成しているのか、論理はこうした事実の支えを必要とするのである。かくして、『論理哲学論考』が考えていたような強い意味においては、論理はけっしてア・プリオリではない。これが、ザラザラした大地に立つわれわれからの、『論理哲学論考』への答えとなる。

14 意味がないという話

言葉は意味をもっている。

え？　何をもっているって？

「意味」

すると、一方に言葉があり、他方に「意味」と呼ばれる何ものかがあって、言葉はそれを「もっている」というわけだ。ちょうど、「富士山」という語にあの山が対応しているように。では、「鳥」という語には何が対応しているのか。

あそこに一羽のカラスがいる。あれは鳥だ。ならば、「鳥」という語にはあれが対応しているのか。あれが鳥の意味なのか？　いや、もちろんあれだけが「鳥」の意味であるはずがない。ならば、もう一度問おう。「鳥」という語に対応する、「意味」と呼ばれる何ものかとは何なのか。

個別性と一般性のギャップ

言葉の意味とは何か。この手に負えない難問を考えるために、まずは「鳥」のような一般名詞を考えてみたい。それは、一般名詞が扱いやすいからではない。逆に、一般名詞において「言葉の意味」という哲学問題がとりわけ鋭利に立ち上がってくるからにほかならない。しばらく、その問題へと引き込まれるにまかせてみることにしよう。

一般名詞は「富士山」のような固有名詞と異なり、一般性をもつ。「鳥」は特定の対象(あのカラス)を意味するのではなく、鳥一般を意味している。だが、鳥一般など、どこにいるのだろう。外を歩いてみよう。そこここに鳥たちがいる。しかし、どれをとっても「鳥一般」ではない。ご承知のことと思うが、鳥一般にはダチョウもペンギンも含まれるのである。そんな鳥一般に、私は出会ったことがない。

「鳥」の意味は鳥たちの集合だ、と言われるだろうか。だが、そうだとすれば、それはこれから生まれてくる鳥たちも含む無限集合となる。私は、鳥一般にも出会ったことがないが、鳥の無限集合にも出会ったことがない。夕空にムクドリが群れをなしていても、たかだか数万羽である。無限集合は人間の認識可能なものではない。それはただ鳥の意味を理解している人だけが想定しうる理論的措定物にすぎない。

この問題を「個別性と一般性のギャップの問題」と呼ぼう。一般名詞は一般性をもつ。他方、われわれが現実に出会うものたちはすべて個別的なものでしかない。鳥一般が空を飛んでいるわけではないし、鳥の無限集合が梢にとまっていることもない。「鳥」の「意味」と呼ばれうる何ものかを、世界の中に見出すことはできないように思われる。

意味は心の中にある？

世界の中に見出すことができないとき、ひとはしばしば「心の中」に居場所を求める（心の中も世界の一部だということを忘れて）。「鳥」という語の「意味」と呼ばれうる何ものかは、心の中にあるのではないか。

例えばこんなふうに考えるかもしれない。「言葉は、一般観念の記号とされることによって一般的となる。」ジョン・ロックの議論である。続けよう。「そして観念が一般的となるのは、その観念から時間と場所の状況が切り離され、またそれ以外にもその観念をあれこれの個別のものとするような他の諸観念がすべて切り離されることによる。この抽象という仕方によって、観念は一つ以上の個体を代表しうるようになるのであり、各々の個体が（一つの呼び名で表わされるような）その種のものとされるのは、それがこの抽象観念と一致するからにほかならない。」（『人間知性論』三・三・六）ロック独自というより、むしろ素直な考え方と言えるだろう。われわれが出会うのはある時ある場所にいる個別の対象だけである。それらは大きかったり小さかったり、黒かったり茶色だったりする。泳ぐものもいるし、走るものもいる。こうしたさまざまな性質を捨象して、われわれは個別の鳥たちから鳥の一般観念を抽象する。そして「鳥」という語はその一般観念を意味する、というわけだ。

だが、これがそれなりに説明になっているような気がするのは、たんに説明が明確でないからにすぎない。二つの問題点を順に論じよう。

鳥の一般観念は何色か

まずロックが一般観念（あるいは抽象観念）と呼ぶものが決定的にあいまいである。一般観念をある種のイメージとして考えてみよう。一般的な鳥のイメージを思い描いてみていただきたい。思い描けるだろうか。すべての鳥にあてはまるような一般的な鳥のイメージ。ロックに従えば、「鳥」の意味を理解するとは、鳥の一般観念を把握し、それを「鳥」という語に結びつけることである。鳥の一般観念を参照することによって、われわれは「鳥」という語を適切に使えるようになる。それを参照すれば、白い鳥も茶色い鳥も青い鳥も、スズメもカラスもカモもダチョウもペンギンも適切に「鳥」と呼び、コウモリや飛行機やスーパーマンは「鳥じゃない」と適切に言える、そんな一般的な鳥のイメージ。ジョージ・バークリはロックを批判して「そんなものありはしない」と言った。私もそう思う。

ロックはおそらく一般観念をイメージのようなものとして捉えるのは誤解だと言うだろう。だとすれば挙証責任はロックの側にある。イメージではないとしたら、それはどのようなものなのか。大きくも小さくもない、そして大きくも小さくもある、そんな鳥の一般観念とは、何なのか。残念ながらロックからその答えを引き出すことはできない。

心の中をもちだしても何も変わらない

第二の批判に移ろう。百歩譲って、一般観念なるものがあるとする。それはイメージではないとしても、心の中に形成される何かである。だが、なんであれ、心の中に生じるものもまた、それ自体特定の時刻に生じる個別的なものでしかありえない。これはなかなか伝わりにくい論点であるから、きちんと説明しようと思うが、言いたいことは、世界で出会うものに対して個別性と一般性のギャップを認めるのであれば、心の中をもちだしたところで何も変わりはしないという点にある。理由は、心の中も世界の一部だからである。

ウォーミング・アップから入ろう。例えば昨夜部屋にいて悲しみの感情をもったとする。この時この場所で生じたこの感情は、個別的な特定の悲しみである。「悲しみ」という語はけっしてこの時のこの感情だけの名前ではない。もしこの感情だけに名前をつけるとすれば、それは「富士山」や「ジョン・ロック」のような固有名ということになり、例えば「野矢茂樹の悲しみ三〇八九番」のような名前になるだろう。「悲しみ」はこうした個別事例をすべて含み、かつ、これからも私に、そして他の人たちに生じるだろう無数の悲しみを含んでいる。押さえておいてほしいのは、この事情は「鳥」の場合とまったく同じだという点である。鳥たちは眼前に現われ、悲しみは心の中という違いはあるとしても、語の一般性と事例の個別性に関する事情は、何ひとつ違いがない。

ロックは、「鳥」は鳥の一般観念の名前であると言う。そして一般観念は、よく分からないものであるにせよ、心の中に生じる何ものかである。だとすると、それはある時ある場所である人の心の中に生じるものである。例えばいま私が鳥の一般観念を心の中に生じさせたとする。それは悲しみの場合と同様に、個別の体験であり、例えば「野矢茂樹の鳥の一般観念三七六三四番」といった固有名をつけることのできるようなものである。そうであるならば、「鳥」という語の意味がこの体験であるはずがない。これまでの三七六三三回分も、これから生じるであろうものも、他の人たちに生じるものも、すべて鳥の一般観念である。では、「鳥」という語の意味は何なのか。鳥の一般観念の体験のすべて？　それでは再び無限集合になってしまう。

かといって、それら無数の「鳥の一般観念体験」を抽象して、より一般的な鳥の一般観念を抽象するのだ、というのでは無限後退であり、馬鹿げた冗談でしかない。「一般観念」などというよく分からない用語を使い、心の中などというよく分からない領域に逃げ込むから、よく分からなくなって、騙されてしまうのである。しかし、呼吸を整えて、頭を冷やして考えてみれば、心の中をもちだしたところで個別性と一般性のギャップの問題は何ひとつ変わりがないということは、明白ではないだろうか。

無意味論

こうした議論から示唆されてくるひとつの考え方は、「鳥」という語には意味がないとするものである。いや、この言い方は誤解を招く。もっと正確に言おう。ロックに代表されるような考え方はこうであった。言葉にはその「意味」と呼ばれる何ものかが結びついている。言葉の意味を理解するとは、それに結びつけられているその何ものかを把握することにほかならない。われわれはその何ものかを参照することによって、その言葉を適切に使用するのである。そこで、いまやこの考え方を否定する方向が示唆される。ここで言われているような意味での「意味」なるものなど、ありはしない。そう言いたい。この考え方を、大森荘蔵の用語を借りて「無意味論」と呼ぶことにしよう。[1]ウィトゲンシュタインもまた、無意味論の側に立っていた。彼は批判の相手をこのように描写している。

> われわれが一般語をあれこれの仕方で用いるだろうということが一般観念の存在から帰結する、という考え。われわれは、語の使用とは糸巻きから糸を引き出すようなものだという誤った考えをもっている。それはすべてそこにあり、ただ巻かれてあるものをほどくだけなのだ、と。かくしてわれわれは、ある語使用は一般観念に従っており、別の

語使用は従っていない、と語る。(A. Ambrose, ed., *Wittgenstein's Lectures Cambridge, 1932-1935*, 1979, p.83. 野矢茂樹訳『ウィトゲンシュタインの講義――ケンブリッジ1932―1935年』、勁草書房、一五〇ページ)

無意味論は、こうした「言語使用の源泉としての意味」という考えを否定するのである。

規則のパラドクスの破壊力

われわれは前回、規則のパラドクスを見た。実は、規則のパラドクスはウィトゲンシュタインが「言語使用の源泉としての意味」という考えを攻撃するために用意した議論であり、おそらくは最強の議論である。無意味論の観点から、もう一度規則のパラドクスを見てみよう。

ある生徒に「＋2」という規則を教える。教師は一〇〇以下の数で具体的にやってみせ、生徒はその後を続ける。ここで起こっていることをわれわれはこう説明したくなるだろう。「＋2」という規則を与え、具体例を示し、それによって生徒に「＋2」という規則の意味を理解させたのだ。ひとたび正しく規則の意味を理解したならば、それからはその意味に従って適切に規則を適用していけるはずだ、と。ロックならば「＋2」の観念と言うかもしれない。

よろしい、その生徒が「＋2」の観念（意味）なる何ものかを把握したとしよう。そして教師に「1000＋2は？」と尋ねられる。だが、この問題に答えるのに、「＋2」の観念は役に立つのだろうか。「＋2」の観念ないし意味なるものがどのようなものであれ、「1000＋2」等々の具体的な問題の答えのすべてがそこに書き込まれてあるわけではないだろう。具体的な問題は無限にある。いくら心でも（そして脳でも）無限個の答えを収納することはできない。だとすれば、その生徒は、「＋2」の観念をいまこの問題に対して適用しなければならない。そして彼は自分なりに考え、自信をもって、「1000＋2は1004」と答えるのである！

観念ないし意味なる何ものかを形成したとしても、さらにそれを個別の場面に適用しなければならない。ならば、われわれと同じ観念や意味を把握しつつ、なおそれをわれわれとは違う仕方で適用してしまう人を考えることができる。例の生徒はまさにそうして「1004」と答えたのである。そして、同じ観念や意味を違う仕方で適用しうるということは、観念や意味はそこから唯一の適用を紡ぎ出す「適用の源泉」ではありえないということである。われわれは観念や意味に導かれて言葉を使用するのではない。かくして、ウィトゲンシュタインはこう結論する。

規則と事例を通じ、間接的な仕方で諸君がある人の心に意味を生み出していると考える

のは、幻想なのだ。（前掲書一三二ページ、邦訳二四二ページ）

なるほど、「言葉は意味をもつ」と言う。だが、何をもっているというのか。鳥の一般観念であれ、「＋2」の観念であれ、「言語使用の源泉としての意味」なるものは幻想でしかない。具体例を通して言葉の使用を学ぶとき、けっして子どもは具体例の背後に潜む「意味」なる何ものかを探り当てるのではない。では、どうするのか。どうもこうもない。具体例を示され、「以下同様」と言われ、以下同様にやっていく。それだけのことである。ここに「意味」のごときものは余計でしかない。もちろん、ここにはまだ論じるべきいくつもの問題がある。しかし、なによりもだいじなこと、そしてなによりも難しいことは、この表層に立ち止まり、さらなる深みを探ろうとしないことである。そこに、『哲学探究』が開いた新たな言語観が見えてくる。[2]

第14回　註

1　命題関数

ロックのように「一般名詞の意味は一般観念である」と唱える人は、いまではほとんどいないと思われる。では多くの哲学者は無意味論に傾いているのかといえば、もちろん、そんなことはない。「鳥」の意味は何かと問うたならば、フレーゲ的な枠組のもとにいる哲学者たちは、「それは〈xは鳥である〉という命題関数だ」と答えるだろう。ここで、無意味論の観点からこの答えを検討しておきたい。しかし、その前にまず命題関数とは何なのかを説明しておかねばならないだろう。

「鳥」という一般名詞は、名詞としてよりもむしろ「鳥である」という述語として捉えられる。そして「鳥である」という述語の意味は〈xは鳥である〉という関数として捉えられる。関数というのは、さしあたり、何かを入れれば何かが出てくる自動販売機のようなものと考えておけばよい。百五十円入れればそれに応じてお茶が出てくる自動販売機のように、〈xは鳥である〉という関数は、xに個別の対象を入力すると、それに応じて真か偽が出力される。例えば、いま一羽のカラスがいたとして、そのカラスに

「カー吉」という名前を与えておこう。そのとき、〈xは鳥である〉という関数にカー吉を入力すると、真が出力されることになる。他方、一匹のコウモリに「コーちゃん」という名前を与えたとして、〈xは鳥である〉にコーちゃんを入力するならば、偽が出力されることになる。同様に、ペンギンのペンちゃんを入力すれば真が出力され、人間の野矢茂樹を入力すれば偽が出力される。そのような、個別の対象から真偽への関数が、「命題関数」と呼ばれる。そして、「鳥」の意味はこの〈xは鳥である〉という命題関数だとされるのである。

だが、「鳥」という語が〈xは鳥である〉という命題関数を意味としてもつとは、つまりどういうことなのだろう。命題関数という対象がどこかにあるのだろうか。「ほら、これが〈xは鳥である〉という命題関数だ」と言えるような何ものかが、どこかにあるのだろうか（自動販売機が街角にあるように）。率直に言って、私にはそれは理解できない。命題関数はある時間・ある場所に存在するような時空的な対象ではないだろうから、世界の中に（そして心の中にも）存在しうるものではない。おそらく、イデア的な何かなのだろうが、それはいったい何なのか、私には理解できないのである。

むしろ（フレーゲはきっと嫌がるだろうが）、命題関数という考え方は無意味論に親和性をもつもののように、私には思われる。命題関数という考え方にとって、命題関数という対象を想定する必要などありはしないと思うのである。〈xは鳥である〉という命題関数を考えよう。それは、いま説明したように、なんらかの個別の対象（カー吉、コーちゃん、等々）を入力するとそれに応じて真偽を出力する関数である。そこでわれわれは、ある子どもがその命題関数を理解したかどうかを確かめるために、さまざまな個別の対象について尋ねるだろう。私はその子どもにカー吉を指し示し、「これは鳥かな？」と尋ねる。その子どもは「鳥だよ」と答える。私はある人物を指し示し、「これは鳥かな？」と尋ねる。その子どもは「鳥じゃないよ」と答える。任意の対象についてこのテストに合格するならば、その子どもは〈xは鳥である〉という命題関数を正しく理解したものとみなされる。コウモリのコーちゃんについては鳥じゃないと答え、ペンギンのペンちゃんについては鳥だと答えるなら、ずいぶん正確に理解してるじゃないかと感心したりもする。つまり、〈xは鳥である〉という命題関数を理解しているとは、すなわち、任意の対象についてそれを鳥であるか鳥ではないか識別できる能力をもっているということ、それ以上でも以下でもない。

　無意味論は、言葉が意味をもつことを否定する。より正確に言えば、「言葉の意味」と呼ばれるような何ものかを想定することを拒否する。そしてその代わりに、「意味理解」について語ろうとする。「鳥」という語の意味は何か、と問うのではなく、「鳥」という語の意味を理解しているとはどういうことなのか、と問うのである。……と、書いてみたが、「どこが違うの？」と言われそうである。「意味を理解している」とは、つまり、意味なる何ものかを理解していることではないのか。いや、そうではないのだ。意味なる何ものかがあり、それを理解しているということではなく、「意味理解」と呼ばれるタイプの理解の仕方があるということなのである。（少し脱線するが、「時が流れる」という表現にも同様の事情がある。その表現は流れていく「時」なる何ものかがあることを示唆する。だが、川が流れていくように、あるいは笹舟が流れていくように、流れていく「時」なる対象があるわけではない。ただ「時が流れる」と表現される何ごとかがあるにすぎない。）「意味を理解している」とか「意味を理解していない」と呼ばれることがらを正確に見てとること。そして余計な説明を加えないこと。それがここで求められている。

そこで、命題関数という考え方に従えば、「鳥」という語の意味を理解しているとは、任意の対象に対して、適切に「鳥である」と言い、また適切に「鳥ではない」と言えることにほかならない。そしてそうだとすれば、ここにおいて「意味」と呼ばれるなんらかの対象を持ち出してくることは、まったく余計なことだろう。意味なる何ものかを理解しているから、鳥と鳥でないものを識別できるのではない。かく識別できること、それがすなわち命題関数を理解しているということなのである。そこに意味なる何ものか——命題関数というイデア的な対象——を想定する必要はない。

2 後期ウィトゲンシュタインの言語観

『論理哲学論考』においてウィトゲンシュタインは言葉の意味を言葉と世界との関係から捉えようとしていた。それはおおまかに「意味論的 semantical」と呼ばれる発想である。それに対して、『哲学探究』に代表される後期のウィトゲンシュタインは、もはやそうした意味論的発想には立っていない。言葉は、基本的に、人が人に向かって発信し人が人から受け取るものである。誰もが認めるこの事実を見すえ、人と人とが織りなす実践の中で言葉を捉えていこうとする。これが、後期ウィトゲンシュタインの基本的な言語観であり、ここに、「言語ゲーム」という彼の考えも着床する。

15　意味はない、しかし相貌はある

無意味論と相貌論

前回、「無意味論」と称して「意味などない」と論じた。ところがその一方で私は、「世界は相貌をもつ」ということを強調した（第7、8回）。この議論を「相貌論」と呼ぶことにしよう。そうなると、相貌論と無意味論の関係が気になってくる。私はあるものを犬の相貌のもとに――「犬」という意味のもとに――捉えている。世界はさまざまな相貌、さまざまな意味をもつ。他方、無意味論において私は、「言葉は意味などもたない」と論じた。相貌論と無意味論は、強く言えば、齟齬をきたしているようにさえ見えないだろうか。

クワス

規則のパラドクスを巡ってソール・クリプキが為した議論を見るところから始めたい。

(S. A. Kripke, *Wittgenstein on Rules and Private Language*, Basil Blackwell, 1982. 黒崎

宏訳『ウィトゲンシュタインのパラドックス』、産業図書）

クリプキは規則のパラドクスを独自の仕方で提示した。ある生徒（ルートヴィヒと呼ぼう）に足し算を教える場面を考える。私は五〇以下の数で足し算の具体例を十分に示し、「以下同様」と言う。そして応用問題として「68＋57」という問題を与える。われわれであれば「125」と答えるだろう。ところが、ルートヴィヒは「5」と答える。彼は、五〇以下の数で与えられた具体例を、われわれとはまったく異なる仕方で解釈し、「以下同様」に行なった結果、「5」と答えたのである。クリプキはそうした解釈の一つとして、次のような「クワス」という足し算もどきを提示する。

$x+y$ の x と y がともに57より小さいときには足し算と同じ結果を出し、x と y のいずれか一方でも57以上であるときには答えは5となる。

五〇以下の数に対してはプラスもクワスも同じ答えとなる。だから、ルートヴィヒは与えられた具体例にクワスを読みとり、それに従って「68＋57」に「125」ではなく「5」と答えたのである。彼のこの答えを、誤りとして排除できるだろうか。

ここで、「グルー」を思い出した人もいるかもしれない。時刻 t 以前に観察されたものについては、グリーンである場合、その色は「グルー」と呼ばれ、時刻 t 以前に未観察のものについては、グルーである場合、その色は「グルー」と呼ばれる。クワスに勝るとも劣らぬ変てこりんな概念である。（きちんと覚えていなくとも今回はだいじょうぶであるが、復習したい方は第10回を読み返していただきたい）。実際、クリプキ自身、自分がグルーのパラドクスに影響されている可能性を認めている（前掲書、注四三）。もちろん、グルーのパラドクスと規則のパラドクスは別物である。規則のパラドクスは、使用を定める「意味」なる何ものかの存在を否定する。他方、グルーのパラドクスは、かりにそのような「意味」なるものがあったとしても、成立する。グリーンやグルーの一般観念があったとしても、これまで観察されたエメラルドの色は、グリーンの一般観念にもグルーの一般観念にも等しく適合するのである。つまり、グルーのパラドクスは無意味論をめざしたものではない。

しかし、それでも、クリプキはそうしようと思えば「グルー」を用いて規則のパラドクスを提示することもできただろう。プラスを教える場面では、私が与えた具体例にルートヴィヒはクワスを読みとってしまった。同様に、こんどはグリーンを教えようと思っているのに、彼はグルーを学んでしまうのである。クワスもグルーも、示された事例に対してわれわれとはまったく異なる解釈を与える可能性を示している。こうして、問題は規則の適用や言語使用全体に一般化される。規則や言葉は、手本や見本を示されることによって教えられる。だが、規則の適用や言語使用の具体例は無限にあるが、示せる手本や見本は有限でしかない。それゆえ、そこにはつねにわれわれが期待したのとは異なるクワス的・グルー的な解釈が可能になるのである。いったい、そうした解釈がまちがいだということを、われわれはルートヴィヒにどう説明できるだろう。

「プラスを意味する」という事実はあるのか？

クワスに戻ろう。クリプキはこう問う。五〇以下の具体例を示したとき、私が意味していたのはプラスであり、クワスではないということを、いったい何が示しているのか。五〇以下の具体例をいくら眺めても、「68＋57」に対して「5」ではなく「125」と答えるべきであることは見てとれない。では心の中、あるいは脳においてならば、私がプラスを意味していたという事実は見出せるのだろうか。

五〇以下の具体例を示したとき、私はクワスの可能性などまったく考えてはおらず、「68＋57」の答えがどうなるかということも意識的に考えてはいなかった。それゆえ、プラスとクワスを区別する事実として私が実際に抱いていた思考を持ち出すことはできない。こうして（議論の詳細は省くが）、クリプキはプラスとクワスを区別する事実としてありそうな候補を次々とつぶした結果、こう述べる。「全知の神が知りうることをもってしてもなお、私がプラスを意味していたのかクワスを意味していたのかは決定しえないだろう。」（前掲書二一ページ、邦訳三九ページ（引用は拙訳））そしてこう結論する。「私がプラスを意味していることとクワスを意味していることを区別するような私に関する事実など、ありはしな

い。」（前掲書二一ページ、邦訳四〇ページ（引用は拙訳））
神ですら不可能、だから人間には言うまでもなく不可能、そうクリプキは言う。だが、私の考えでは、クリプキのこの議論はまちがっている。プラスなのかクワスなのか、その区別は、神だからこそ不可能なのである。前々回私は、論理的な可能性をすべて均等に考慮する存在を〈神〉、論理空間内の多くの可能性を最初から無視して行動する存在を〈人間〉と呼び、そして規則に従う実践を開けるのは〈人間〉だけであると論じた。われわれ〈人間〉は、しかるべき具体例のもとに「プラス」を把握し、他の可能性は端的に無視する。そのとき、その具体例は「プラスとして」捉えられている。すなわち、私の示した実例はプラスの相貌のもとに捉えられる。そこにおいてクワスの可能性など見えてさえいない。われわれの行為空間には、クワスの相貌は存在しない。
同様のことはグルーにも言える。われわれの行為空間にはグルーの相貌は存在しない。いま観察しているものがグリーンであるとき、われわれはただそれをグリーンの相貌のもとに見ている。それに対してグルーの可能性を考案してみたとしても、目の前の色をグルーとして見ることはわれわれにはできない。われわれには、グリーンは知覚できるが、グルーは知覚できないのである。
それゆえクリプキが、プラスを意味するという事実はないと主張したとき、彼はまちがっていたと言わねばならない。私が五〇以下の数で具体例を示したとき、あるいはわれわれがふだん何気なく足し算をしているとき、それはまさしく「足し算する」という事実、クワスではなく、プラスを行なうという事実にほかならない。そしてまた、木々の若葉が新緑に萌えているとき、それはその若葉がグリーンであるという事実であり、グルーではない。このふつうの言い方が確保できるのも、われわれが〈神〉ではなく、行為空間の内に生きる〈人間〉だからである。[1]

クリプキが言うべきであったこと

しかし、私は、クリプキがまったくまちがえていたとは思わない。むしろ彼は、彼の言うべきことを、いささか慎重さを欠いた言葉で表現してしまったのである。

クワスは、グルーと同じように、われわれの行為空間の内には存在しない概念であるが、しかし、われわれはクワスの定義を理解できる。それはすなわち、クワスがわれわれの論理空間の内にあるということである。このように、クワスやグルーといった概念の最大の特徴は、それが行為空間にはないが論理空間には存しているという点にある。言い換えれば、それはわれわれにとって、頭では分かるが体がついていかない、そういう概念なのである。

何ごとかを説明したり、根拠や理由を与えたりすることは、すべて行為空間の中で為される。（根拠や理由を与える実践を行なう論理空間の部分を、「理由の空間」というマクダウェルの用語で表現してもよいだろう。）例えば、「68＋57」に対して生徒が「125」ではなく

「135」と答えてしまった場合、その計算まちがいをわれわれは理由を示しながら説明することができる。だが、もし彼がそこにクワスを見てとり「5」と答えたならば、われわれはもはや理由を示してそれがまちがいであると説明することはできない。クワスは行為空間の外（それゆえ理由の空間の外）に位置するからである。われわれはクワスの可能性をまったく視野に入れていない。そのようにクワスを無視していることを、われわれは理由とともに説明することはできない。

「プラスとクワスを区別するような事実は存在しない」というのは、まさにこの意味においてなのである。それを参照すれば私がクワスではなくプラスを意味していたと知ることができるような、そんな事実など（世界にも、心にも、そして脳にも）存在しない。その意味で、「68＋57」にどう答えるべきかといった、あらゆる適用を定めてくれる「適用の源泉となる意味」などありはしないのである。

相貌と適用

クリプキの誤りは、規則のパラドクスが示す無意味論を強調するあまり、相貌論を排除してしまったことにあると言ってもよいだろう。「68＋57」に「125」と答える私の行動は、「足し算する」という相貌を、すなわち「足し算する」という意味をもっている。だが、私の見通しが正しければ、そのことはけっして無意味論に抵触するものではない。

足し算を教える場面において、私にとっては五〇以下の具体例はプラスの相貌をもっていた。だが、ルートヴィヒにとっては、おそらくクワスの相貌（われわれには想像できない）が現われていたのだろう。あるいは、グリーンの概念を所有しているわれわれには新緑の木立はグリーンに見えるが、グルーの概念を所有している者にはそれはグルーに見える。（ここでもやはり、「グルーに見える」ということがどういうことなのか、われわれには想像できない。）

相貌は、その概念を所有していない者には現われない。それゆえ、相貌の把握を通して適用の仕方を知るということはありえない。順序はまったく逆であり、適用の仕方を知ることが、その相貌を成立させるのである。そしてそうだとすれば、相貌は適用の源泉ではありえない。

われわれはあるものを犬の相貌のもとに見る。そこで、まだ「犬」という語を学んでおらず、犬の概念を所有していない子どもに、「犬」という語の意味を教えようとして、われわれが見ている犬の相貌にその子も出会わせようとする。だが、それはムダなことでしかない。犬の概念を学んでいないその子どもには、まだ犬の相貌は立ち現われていないのである。なんらかの仕方で「犬」という語の使い方を教え、犬の概念を学ばせる。そうして初めて、その子どもに犬の相貌が立ち現われてくる。

私に関して言えば、そうして概念をひとつひとつ習得していった頃のことはすっかり忘れている。そして、まるで生まれたときから基本的な諸概念を身につけていたかのような気になっている。だから、概念習得に伴って世界の相貌が様変わりしていった過程を思い出すことは、もうできない。

ひとつのアナロジーを語ろう。使い方を知らない複雑な機械がある。何が何やらさっぱり分からない。私にとっては初めてパソコンに触れたときなどが、そうだった。ところが、使い方を覚え使いこなしていくうちに、その機械の相貌が変わってくる。よそよそしかったものが、なじんだ感じを帯びるようになり、全体が有機的な連関をもった統一的なものに見えてくる。私は、足し算を学ぶことによってある行動が「足し算する」という相貌をもつようになることや、犬の概念を学ぶことによって犬の相貌が現われてくることも、このような体験の一種だと言いたいのである。

概念を所有するとは、それゆえ言葉を使用するとは、パソコンを使いこなすのと同様、ある技術を身につけることである。あいまいな言い方になってしまうが、相貌とは、こうした技術知（know-how）が対象に投影されたものにほかならない。正しく足し算の計算を実行していようとも、足し算の技術をもたない者にはそれは足し算の相貌では現われない。足し算の相貌は見る者が足し算の技術を身につけていることを要求する。同様に、犬の相貌とは、「犬」という語をいかに使用すべきかの知識が対象に投影されたものだと言えるだろう。どの対象に「犬」という語を適用してよいのか、「犬」という語を含んだ発話によってどういう反応を聞き手に引き起こせると期待してよいのか、そうした言語的な技術知が対象に投影され、その結果その対象は犬の相貌のもとに現われる。言葉を使う技術、それが世界の相貌を成立させるのである。[2]

無意味論は、このような相貌の成立を否定するものではない。無意味論が拒否するのは、あくまでも「言語使用の源泉としての意味」という考え方であり、相貌論はそのような考え方と訣別したところに立っている。

第15回 註

1 相貌の客観性

ここで私が退けたい考えはこうである。相貌中立的な事実があり、主体はそれをさまざまな相貌で見る。すなわち、事実は客観的だが相貌は主観的だ、というのである。それに対して私は、ある事実がある相貌のもとに立ち現われているとき、それはその共同体においてはまったく客観的な事実だ、と言いたい。なるほど、もし百年前の日本人が私の机の上を見たならば、そこにある得体のしれない物体を、われわれのようにパソコンとして見ることはないだろう。しかし、そのことは私の机の上にパソコンという相貌をもったものがあるということの客観性を、いささかも損ねはしない。あるいは私がある部屋に入ったとき、そこに例えば電子顕微鏡があったとしても、私はそれをそのような相貌で見ることはできない。だがこのこともまた、研究者たちがそれを電子顕微鏡として見ているということを主観的なものにしたりはしないのである。

　クワスの事例でこのことを確認しておこう。いま、プラスではなくクワスがふつうに行なわれている共同体があったとする。それをクワス共同体と呼ぼう。それに対してプラスを行なっているわれわれの共同体をプラス共同体と呼ぶことにする。足す数がともに57より小さいときには、プラスもクワスも同じ結果を出すのだから、どちらの共同体でも「5＋7」の答えは「12」になる。そこで、われわれは容易に、私が退けたいと思っている考えに誘われてしまうかもしれない。つまり、そこで客観的な事実は「5＋7＝12」という記号列を書きつけたことまでであり、それをプラスとして見るかクワスとして見るかは、客観的な事実ではない、と。

　なるほど、プラスの可能性とクワスの可能性を均等に見渡せる〈神〉ならば、そこにはプラスの可能性もクワスの可能性も均しく開け、確定しているのはその記号列を書きつけたことだけということにもなるかもしれない。だが、プラス共同体に属するわれわれは、クワスなどという可能性は端的に無視している。それゆえ、プラス共同体に属する〈人間〉にのみ、「5＋7＝12」はプラスの相貌のもとに立ち現われる。プラス共同体に属する〈人間〉にとっては、「5＋7＝12」がプラスという計算であることは、疑いようもない事実、客観的な事実なのである。

私は、相貌を主観的なものとみなそうとする考え方に抵抗し、相貌がまったく客観的な事実であることを強調したい。

2　個別性と一般性のギャップ再考

前回私は「個別性と一般性のギャップ」と私が呼んだ問題を提示するさいに、「われわれが現実に出会うものたちはすべて個別的なものでしかない。鳥一般が空を飛んでいるわけではないし、鳥の無限集合が梢にとまっていることもない」と書いた。鳥の無限集合が梢にとまっているということはさすがにないだろうが、鳥一般が空を飛んでいるかどうかについては、今回の議論を踏まえて修正する必要がある。

空を飛ぶ鳥は、なるほど個別的な鳥だろう。頭上でカーと鳴いたあのカラスに、私は例えば「カー吉」と名前をつけることができる。だが私は率直に言ってカラスの個体識別にはあまり自信がない。自信もないが、それ以上に関心がない。カラスが頭上でカーと鳴けば、私はそれをただ「カラス」として、つまりカラスの相貌のもとに捉える。そしてその相貌は、カー吉にふさわしい個別的な相貌ではなく、まさしくカラス一般の相貌でしかない。種類も知らない鳥が空を飛んでいるときなどは、個体識別どころではない、バードウォッチャーではない私にとっては、それは「鳥が飛んでいる」という光景にすぎない。その相貌はたんに「鳥一般」である。

そのように考えるならば、われわれは日常ごくふつうにものごとを個別的ではなく一般的な相貌のもとに捉えていると言えるだろう。それはすなわち、われわれがきわめて多くのものに対してたんに一般的な関心のもとに接しているからである。街路樹一般が植えられている道を歩き、人一般とすれ違い、コンビニ一般で、店員一般にお金一般を払い、焦がし醤油の鮭バターおにぎり一般を購入する。その対象をどれほど細かく規定しようとも、それに対して固有名をつけるような関わり方をしていないかぎり、それは一般的なものに対する態度と言わねばならない。私は手にとった焦がし醤油の鮭バターおにぎりに固有名をつけようとは思わない。

この観点から見て興味深いことがある。例えば、ショーケースにおいてあるクッキーの詰め合わせを指差し、「これください」と言う。すると店員は別の場所からそれと同じクッキーの詰め合わせを取り出し、包装して私に手渡す。もし私が個別性に執着し、店員が差し出したものを拒否したとしたら、どうか。「いや、それじゃなくて、これください。」そして私は自分が最初に指差したそのそれにこだわるのである。なるほど、ぬいぐるみなどの場合にはそういうことも起こる。しかし、クッキーの場合にはふつうそういうことはない。私も店員も、そのクッキーの詰め合わせを一般的な相貌のもとに捉え、「これ」と指差しても個別的なそのそれを意味することはない。このことは、われわれが「これ」として一般的な相貌を指差しさえするということを物語っている。

では、一般名詞の意味はそうした一般的相貌だとは言えないだろうか。われわれはごくふつうに鳥一般を見る。ならば、「鳥」という語の意味はその鳥一般の相貌であると、言うことはできないか。

そう言ってもかまわない。どうしても世界の中にある何ものかを言葉に結びつけたいのなら、「鳥」という語に鳥一般の相貌を結びつけてもよいだろう。しかし、そのことによる御利益はないと心得るべきである。本文において述べたように、鳥の一般的相貌を知ることによって、そこから「鳥」という語の使用法を学ぶことはできない。事情は逆であり、われわれは「鳥」という語を用いてさまざまな言語実践を行なうことを学び、それが、鳥の相貌を成立させるのである。言語使用が相貌を成り立たせるのであり、相貌が使用を導くことはない。

16　懐疑論にどう答えればよいのか

懐疑論

われわれが何ごとかを信じているときに、懐疑論者は「君たちのその信念には根拠があるのか」と言ってくる。しかも哲学的懐疑論はわれわれが疑いもしなかったようなことにかぎって、疑いをかけてくるのである。

例えば、「すべては夢じゃないのか」と疑う。私は、いまこうしてパソコンに向かっている状態が夢だなどとは思いもしない。だが、そういう夢を見ているんじゃないのか？　懐疑論者はそう問いかける。私は自分の人生を振り返り、さまざまなことを思い出す。だが、そういうことがあったという夢を見ているんじゃないのか？　いや、昨日大学で授業をした、この鮮明な記憶は夢であろうはずがない。でも、それが確かに夢じゃないと、どうして言えるのか。

懐疑論者はまた、「われわれのもつすべての記憶は実は誤っているのではないか」と疑いもする。なるほどとくに私などは最近とみに記憶力が劣化している。だけど全部が覚えまちがいということはさすがになかろうと思う。だが、それが記憶まちがいではないという根拠はあるのか。

どうも人を苛立たせる感じがある。馬鹿なことを言うなと一蹴したいのだが、うまく言い返せないもどかしさ。もっとも、セクストス・エンペイリコスのようなピュロン主義者は懐疑によって心の平安を得たというから、これはむしろ私にとっての懐疑論者の姿と言うべきだろう。私としては、なんとかして懐疑論を論駁してやりたいという気持ちになる。いや、過去形にしよう。「なった」のである。いまは（あまり）ならない。懐疑論に対して鷹揚になったというか、ピュロン主義者とはまた違う意味で、いわば懐疑論と私の考えとの反りが合うようになってきたのである。

この連載でもこれまで三つの懐疑論を紹介してきた。

（1）ヒュームの帰納の懐疑。いままで蚊に刺されるとかゆくなったからといって、これからもそうだろうと、どうして言えるのか。未来が過去と同様であるという保証はどこにあるのか。一寸先は闇、完全な闇ではないのか。

（2）グッドマンのグルーのパラドクス。これは、帰納についての新しい懐疑を提案するものだった。例えば、いままでのエメラルドはすべてグリーンであったとわれわれは考え、そこから「すべてのエメラルドはグリーンである」と帰納的に一般化し、これから見つかるエメラルドもグリーンだろうと予測する。だが、いままでのエメラルドは「グリーン」ではなく「グルー」だったかもしれない。もしそうならば、これから見つかるエメラルドもグルーだろうと予測されることになる。そしてわれわれはそのような予測の可能性を根拠を挙げて否定することはできない。

（3）規則のパラドクス。ただし、これについては少し説明が必要となる。このパラドクスを「哲学的懐疑論の新しい形」として提示したのはクリプキであった。しかし、規則のパラドクスを懐疑論とみなすことは、ウィトゲンシュタイン解釈としては正しくない。そしてまた現在ほとんどの研究者がクリプキのこの解釈を誤りと考えているだろう。だが、解釈の問題を離れるならば、規則のパラドクスを過激で斬新な懐疑論として捉えることは可能である。

提示された規則はさまざまな仕方で解釈されうる。例えば足し算の規則が示され、われわれはそれをプラスとして理解する。だが、懐疑論者はそこにクワスとして解釈する可能性を見る。プラスならば「68＋57」は「125」であるが、クワスならば「5」と答えることになる。そしてわれわれは「5」という答えを根拠を挙げて否定することはできない。

論理空間の懐疑論と行為空間の懐疑論

いま挙げたものですべてのタイプの懐疑論が尽くされるわけではないが、少なくともここに挙げたものに関して言えば、懐疑論は二つの種類に大別される。あらかじめ名前を与えておくならば、夢の懐疑と記憶の懐疑は「論理空間の懐疑論」、帰納の懐疑、グルーのパラドクスそして規則のパラドクスは「行為空間の懐疑論」と呼べる。

論理空間の懐疑論はわれわれの論理空間を超えて行こうとするものである。「夢」とは、目覚めている状態との対比でのみ意味をもちうる概念にほかならない。それゆえすべてが夢と言われるとき、その「夢」はわれわれの論理空間にある夢の概念とはまったく異なったものとなる。偽札とのアナロジーが有益だろう。偽札とは真札があってはじめて意味をもつ概念である。それゆえ「すべてのお札が偽札かもしれない」と疑われるとき、われわれは当惑せざるをえない。「すべては夢」と言われることにも、同様の当惑がある。

「すべての記憶は誤りかもしれない」という記憶の懐疑論もまた、われわれの記憶概念を突き崩すものとなっている。われわれの論理空間にある記憶概念は、すべてではないにせよ正しい記憶があることに、その概念の基盤をもっている。夢の懐疑における「夢」も、記憶の懐疑における「記憶」も、われわれの論理空間の夢概念や記憶概念を利用しながら、もはやわれわれの論理空間には収まらないところへと突き抜けてしまっている。だとすると、こうした懐疑論——論理空間の懐疑論——に対するきわめてまっとうな応答は、「何を言ってるのか分からない」というものだろう。それらは夢だの記憶だのといったなじみの言葉を使いながら、実はわれわれの論理空間を超えた地点を示唆している。それゆえそれはわれわれには理解できないものでしかない。[1]

それに対して、行為空間の懐疑論は、あくまでも論理空間の内側で提示される。未来が過去と同様ではない可能性を、われわれは頭では理解する。あるいは、「グルー」という概念や「クワス」という概念の定義を、われわれは頭では理解するだろう。その意味で、これらの懐疑はけっして理解不可能ではない。だが、それはわれわれの行為空間を超えている。ヒュームの帰納の懐疑はわれわれの行為空間では意識さえされていない可能性を取り上げるものであるし、「グルー」や「クワス」はわれわれの論理空間にはあるが行為空間にはない概念にほかならない。[2]

行為空間の強調で懐疑論は論駁できるか

そこで行為空間の懐疑論に対しては、われわれがこの行為空間を離れては生きられないことを強調するという応答が為される。例えば、グルーのパラドクスに対するグッドマン自身の応答は、「習慣による囲い込み」を強調することにあった。われわれは過去において、グルーではなく、グリーンという概念を用いて予測を行なってきた。つまり、グリーンこそが囲い込まれてきたのである。そのことは、いまわれわれがグリーンを用いて帰納を行ない、未来のエメラルドの色もまたグリーンだろうと予測することを妥当なものとする。そのようにグッドマンは論じる。

この議論がどの程度成功しているのか、ここで検討しようとは思わない。とくに、どのような帰納が妥当なのか、その妥当性の規準を立てるという課題、あるいはより一般的に、既知の事例から未知の事例へとある概念の適用範囲を広げる（グッドマンはそれを「帰納」よりも広い概念として「投射」と呼ぶ）ことの妥当性の規準を立てるという課題に対して、囲い込みに訴えて妥当性を捉えようとする彼の議論が十分なものであるかどうかは、慎重に検討されねばならないだろう。しかし、そこに私の関心はない。グッドマンの議論が少なくとも方向としては正しいことを私は認めたい。だが、一点、決定的な注意が必要である。

グッドマンは「妥当な」帰納（投射）と「妥当でない」帰納（投射）を区別すると言う。このような言い方を見ると、彼がここで懐疑に対抗して帰納を正当化しているようにも思えるだろう。だが、それは誤解である。グッドマンの議論に懐疑を論駁する力はないし、グッドマン自身そのようなことを望んでいるわけではない。

グリーンが囲い込まれており、グルーは囲い込まれていないという確認は、われわれの生き方（行為空間）の確認にほかならない。そしてわれわれの生き方に即して、グリーンを用いて未来の予測をすることが妥当とされる。だが、懐疑論はまさにその生き方が根拠を欠いたものだと攻撃するのである。それに対してグッドマンは、グリーンを囲い込むことに根拠がないことを積極的に認めるだろう。

事情が逆であったならば――もしわれわれが「グリーン」と「ブルー」ではなく「グルー」と「ブリーン」を投射していたならば――、われわれはいまとは異なる世界を制作し、そこに生きていただろう。(*Ways of Worldmaking*, Hackett Publishing, 1978, p.101. 菅野盾樹訳『世界制作の方法』、ちくま学芸文庫、一八四ページ(引用は拙訳))

妥当な帰納と妥当でない帰納はわれわれの生き方の中で区別される。だがそのことはわれわれの生き方をも妥当なものとして絶対視することを意味していない。グッドマンは相対主義者である。グルーのパラドクスも、彼の相対主義を背景として提起されたものであった。グルーの可能性は、なるほどわれわれにとっては荒唐無稽なものだろうが、グッドマンはそれをただ拒否するためにだけ案出したのではない。そこに、われわれの世界とは異なる世界の可能性、異なる生き方の可能性を見ていたのである。

懐疑論への応答

私もまた、われわれのこの行為空間は唯一絶対のものではなく、われわれがこの行為空間に生きることには根拠はないと論じてきた。それゆえ、いくら行為空間に訴えても、懐疑論に対抗する力はないと言わざるをえない。懐疑論者が「一寸先は闇だ」と言い、私が「いや、われわれは一寸先は闇ではないことを前提にした生き方をしているのだ」と力説したところで、「その前提がそもそも無根拠ではないか」と言われれば、「そうなんだよね」と腰砕けになるしかない。

だが、懐疑論は論駁しなければいけないのだろうか。

私は長い間、懐疑論は論駁できるものならば論駁したいと思っていた。あるいは、懐疑論を振り回すのは哲学的にあまりよい趣味とは思えず、論駁できないならばただ相手にしなければよいとさえ、考えていた。だが、なんだろう、年齢のせいだろうか、そう、鷹揚になってきたのである。

私は、行為空間の外にも論理空間が広がっていることを理解する。その意味で、私は懐疑論（行為空間の懐疑論）を理解する。ヒュームの議論も、グルーの定義も、クワスの定義も、理解する。しかし、それは頭では分かるが体がついていかないというレベルの理解にほかならない。一方、懐疑論はというと、これまたどうしようもなく頭でっかちな議論なのである。それゆえ、懐疑論者がその懐疑論をあくまでも頭のレベル（論理空間のレベル）だけで訴えるならば、私はそれを十分に理解し、また、彼らが私の考えてもいなかった可能性を示してくれたことに率直に驚きを表わしもしよう。

懐疑論は、頭では分かるが体がついていかないような可能性をあえて示すことによって、われわれの行為空間の外を示唆する。そしてそれは、私やグッドマンのような相対主義者にとっては、他の行為空間の可能性を示唆するものともなる。われわれのこの行為空間は唯一絶対のものではない。他の行為空間もありうるし、われわれ自身変化する可能性もある。もちろんそれは一朝一夕に変わるものではない。だが、懐疑論者はわれわれに対して実際にいまのわれわれの行為空間を変えろと要求するわけではない。ただ彼らはわれわれが安住し、慣れきって、あたかも外部をもたないかのように生きているそこに、実は外部が存在するということを示唆するのである。だとすれば、懐疑論は論駁されるべきものであるどころか、まったく正しいと言うべきだろう。

論理空間の外部

そのように見ると、夢の懐疑や記憶の懐疑のような論理空間の懐疑論に対しても、鷹揚になれるかもしれない。彼らがその懐疑を述べる言葉（醒めることのない夢、すべて誤っている記憶）は、われわれの論理空間には存在しない概念である。それゆえ、われわれからすればさしあたりそれは概念ですらない。ただのナンセンスである。だが、懐疑論がそうして論理空間の外部を示唆しているのだとしたら。

論理空間の懐疑論もまた、われわれの論理空間を変えろと要求してくるわけではない。彼らはただわれわれの論理空間では捉えられない世界のあり方の可能性を示唆する。それはわれわれの論理空間を超えようとする懐疑であるから、われわれには理解できない。体がついていかないだけではなく、頭ですら理解できない。しかし、われわれの論理空間が唯一絶対ではなく、外部をもつということを示唆しようとしたならば、論理空間の外部に立つ言葉——言葉もどき、ナンセンス——を語るしかないだろう。

そのようなナンセンスがたんなる無意味ではなく外部を予感させるものとなるために、論理空間の懐疑論は、論理空間の内部の言葉を利用し、その極限として論理空間の外へと超え出て行こうとする。ときどき見る夢を醒めることのない夢へと極限化し、ときどきまちがう記憶をすべて誤っている記憶へと極限化する。夢の懐疑や記憶の懐疑を前にしたときの当惑は、彼らの手によってまんまと論理空間の外部へと誘い出されたことの当惑にほかならない。

第16回 註

1 偽札論法

論理空間の懐疑論は自滅的なものとなる。そのことを示す議論を、私は「偽札論法」と呼ぶ。

一般に、「任意のもの（any）」について成り立つなら、「すべてのもの（all）」について成り立つ。「任意のカラスはカーと鳴く」が正しいならば、「すべてのカラスはカーと鳴く」も正しい。しかし、それを偽札について適用するとおかしなことになる。なるほど任意のお札は偽札であるかもしれない。私の財布に入っているなけなしのお札が偽札である可能性はないわけではない。では、そこから「すべてのお札は偽札かもしれない」と言えるだろうか。かりにすべてのお札が偽札であったとしよう。そのとき、真札は世の中に一枚もないことになる。かつて真札があったこともなければこれからもない。だとすると、そもそも「お札」ということの意味が失われてしまうだろう。「お札」に意味がなければもちろん「偽札」にも意味はない。つまり、「すべてのお札は偽札かもしれない」という疑いはナンセンスとなる。これが、偽札論法である。

同様に、「ピカソの絵はすべて贋作だった」とか「すべてのダイヤは偽ダイヤだ」といった文もナンセンスである。真作がなければ贋作はありえず、本物がなければ偽ダイヤもありえない。単純化して言えば、概念AがAでないものとの対比で成り立っているとき、「すべてはAだ」とか「すべてはAではない」と主張し、AとAではないものとの対比を消滅させてしまうことは、その概念Aの成立基盤を突き崩すことになるのである。このように、ある主張が、その主張の中で使用されている概念の成立基盤を突き崩してしまい、結果としてその主張自身をナンセンスなものとしてしまうとき、それを

「自滅文」と呼ぶことにしよう。「すべては夢かもしれない」もまた、自滅文にほかならない。

と、このような話を授業でしたところ、学生から質問があった。「すべてのお札は偽札かもしれない」は確かにナンセンスな気がしますが、「いま「お札」と呼ばれているものは、実はすべてたんなる紙切れかもしれない」だったら、ナンセンスとは言えないんじゃないですか？

なるほど。

確かにその学生の言うとおり、これは自滅文ではない。まず、「紙切れ」という語はお札に対する懐疑とは独立に意味をもっている。また、かりに「お札」という語が無意味であったとしても、「いま「お札」と呼ばれているもの」という表現は意味をもっている。それゆえこの文は、懐疑によって「お札」という概念が破壊されてしまったとしても、なお意味をもつだろう。

この学生の反論は、記憶の懐疑の場合にも使える。まず私が「すべての記憶は誤りかもしれない」という記憶の懐疑を偽札論法で論駁しようとする。すなわち、「すべての記憶は誤りかもしれない」は自滅文だ、と論じる。ところがそれに対してこう反論されるのである。「いま「記憶」と呼ばれているものは、実はすべてたんなる妄想にすぎないかもしれない」だったら、ナンセンスとは言えないいんじゃないですか？

まずお札の場合から考えよう。いま「お札」と呼ばれているものが実はすべてたんなる紙切れかもしれないというのは、どういう疑いなのだろうか。われわれはいまある種、、の紙切れで実際に買物をしている。他方、新聞紙を長方形に切ったものでは買物はできない。あるいは、ある種の紙切れを精確に模写し、それで買物をしようとすると法に触れ、罰せられることになる。このわれわれの営みを前にして、それでも、いま「お札」と呼ばれているものが実はすべてたんなる紙切れかもしれないと疑うとき、その疑いに何か実質があるのだろうか。

けっきょくのところ、世の中の紙切れは、合法的に買物ができる紙切れと、個人的に作ったり承知の上で使ったりすると違法とされる紙切れと、そして違法でもないがそれで買物しようとしても相手にしてもらえない紙切れの三種類がある。このことを認めるならば、実質的に「お札」という概念がわれわれの生活と実践において生きており、働いていることを認めるしかないだろう。貨幣制度なんかやめてしまい物々交換に戻ろうと提唱するのならともかく、昼食にカツ煮定食なぞを食べ、店員に金を払って満腹して店を出たその口で、「いま「お札」と呼ばれているものは実はすべてたんなる紙切れかもしれない」なんて言われても、そんな懐疑には何の実質もないと言わねばならない。われわれは、われわれが合法的に買物できる紙切れを「お札」と呼んでいるのである。それゆえ、「たんなる紙切れ」ということで「合法的に買物をすることができない紙切れ」のことを意味し、「いま「お札」と呼ばれているものでは合法的に買物できないかもしれない」と疑いをかけるのであれば、私は気前よくある種の紙切れをその人に手渡し、これで何か買ってきてみろと言おう。そしてその人が首尾よく購入したものを手にしていたならば、それ以上何を疑うのかと、尋ねよう。

記憶の場合も同様である。よろしい、すべてを「妄想」と呼ぼう。私は昨日塩谷さんに会ったと「妄想」する。会ったことは「妄想」できるが、そのとき彼がどんな服を着ていたかはもう「妄想」できない。しかし彼がいつもの調子でとめどなく喋っていたことはありありと「妄想」できる。他方私は、自分が昨日研究室で研究者仲間と会っていたのではなく、のんびり温泉に浸かっていたことを「妄想」する。あるいは、昨日は研究会をやめて温泉に行けばよかったなあ、などと（妄想的に）後悔する。すべてを「妄想」と呼びたければそう呼んでもよいが、そうした「妄想」の中に、われわれは生活や実践において踏まえられるべき「妄想」とそうではない「妄想」とを区別する。前者を「リアルな妄想」と呼び、後者を「ヴァーチャルな妄想」と呼ぼう。金を借りたという妄想がリアルならば金を返し、ヴァーチャルならば返さない。われわれはそのように生活や実践においてある種の「妄想」を踏まえて行動し、他方別の種の「妄想」は行動に反映させないという区別を、実際に行なっている。きわめて大雑把に言って、過去に関するリアルな妄想をわれわれは「記憶」と呼んでいるのである。それゆえ、「たんなる妄想」という言い方で私が「ヴァーチャルな妄想」と呼んだものを意味しているのだとすれば、「いま「記憶」と呼ばれているものは、実はすべてヴァーチャルな妄想にすぎないかもしれない」という疑いに対して、私は、あっさりと「そんなことはない」と答えよう。

ただし、「過去に関する」というところはさらに詰めて論じなければならないだろう。「過去」という概念の内実は何か。われわれはいったい「過去」という語で何を意味しているのか。これは実のところきわめて難しい問題であり、ここでは棚上げにしておくことにしたい。（第20章で多少「過去」について論じることになる。）

2　理由のない個別の疑い

「すべては夢かもしれない」という懐疑のように、すべてのものを一挙に疑う懐疑を「包括的な疑い」と呼び、「いま私は夢を見ているのかもしれない」のように、個別の場面で疑いを投げかけるものを「個別の疑い」と呼ぼう。すでに論じたように包括的疑いは自滅的であり、それゆえ論理空間の懐疑論であるが、他方、個別の疑いはけっして自滅的ではない。個別の疑いについて少し論じておこう。

例えば、お札に関して個別の疑いを向けてみる。取り出した一枚のお札について、「これは偽札かもしれない」と疑うのである。ここで、個別の疑いにも二つの種類を区別しておかねばならない。一つは、何かおかしいと感じて疑いをかけるという場合。手触りが変だとか、そのお札をよこした相手が挙動不審であるとか、そのような理由があり、そこで「もしかしたら、これは偽札？」と疑うのである。このような疑いを「理由のある疑い」と呼ぼう。それに対して、任意のお札に対して偽札の嫌疑をかけるということも考えられる。なんでもよい。たまたま手にしたそのお札に対して「これは偽札かもしれない」と疑う。だが、そのお札に関して何かそれを疑う理由があるというわけではない。ただ、疑おうと思えば疑える、というのである。このような疑いを「理由のない疑い」と呼ぼう。(包括的疑いもまた、すべてを一挙に疑う実際上の理由などありようはずもないから、理由のない疑いである。)

個別の疑い
- 理由のある疑い
- 理由のない疑い

包括的疑い

理由のある疑いは、実際に生活の中で生じる疑いの形である。それに対して理由のない疑いは、それが個別の疑いであっても、生活の中で生じる実際的な疑いではなく、あくまでも哲学的な懐疑となる。夢の場合で考えてみよう。夢に関して理由のある個別の疑いは多少考えにくいかもしれない。しかし、いささか意識が朦朧としており、しかも受け入れがたい非現実的な光景が展開しているとき、「これは夢か?」と疑うこともあるかもしれない。

では、理由のない個別の疑いはどうだろうか。例えば買物をしているふだんの何気ない場面で、「これは夢かもしれない」と疑う。なぜそんなふうに疑うのか、理由はない。さらにこの疑いが気持ち悪いのは、いまこの場面で「これは夢かもしれない」と疑うとして、いまのその場面をいくら詳しく調べても、そこにそれが夢ではない証拠を見出すことができないように思われることである。頬をつねってみる。痛い。しかし、頬をつねったら痛かったという夢を見ることもあるだろう。なるほど眼前のその光景は、細部までくっきりしており、実に生き生きとしている。だが、細部までくっきりしていて生き生きとした夢を見ている可能性は否定できない。しかも、だいじなことは、個別の疑いであれば、少なくともその疑いの意味は理解できるということである。「これは夢かもしれない」という個別の疑いは、つまり、後で目が覚めるかもしれないという疑いにほかならない。いま大根とゆずを買った。しかし、あとで私はベッドの中で目を覚まし、手元には大根もゆずもないかもしれない。「これは夢かもしれない」という個別の懐疑は、「夢」という概念を破壊することなく、意味をもつのである。

それゆえ、個別の懐疑を理解することはできる。しかし、何の理由もなく「これは夢かもしれない」と疑うことはわれわれの生活を破壊するだろう。われわれは、とくに疑う理由を見出せないのであれば、これは夢なのではないかなどと疑いはしない。その疑いはわれわれの行為空間から排除されているのである。偽札の場合もそうだろう。とくにそれを偽札と疑う理由がないのであれば、われわれはそれを――いわばデフォルトで――真札とみなす。もし、それが真札であることを確認しなければ買物ができないというのであれば、たいへん困ったことになるに違いない。

理由のない個別の疑いは、論理空間の懐疑論ではないが、行為空間の懐疑論となっているのである。

17　語ることを、語られぬ自然が支える

「したいこと」と「すべきこと」

例えば一人とぼとぼと山道を歩いているとする。陽を浴びた木々の緑が眩しい。私はその色を「緑」と呼ぶ。それは、たんにその色を「緑」と呼びたくなるということとは違う。その木立の色は典型的な緑であり、私はそれを「緑」と呼ぶべきだから、「緑」と呼んだ。だが、それはつまり、どういうことだろう。「緑」と呼ぶべきだからそう呼んだということは、たんに「緑」と呼びたくなったからそう呼んだことと、どこが違うのか。

言うまでもなく、そうしたいからそうするのと、そうすべきだからそうする、つまりなんらかの規範に従うことは別である。山道が開け、こだまを求めて声をあげたくなり、「おーい」と大声を出したとして、それはそうすべきだからそうしたというわけではない。あるいは、買物のあとに金を払う。私に関して言えば、けっして払いたくはないのだが、払うべきだから払っている。

ある色を「緑」と呼ぶといった単純なことも含めて、言葉を使うこともまた、規範的な営みである。日本語であれば日本語の規則に従い、適切な語彙を適切に組み合わせて用いなければならない。自分が使いたいように言葉を使っても、誰にも理解されはしないだろう。だが、ここにはきわめて錯綜した事情がある。

一本のキュウリを手にとり、自問してみていただきたい。その色を「赤」と呼びたくなるか。あるいは、手に持ったそれを「揚げまんじゅう」と呼びたくなるか。なりはしないだろう。けっきょくのところあなたはそれを「キュウリ」と呼び、その色を「緑」と呼びたいのである。起こったことをそのままに述べてみよう。キュウリを手にして、その色に注目した。それを「緑」と呼びたくなった。だから、それを「緑」と呼んだ。ここにあるのは「そうしたい」という気持ちとそれに従った反応だけであり、「そうすべき」に対応する何ごとかなど、見出されない。

あるいは、より正確に描写するならば、「緑」と呼びたくさえなっていないと言うべきかもしれない。梅干を見ると条件反射的に唾が出るように、キュウリの色を見ると自動的に「緑」という語が口をついて出てくる。もしそうだとすれば、梅干を見ても唾を出すべきというわけではないように、ますます「そうすべき」から遠ざかっているだろう。

こうして、ことがらをつぶさに見ると、言語使用の規範性が消えていってしまうのである。

「以下同様」における自然と規範

どのように言葉を学ぶのかを考えてみよう。とはいえ、実際にわれわれが言葉を学んできた過程はけっして整然としたものではない。おそらく、見よう見まねでやっているうちになんとかなったというのが、実情に近いだろう。だが、いまはただ一つのことだけを問題にしたい。子どもは、さまざまな具体例とともに言葉の使い方を教えられる。そして新しい事例へとその言葉を適用していく。それゆえ、言語学習においては「以下同様」の成立が鍵となる。この点に焦点を当てるため、かなり単純化した場面で考えてみたい。

「緑」という語の使い方を、典型的な緑色をしたもの（木の葉、キュウリ、あるいは緑の色見本）を示すことで教えるとする。キュウリを手にとり、「これは緑色だ」と教える。あるいは快晴の空を見上げ、「この空の色は緑じゃない」と教える。こんなふうに、いくつもの具体例で「緑」という語を適用できるものとできないものを教えていく。やがて子どもはその具体例を越えて、少なくとも典型的な色合いのものに関して、「緑」という語が適切に適用できるかどうかを区別できるようになる。ガチャピンを見て「緑色だ」と言い、ムックを見て「緑色じゃない」と言い、エメラルドを見て「きれいな緑だね」などと言ったりもするようになる。

ここで、規則のパラドクスの教訓を思い出そう。ルートヴィヒを、クワス的・グルー的反応が自然な子どもとする。もしルートヴィヒが、「緑」という語をグルーとして解釈したならば、新たな適用例に対してはブルーであるものがグルーとされるのであるから、エメラルドを手にしたときには、ルートヴィヒはそれを「緑じゃない」と言い、むしろ快晴の空を「緑」と言うだろう。その違いは、ヒューム的な言い方をすれば自然本性の違いであり、あるいは身体反応の傾向性の違いである。つまり、われわれにとってはエメラルドに対して「緑」という語を適用することが自然であるように、ルートヴィヒにとっては快晴の空に対して「緑」という語を適用することが自然なのである。この自然さが異なれば、「以下同様」という概念も異なった働き方をすることになる。

では、「緑」の具体例を示され、「以下同様」と行く手を示されたあとで、一把のほうれん草を手渡された私は、どうすればよいだろう。どうしようもない。私は、ただ私にとって自然な反応をするしかない。私はこれも先の具体例と同様に「緑色」だと思う。ごく自然にそう思う。そこで私はそのほうれん草を「緑色だ」と言う。それはつまり、私は私がそう呼びたくなったように呼んでいるということにほかならない。その意味では、「以下同様」とは、「あとは君の自然な反応にまかせてやってごらん」ということにすぎない。具体例を示され、「以下同様」と言われ、私は私の自然な反応にまかせていく。そしてそうするより他にやりようもない。

だがもちろんこれでは規範性は失われる。「以下同様」とは、けっして「あとはやりたいようにやりなさい」という意味ではない。あくまでも、「以下、これと同様にやるべし」と言いたいのである。

誤解の訂正

例えば「鳥」という語の使い方を教わったとしよう。いかにも鳥らしい鳥(雀、鳩、かもめ、等)を提示され、「鳥」という語が適切に適用されるものとそうでないものの区別を教わり、以下同様、となる。ルートヴィヒみたいな子どもは別として、たいがいの子どもは、こうした事例で十分に「鳥」という語を教わっていれば、例えば初めてつぐみを見ても、自然に「鳥だ」と言うだろう。だが、中には典型的でない鳥や鳥と紛らわしい動物というものもいる。その場合には、典型的な例だけで教わっていた子どもは迷ってしまうか、まちがえてしまうこともあるだろう。例えば、テレビでムササビの滑空する姿を見て、「鳥だ」と言うかもしれない。ダチョウを見て、「鳥じゃないよ」と言うかもしれない。

これはけっしてルートヴィヒが見せたクワス的・グルー的反応ではない。ルートヴィヒの反応傾向はわれわれとまったく異なるものだったが、ムササビを鳥と思い、ダチョウを鳥ではないと思った子どもは、われわれと異なる反応傾向をもっているわけではない。雀や鳩やかもめで「鳥」という語を教わった子どもがムササビやダチョウでまちがえてしまうのは、われわれの自然な反応である。その子どもは、ルートヴィヒと異なり、われわれと同じ自然のもとにいる。いわばそれは「自然な誤解」なのである。

いや、むしろ、誤解とはすべて自然な誤解のことだと言うべきだろう。ルートヴィヒのようなクワス的・グルー的反応は、それを誤解としてわれわれが訂正することもできない以上、もはや「誤解」とは言えず、あえて言えばむしろ「われわれとはまったく異なる別の正解」と呼ぶべきものとなっている。ある反応を誤解と評価し、訂正することができるためには、自然な反応傾向を共有していなければならない。同じ自然のもとにいる者のみが、誤解しうるのである。

そこで、例えばダチョウを鳥ではないと誤解した子どもには、「これはダチョウという動物で、ダチョウもまた鳥の一種なんだよ」と教えねばならない。もちろん、誤解を訂正するこうした説明においても、「以下同様」と示唆されることになる。これはダチョウという鳥だ。あれもダチョウという鳥だ。以下同様。そして子どもは、再び自分の自然な反応に身をまかせていく。それでもまだ誤解の可能性はある。例えばあるときエミューを見るかもしれない。彼はそれをダチョウと誤解する。そこでわれわれはそれをダチョウではなくエミューだと教え、以下同様と示唆する。そして子どもはまた自然な反応に従っていく。そのまま迷いも誤解もなくそれらの言葉を使っていくかもしれないし、あるときヒクイドリに出会い、ダチョウなのかエミューなのか、はたまたこれも鳥なのか、またもや迷ってしまうかもしれない[1]。

ここには、言葉を教えることの一般的な構造が示されている。言語使用は規範的であるが、その教育はあくまでも相手の自然な反応傾向を利用して為される。しかし、自然な反応傾向の範囲にはまだ誤解の余地が残されている。そこで、実際に迷ったり誤解したりしたときに、再び説明を与え、その反応傾向を修正することになる。以下、これで終わりということはなく、必要に応じてそれがくりかえされる。[2]

規範性の意味

言葉を教えることをこのように捉えるならば、そこにおいて「以下同様」はたんに「あとはやりたいようにやりなさい」という意味ではありえない。「以下同様」ということで、われわれはさらにこう言いたいのである。「あなたのこれからやることは、いま与えられた説明の観点から適切さが評価され、不適切ならば訂正されることになる。」——これこそ、「以下同様」がもつ規範的意味にほかならない。

あえて単純に言えば、何も問題が生じていないときには、私はただ自然な反応傾向に従って言葉を使っている。しかし、そのときでも私は、私のその反応に対して適切／不適切という評価が下されうることを了解している。そして実際、どう反応するか迷ってしまったり、自分の反応が不適切と評価されたときには、再び説明を受けることになる。

非現実的な想定だが、「以下同様」と示され、その後迷いや誤解がいっさい生じないとしてみよう。さらに、迷いや誤解の可能性さえ意識されなかったとする。そのとき、私はただひたすら自分の自然な反応に従っているだけとなる。そしてそうだとすれば、「以下同様」の実質は「あとはやりたいようにやりなさい」に等しいものとなるだろう。そこではむしろ規範性は消失している。逆に言えば、規範性の実質は、迷いや誤解があるからこそ、確保されるのである。なるほど、言葉を覚え始めたばかりの子どもはともかく、一人前の言語使用者である大人であれば、もうたまにしか自分の言葉づかいが評価に晒されることはないだろう。その意味で、大人たるわれわれは、その言語使用のほとんどをただ自然な反応にまかせて行なっている。だが、それでも、ときに迷い、誤解が露呈する。この、たまさか起こる評価と訂正の場面にこそ、言語実践の規範性は根差している。[3]

語られない自然

言語実践が規範的なのは、それが実際に評価に晒されているときだけではない。例えばひとり山道を歩いているときに木々を見てその色を「緑」と呼んだとして、あるいは誰に聞かせるでもなく「登りがきつくなってきたな」と独り言をつぶやいたとして、それもまた評価と訂正の可能性に開かれているかぎり、規範的な言語実践にほかならない。実際に評価に晒されていなくとも、評価されうるということが、あるいはその結果訂正される可能性があるということが、私の言語使用を規範的なものとする。[4]

そうであるとすれば、たとえ誰にも聞かれない独り言であったとしても、言語使用をたんに「自然な反応に従うもの」と描写することは許されないだろう。というのも、「自然な反応に従っている」という描写は、「規範に従っている」という描写と相容れないからである。「自然な反応に従っている」と描写されうるものは、例えば梅干を見たときに唾が湧き出ることであるとか、のどが渇いた猫が水を飲むといったことである。そこにはいささかも「そうすべき」という意味はない。逆に、なんらかの規範に従っているのであれば、それはたんに自然な反応に従ったものとしては描写されえない。自然的なものとして語り出すことは、それを規範的ではないものとして語り出すことなのである。

たんなる独り言を自然な反応として描写したくなるのは、その独り言を言語実践全体の脈絡から切り離して捉えるからにほかならない。迷いのないなめらかな言語使用の場面を切り取り、そこだけを見るならば、起こっていることは実際、ただ自然な反応に従っているだけでしかない。だが、私の独り言はわれわれの言語実践全体の中に埋め込まれている。そうでなければ、私のつぶやきはただの無意味な発声にすぎない。そして言語実践全体の中では、ときおりではあれ、迷いや誤解が生じ、適切性が評価され、不適切なものは訂正される。そうした評価と訂正の実践とその可能性が、迷いのない私の独り言をも、規範的なものとするのである。

私は、「言語使用のほとんどの場面でわれわれはたんに自然な反応に従っている」のように語ってきた。しかし、いまやこの言い方は撤回されねばならない。私がここまで語ってきたことの多くは、そのように語られてはならないものだったのである。確かに、われわれの言語実践はわれわれの自然な反応傾向に支えられている。しかし、言語実践を規範的なものとして語る以上、それをたんに自然的なものとして語り出すことは許されない。いささか誤解を招きやすい言い方をするならば、語ることを、語られない自然が支えているのである。

第17回 註

1　ダチョウ・エミュー・ヒクイドリ

2 言語習得と条件づけ

私としては、言語を教える過程は訓練と同じであると言いたくなる。子どもが言葉を学ぶのは、ベルを鳴らすとよだれが出るように条件づけられた犬や、エサがもらえるのでレバーを押すように条件づけられたネズミと同様である、と。

なるほど、言語習得の場合には、パブロフの犬やスキナーのネズミと違い、教えられていなかったような新たな文を作り、またそれまで聞いたことのなかったような新しい文を理解するという顕著な特徴がある。この特徴は言語の「創造性」と言われたりもする。そしてこうした創造的な側面に注目するならば、言語習得はたんなる条件づけとは違うと言いたくなるだろう。正直に言って、私の中でもまだこの二つの考えが衝突している。一方では言語習得はたんなる条件づけと同じだと言いたくなり、他方では言語習得はたんなる条件づけではないと言いたくなるのである。

しかし、いまは言語習得を条件づけと同じものとみなす方向でもう少し考えてみたい。そのためには、言語の「創造性」ということで二つのことを区別しておいた方がよいだろう。一つは、同一の言語の中で新しい文が作られるということ。そしてもうひとつは、言語そのものが新しいものに改変されうるということである。例えば、「百匹のタヌキが銀杏並木を駆け抜けた」と書く。私の期待するところでは、これは日本語史上初めて作られた文である。だが、いささか舌足らずな言い方をすれば、そこで新しいのは語られている内容であり、語り方そのものは既存の日本語の枠の内に収まるものでしかない。それに対して、文学的な表現がもつような新しさというものもある。例えば「夜の底が白くなった」と書く。既存の日本語では夜は鍋と違い底をもたない。だが、それは「雪に覆われた地面が夜の闇の中で白く見えた」と書く以上のものを読む者に伝えるだろう。これは文学的表現に限らず、新しいメタファー一般に言えることである。例えば誰かが初めて「海が怒っている」と言ったとき、それは既存の日本語ではナンセンスでしかない表現であった。しかし、その言い方が流通するようになるならば、それは日本語の枠そのものを拡張することになる。

このように、言語の「創造性」と呼びうるものの中には、既存の日本語の枠の中での「新しさ」と、既存の日本語の枠そのものを変えるような「新しさ」がある。後者のような創造性が教えられうるものでないのは明らかだろう。「新しいメタファーの作り方」などありようはずもない。他方、前者の創造性、「百匹のタヌキが銀杏並木を駆け抜けた」のような、既存の日本語の中で発揮される新しさは、習得が可能なものである。実際、日本語を学んだ者であれば誰でも、「百匹のタヌキが銀杏並木を駆け抜けた」という文の意味するところをただちに理解するだろう。言語習得とは、教わった文をオウム返しに繰り返すだけのことではなく、新しい文を作り、新しい文を理解する能力を身につけることなのである。そこで、このようなタイプの創造性を「習得可能な創造性」と呼んでおくことにしよう。

　では、習得可能な創造性は条件づけでは身につかないのだろうか。いや、必ずしもそうではないと思われる。まず、単純な事例として数を書き出すことを考えてみよう。「1」から始めて順に「2、3、4、……」と書いていく。すでに数の書き方を習得しているわれわれは、これをいつまでも続けることができる。そしてこれは習得可能な創造性の最も単純な事例になっているのである。例えば「5690833486023511209」という数（読みあげたいという人のために。これは「五百六十九京《けい》八百三十三兆四千八百六十億二千三百五十一万一千二百九」と読む）を書いたとする。私の期待するところでは、これは人類史上初めて書き出された数である。だが、だからといって誰も感心してはくれない。理由は、この数がたとえ人類史上初めて書き出されたものだとしても、それはあくまでも「以下同様」の範囲に収まっているからである。

　言語習得も、必ずどこかで「以下同様」にぶつかる。そして「以下同様」とは、われわれの自然な反応傾向を利用した促しである。言い換えれば、「以下同様」とは、条件づけが完了したことの宣言にほかならない。

「でも、数を書き出すことが決められた道筋を辿るだけであるように、条件づけではわれわれの言語表現がこんなに多様で自由であることは捉えられない。」そう言われるだろうか。なるほど、「百匹のタヌキが銀杏並木を駆け抜けた」という内容の文を書くことは条件づけによる自然な反応ではない。しかし、その内容をその形式で書くということ、例えば「銀杏並木が百匹の駆け抜けタヌキ」とは書かずに、「百匹のタヌキが銀杏並木を駆け抜けた」という言葉の並びで書くということ、これは日本語使用者として身についた自然な反応傾向に従ったものではないだろうか。たとえば、泳ぎ方は条件づけを利用した訓練によって身につけるものだが、しかし、そうして身についた泳ぎ方で、プールを泳いでもいいし、川で泳いでも海で泳いでもいい。そしてどの方向にどのくらいの距離泳ぐかも、状況と能力の許す範囲内でなら、自由である。言葉を学ぶことも、これと同じなのだと考えてみたい。われわれは語り方を訓練によって身につけ、その語り方で（これもまた状況と能力の許す範囲内で）自由な内容を語るのである。

　さて、そういうわけで、いささか自信なさげに言ってみたい。言語を教える過程は条件づけによる訓練とまったく同じなのだ、と。しかし、そこまで言い切る自信は実際のところまだない。「条件づけとまったく同じ」としてしまうと何かだいじなものを落としてしまうようにも思われる。だが、そのだいじな何かが何であるのかは、まだ私には見えていない。（もしかしたらたんに人間を犬やネズミと同レベルに扱うことに対する感情的反発にすぎないのかもしれない。）他方、無限に多様な文の可能性をもった言語の習得には「以下同様」が必要であること、そして「以下同様」はわれわれの自然な反応傾向を利用してのみ有効であること、ここまではかなり自信をもって主張したい。

3　規範的力

われわれがなんらかの規範に従った行動をとるときには、そこにつねに規範的な力が働いているのだと考えられてしまうかもしれない。例えば、簡単な規範に従う行動を考えてみよう。地面にくねくねした曲線を引く。そしてその線に沿って歩くという規則を立て、その規則に従う。そのとき、私はたえずその線を注視し、そこから外れないよう気をつかいながら歩くだろう。このような場合には、線がそのように引かれていることが私の歩行に対する規範的な力となり、しかもその力は私の歩行に対してつねに働いている。そして、これが規範に従うことの典型例だと考えられてしまうのである。

言葉を話すことを考えよう。われわれは自分が伝えたい内容をきちんと伝えるために、特定の語り方をしなければならない。「おなかが減った」と言い、「おなかを減った」とは言わない。あるいは「おなかが減少した」だと別の内容になりそうである。言葉を話すとき、われわれはつねに一定の言語規則に従っている。そこで、曲線を辿る事例になぞらえて理解するならば、私は言葉を話すとき、つねに言語規則を参照し、そこからはずれないように気をつかいながら話すということになる。だが、これはまったく実情ではない。線に沿って歩く事例の場合には、くねくねした曲線の上を初めて歩かされるのであり、なるほどそのような場合にはつねに規則を参照しながら行動するだろう。しかし、慣れ親しんだ言葉を話すような場合、私はけっしてつねに規則を参照してなどいない。ただ腹が減ったから「おなかが減った」と言うのであり、「おなかを減った」とか「おなかが減少した」などとは言う気にもならないから言わない。それだけである。

一つのアナロジーを語ろう。大きな岩のてっぺんから一筋の水を流す。水は重力に従って下へと流れ落ちる。しかし、それは必ずしも一本道ではない。ときに分岐ポイントがあり、水はそこで左右に分かれる。もしわれわれが水の流れを制御したいと考えたならば、この分岐ポイントの一方の側を衝立でブロックし、もう一方の側へと水を誘導するだろう。水の流れの動力は重力である。それが岩の形に従って流れを形成する。われわれはそれを利用し、分岐ポイントにおいて流れをコントロールする。私は、規則に従うこともそのようなことだと言いたいのである。規範的力はわれわれの行動を駆動する動力ではない。われわれの行動（水の流れ）は、あくまでもわれわれの自然な反応傾向

(重力と岩の形)に従って促される。だが、自然な反応傾向にも分岐ポイントがある。われわれはそこで迷ったりまちがったりするだろう。そのとき、「そっちじゃない、こっちだ」と衝立を立てて行動を誘導する。規範的力とは、いわば分岐ポイントに立てられた衝立なのである。

4 行動の観点と評価の観点

評価の観点をもっているか否かが、たんに条件づけられた反応に従っているだけの動物の行動と規範に従うわれわれの行動を区別する。例えば手を叩くと鯉が寄ってくる。そのときかかりに寄ってこない鯉が一匹いたとして、他の鯉はその鯉に対して「おまえまちがってるよ」という態度はとらない。あるいは、飼主に寄りそって歩くことをしつけられた犬が、飼主を引きずって勝手気ままに歩いている他の犬を見かけても、「それはちがうぞ」とアピールしたりはしない。他方、人間の子どもはなんというか、もっとおせっかいである。規則に違反した子に対して「いけないんだ」などと注意をする。「ラベルが違うよね」と言った子に対して「レベルだ、バーカ」とはやしたてたりもする。なんらかの規範に従うことを学んだ子は、たんに大人の目から見て規範に従っているとされるる行動をとるようになるだけではなく、自らその行動の正誤を評価できるようにもなる。そこには、たんに行動する者の観点だけでなく、評価する者の観点も備わるのである。規範に従うとは、この二重の観点——行動の観点と評価の観点——を生きることにほかならない。

18 私にしか理解できない言葉

私的言語

他人には理解できない、ただ私にしか理解できない言葉、それは「私的言語」と呼ばれる。そして私は、私的言語を論じる多くの哲学者たちと同様、私的言語などありえないと論じたい。それゆえ、「私的言語」とはあくまでもありはしないものの名前ということになる。

そこで、否定するためではあるが、私的言語は可能だと主張する人を想定しよう。こんなふうに言われる。――私にある種の体験が繰り返し起こったとする。それはまったく独特であり、われわれの言語で言い表わすことができないので、私はその種の体験に「E」と名前をつけることにする。だが、例えば「またEが起こっている」と私が言うとき、それが意味しているこの独特の体験は他人には分からない。だから、「E」が何を意味するのか、他人には絶対に理解できないことになる。つまり、「E」は私的言語である。

あるいはもっと強気に出て、こんなふうに言うかもしれない。――同じことは、例えば

「痛み」という日本語についても言える。私が「おなかが痛い」と言う。しかし、私の痛みがどのようなものなのか、それは私にしか分からない。だから、「痛み」が意味しているものを知りうるのは、その語を用いた当人だけであり、他人には分かりようもない。つまり、「痛み」という語もまた、私的言語なのである。

かくして、体験を記述した言葉はすべて私的言語ということになる。さらに、「すべては自分の体験に基づいて理解されるしかない」という前提がここに加われば——木や鳥や机といった私の体験とは独立に存在しているとされる事物でさえ、つきつめれば私の知覚体験に基づいて理解されるしかないとするならば——、あらゆる言葉は公共言語の見かけをもちつつも、実は私的言語だということにもなる。一般に、独我論的傾向をもつ人は、多かれ少なかれ、このように主張する傾向をもつだろう。

ウィトゲンシュタインの私的言語批判

私的言語など不可能である。そう議論した（と思われる）のはウィトゲンシュタインであった。私はここでウィトゲンシュタイン解釈の問題に踏み込もうとは思わない。とはいえ、私の解釈がクリプキの提示した解釈とは異なるということだけは、ひとこと述べておくことにしたい。

クリプキは、ウィトゲンシュタインの私的言語批判を規則のパラドクスからの帰結であると捉えた。粗筋だけ述べてみよう。まずクリプキは、規則のパラドクスの教訓として、「プラスとクワスを区別するような私に関する事実など存在しない」という結論を導く。ポイントは「私に関する」というところにある。つまり、プラスとクワスを区別するものは私個人にではなく共同体のもとにある、というのである。もし共同体のメンバーがそろってクワスを行なえば、その共同体ではクワスが正しいことになる。他方、われわれの共同体ではそのほぼ全員がプラスを行なう。共同体におけるこの実践の一致こそが、われわれがクワスではなくプラスをしているという事実を成り立たせている。これが、クリプキの「共同体見解」である。そして「プラスを意味する」という事実の成立には共同体の一致が必要だということから、私一人ではプラスを意味することも成り立ちえないと結論される。それゆえ、私だけが理解できる言語などありえない。こうして、規則のパラドクスから共同体見解を引き出し、さらにそこから私的言語批判が導かれる。これが、クリプキがウィトゲンシュタインから読みとった筋書きであった。

他方、私自身が規則のパラドクスから引き出す教訓は、クリプキと異なり、共同体見解ではない。（共同体見解に対する私の批判は私の『哲学・航海日誌』（春秋社／中公文庫・第I巻）第13章を参照していただきたい。）私は、規則のパラドクスにおける核心を、言語実践を支える「語られない自然」の発見に見ている。プラスとクワスを分かつものは、自然な反応傾向といった自然の秩序——ウィトゲンシュタインお好みの言い方をするならば「自然誌的事実」——の内にしかない。しかし、われわれが68＋57に125と答え、5とは答えないことをわれわれの自然誌的事実として語り出すことはできない。それはあくまでもわれわれの従う規範として、68＋57には125と答えるべきであると語り出されねばならないのである。その意味で、私はそれを前回「語られない自然」と呼んだ。これが、『論理哲学論考』において見逃されていた、『哲学探究』の新しい地平にほかならない。

そして、私の読みでは、ウィトゲンシュタインがここで新たに向かい合わなければならなかった問題は、この「語られない自然」と「語ること」の関係である。自然誌的な秩序に服し、自然な反応に身をまかせるだけならば、ただ私一人で十分だろう。そこには「われわれ」というあり方も、社会も制度も関係はない。だが、言語実践において、社会・制度といったものは本質的であるに違いない。なるほどウィトゲンシュタインは規則のパラドクスにおいて言語実践を支える自然を見出した。だが、言語実践のあり方を十全に捉えるには、そうした自然な反応のレベルに立ち止まっているわけにはいかない。私一人が自然誌的秩序に服する世界とはいったいどのようなものであり、私はそこからどのようにして歩み出るのか。それを見てとるために、ウィトゲンシュタインは私的言語という思考実験に取り掛かったのではないか。

私的言語〈E〉の想定

不可能なものを正確に規定するというのも難しいが、ともあれその不可能性を示すために、私的言語〈E〉をより正確に規定しよう。

私にある種の体験が繰り返し起こる。しかし、その体験が生じる特徴的な状況があるわけではない。例えば、気圧が低下するとその体験が生じるとか、嫌なことがあったときに生じるといったことがあるわけではない。それは予測不可能な仕方でふいに生じる。さらに、その体験は特徴的な身体反応もいっさいもたない。私はそのとき苦しそうにするわけでもないし、顔を紅潮させるわけでもない。あるいは血圧が上がるわけでもない。ただ、その体験だけが私以外の誰にも知られずに、起こる。そして私はそれに「E」と名前を与える。そこで、その種の体験が生じた日には日記に「E」と書くことにする。このとき、「今日、Eが生じた」はその種の体験が生じたことの記述であるように思われる。しかも「E」の意味は私に生じたその種の体験であるから、それがどのような体験であるか他人には分からない以上、他人にはその意味は理解できない。また、「E」の意味を他人に説明することもできない。「いまEが生じている」と他人に言うことはできる。だが、「Eって何だ」と尋ねられ、「いま生じているこれがEなんだ」と言っても、他人には分からない。これを、「私的言語〈E〉」と呼ぶ。

正しいことと正しいと思うこと

一見すると、私的言語〈E〉においても、規則に従っていることと規則に反していることの区別がつけられているように思われる。私はある種の体験を前にして、「今後この種の体験が生じたときだけ「E」と書く」と決める。いわば記号「E」の使用規則をそう定める。そしてそれ以後、実際にその種の体験が生じたときに「E」と書けば、私は規則に従っており、その種の体験が生じていないのに「E」と書いてしまったならば、規則違反となる。それゆえ、私は例えば「この種の体験のときに「E」と書くことに決めたのだった。よし、いま「E」と書けば規則に従っていることになる」とか、「いまはあの体験が生じていない。だからいま「E」と書くことは規則違反だ」といった思いを抱くかもしれない。これはつまり、私が一人で、いわば「私的に」規則に従っているということではないのだろうか。

いや、それは見かけだけにすぎない。なるほど、私は私なりに「規則に従っている」ことと「規則に反している」ことを区別する。しかし、私は、「規則に従っていると思う」ことと「本当に規則に従っている」ことを区別できないのである。「いま「E」と書けば規則に従っている」と私は考える。ここでこう自問してみよ。――だが、いま「E」と書くことは本当に規則に従ったものなのか。たんに私がそう思いこんでいるだけではないのか。

私的言語ではないふつうの場合で考えてみよう。例えばある色を見て私は、「これは「浅《あさ》葱《ぎ》色」だな」と思う。いまの問題状況に合わせて、いささか不自然な言い方にしよう。私は

「この種の色を「浅葱色」と呼べば日本語の規則に従っている」と考える。しかし自信がもてず、「本当にこれできちんと日本語の規則に従ったことになるのだろうか」と自問する。そして、この問いに答えるには、もっと色名に詳しい人に尋ねるか、色名辞典を調べてみることになる。その結果、私の誤解が判明して、「あれ、浅葱色っていうのはこんなに青っぽい色だったのか。もっと黄緑みたいなのだと思っていた」と訂正するかもしれない。

「E」の場合はどうだろうか。ある体験が生じる。私はそれを「E」と呼ぶ。そして自分ではそれが私的言語〈E〉の規則に従ったものだと考える。だが、ここでは誤解の可能性は排除されている。私的言語〈E〉は私だけが理解する言語である。他人はいっさいそこに口出しできない。色名辞典のような公共的な道具も、私の誤解を訂正してくれる他人も、私的言語には存在しない。それゆえ、私がそれを規則に従ったものと考えたならば、もはやそれを覆す視点はどこにも用意されていない。私的言語においては、「規則に従っていると思っている」ことと「本当に規則に従っている」ことの区別がつかないのである。

では、その区別がつかないとどうなるのか。そのことを見てとるため、少し違う場面を想定してみたい。孤島に一人で生きるロビンソンを考える。そしてロビンソンには「規則に従っていると思っている」ことと「本当に規則に従っている」ことの区別がないと仮定しよう。

ロビンソンはあるとき「魚を食べてはいけない」と決める。なるほど、それ以後、彼は食べたい魚をがまんすることもあるだろう。しかし、けっきょくのところ、彼は自分が食べてもよいと判断するものを食べることになる。例えば、ウツボをつかまえる。そして「これは魚じゃない、蛇だ。だから食べてもいいんだ」と判断して、食べる。誰も文句は言えない。あるいは彼はアイナメを釣り上げて食べた。われわれとしては、それはないだろうと思う。しかし、彼がそれを魚禁止規則の正しい適用だと考えたならば、誰もそれに文句は言えない。なぜそのアイナメを食べてよいのか。理由はいろいろありうるだろう。これはタコが化けたものだ。こいつは日が沈むと魚であることをやめるのだ。理由なんかどうでもよいし、なくともよい。ともかく彼がそれを自分が決めた規則の正しい適用だと思ったならば、誰も口出しはできないのである。ロビンソンは自分のほしいままに規則を適用する。つまり、規則は骨抜きになっている。

「E」は何も記述していない

私は日記に「E」と書きつける。これは、私にしか理解できないが、それでも、ある種の体験が起こったことを記述した言葉であると思われた。だが、そうではなかったのである。「E」は何も記述してはいない。もし「E」が体験記述の言葉であるならば、「E」という記述には真偽があることになるだろう。実際にその体験が起こったときに「E」と記せばそれは真であり、そうでなければ偽である。そして一見すると、「E」にも真偽があるように見えるかもしれない。だが、それもまた、見かけだけにすぎない。

まず公共言語で考えてみよう。例えば私はある色を見て、自然な反応として「緑」という語を口にする。他方、自然な反応としてではなく、それゆえ違和感をもちつつも、快晴の空を見て「緑色だ」と、口先だけで言うことはできる。前者のような発話を「自然な発話」と呼び、後者のような発話を「不自然な発話」と呼ぶことにしよう。嘘やでまかせを言うときなどは不自然な発話になっている。ここで決定的に重要なポイントは、公共言語の場合には、自然な発話としてある色を「緑色だ」と言ったとしても、それはなお偽でありうるということである。例えば、「緑」という語をまだ正確に理解していない場合には、「緑」と呼ぶには適当でない色を、ごく自然な反応として「緑」と呼んでしまうかもしれない。あるいは、自然な反応として「向こうに人がいる」と発話したのだが、実は人形だったというような場合もある。公共言語の場合には、嘘でもでまかせでもない自然な発話が偽になってしまうことは、けっして珍しくないだろう。

ところが、私的言語の場合には、自然な発話は自動的に真となり、不自然な発話は自動的に偽となる。ある体験が生じ、自然な反応として私は「E」と書く。そこに誤解を言い立てる他者の視点は存在しない。その体験を他人が知りえたならば、「それはさっき定義したときの体験とは違う」と言いたくなるものであったとしても、私的言語はそのような他者の視点を排除している。ある体験が生じ、それに対して私が自然な反応として「E」と書けば、その体験は「E」なのである。それゆえ、自然に発話された「E」は必然的に真となる。いや、むしろそこではもはや真偽が意味を成さないと言うべきだろう。ここにおいて「E」の真偽は、公共言語の場合に見られたような実質をもちえていない。そして真偽を言うことに意味がないのであれば、それは記述とは言えない。私的言語「E」は、私的体験を記述してなどいない。[1]

私はある種の体験を「E」と呼び、その種の体験が起こるたびに日記に「E」と記入しようと決める。なるほどそういうことは現実にありうるかもしれない。だが、そこから完全に他者の視点を排除した私的言語の想定へと踏み込むならば、それは不可能な想定となる。私的言語の想定において、「E」という記載から分かることは「このとき私は自然に「E」と反応したんだな」ということだけであり、そのときどういう体験が起こったのかを読みとることはできない。「E」は何も記述してはいない。それは、私的言語が他者を完全に排除してしまったことの帰結である。私一人では、それは言葉にならない。私にしか理解できない言葉は、私にも理解できないのである。[2]

第18回　註

1　私的言語から公共言語への転回点

私的言語〈E〉は私的体験を記述してはいない、私はそう結論した。それに対して、「痛み」のような公共言語の言葉は、感覚を記述するのに用いることができる。「私はおなかが痛い」というのは私の腹痛を記述しているのであり、真偽を言うことができる。では、「E」と「痛み」はどこが違うのだろうか。

「痛み」には、金槌で指を叩いてしまったとか虫歯があるといった特徴的な状況があり、顔をしかめるとか呻くといった特徴的な身体反応がある。他方、私的言語〈E〉はまさにそうした特徴的な状況と身体反応を除去することから成り立っていた。では、特徴的な状況ないし身体反応を取り戻せば、私的言語〈E〉は公共言語へと返り咲くのだろうか。いや、特徴的な状況や特徴的な身体反応だけではまだ足りない。私にはそう思われる。『哲学探究』第二七〇節を見てみよう。ウィトゲンシュタインはそこで、特徴的な身体反応を付加することによって私的言語〈E〉から一歩踏み出そうとしているように思われる。

ここで、日記に記号「E」を書き込むことの一つの適用を考えよう。私は次のような経験をする。私がある特定の感覚をもつときはいつでも、血圧計が私の血圧の上昇を示す。そこで私は、自分の血圧の上昇を計器の助けを借りずに言えるようになる。これは有用な結果である。

「E」が名指すとされる体験と血圧の上昇との連動が想定されたこの言語を、私的言語〈E〉と区別して言語〈E_1〉と呼ぶことにしよう。また、区別しやすいように、日記にも「E_1」という語を書きつけることとする。さて、言語〈E_1〉は公共言語の語――感覚記述に用いられる「痛み」のような語――たりえているのだろうか。ウィトゲンシュタインがどう答えるかは定かではない。だが、私の答えは「ノー」である。

ウィトゲンシュタインの思考実験をさらに続けてみよう。私はなんらかの体験に促されて「E_1」と書く。そしてそれに基づいて自分の血圧の上昇を予測する。ところがその予測は外れ、血圧は上昇しなかったとしよう。そのとき私は、「E_1が起こった。でも、血圧は上昇しなかった」と日記に書けるだろうか。ここは少し考えどころである。そんなふうに書けるように思われるかもしれない。だが、そうは書けないのだ。

E_1は起こったが血圧は上昇しなかった、そのように認識するためには、血圧が上昇していなくとも、E_1が生じたことを認識できるのでなければならない。だが、それは血圧との連動を離れて、元々の私的言語〈E〉の想定に戻ることにほかならないだろう。私は血圧の上昇と独立に、E_1が生じたことを記述しなければならない。しかし、私的言語〈E〉は、真偽を言うことが意味をもたず、体験記述としての用をなさないものでしかなかった。それゆえ、血圧の上昇と独立にE_1の生起を確かめるなどということは不可能なのである。

そうであるとすれば、E_1と血圧の上昇との連動には例外がありえないということになる。予測が外れたとき、私は「例外もあるのだな」と考えるのではなく、「E_1が生じたと思ったけれど、E_1ではなかったのだ」と考えるしかない。血圧が上昇したならば、E_1は生じたのであり、血圧が上昇しなかったならば、E_1は生じなかったのである。それゆえ、「E_1」の真偽は血圧の上昇と完全に（必然的に）連動していることになる。「E_1」が真であるのは、血圧が上昇するときであり、そのときにかぎる。つまり、「E_1」はなんらかの体験の記述として真偽評価が為されるのではなく、たんに血圧の上昇に対する予測として、真偽を与えられているにすぎないのである。ならば、「E_1」はなんらかの体験の記述などではなく、たんに「血圧が上昇する」を意味するものと言わねばならないだろう。

では、「E」が感覚記述の言葉となるには、さらに何が必要なのか。

私の考えでは、鍵となるのは「嘘」や「ふり」あるいは「がまん」といったことである。しかも、たんに嘘をつく・ふりをする・がまんするというだけではなく、それを「嘘」や「ふり」や「がまん」として概念化し、「嘘をついてる」「たんなるふりにすぎない」「がまんしてるのだ」と記述することが要求される。実際、われわれは痛くないのに「痛い」と嘘をついたり、ある程度の痛みならばそれを他人に気づかれないようにがまんすることができる。そしてそれを「嘘をついた」とか「痛いふりをしている」とか「痛みをがまんしている」のように記述する。ここにおいて「嘘」や「ふり」という概念は、痛みなしに身体反応だけを示すことを含み、逆に「がまん」という概念は、身体反応に現われない痛みということを含んでいる。重要なことは、嘘やふりやがまんにおいて、感覚や身体反応と「痛い」という発話が完全に連動しているのではなく、その間に切れ目が入っているということである。もちろん、典型的には、痛みの感覚や痛みに特徴的な身体反応と「痛い」という発話は連動している。しかしそれは概ねの連動であり、必ず連動するというわけではない。例外的な場合には、われわれは嘘をつき、やせがまんをするだろう。この、「典型的には連動しているが、例外的には切り離されうる——完全に連動しているわけではないが、まったく切り離されているわけでもない——」という了解が、「痛み」の概念の了解には含まれている。そしてそのことが、状況や身体反応から感覚を切り離し、「痛い」という語を感覚記述に用いることを可能にしているのである。

私的言語〈E〉が「痛み」のような感覚記述の公共言語へと踏み出ていく転回点はどこなのか。この問いに対して私はこう答えたい。たんに「Eが起こった」と日記に書きつけるだけではなく、さらに「E」が「Eのふりをする」とか「Eをがまんする」といった記述にも使用されうるようになること、そこに私的言語から公共言語への転回点がある。

2 「感覚E」という語

私的言語〈E〉にきわめて近いものとして、「感覚E」という語について考えてみたい。ある感覚が私に繰り返し生じる。それは確かに「感覚」と呼びうるものである。しかし、まったく新しい感覚であり、旧来の感覚の名称はどれもあてはまらない。そこで私はその感覚を「E」と名づける。ここで「感覚」は公共言語のふつうの意味での感覚である。それゆえ、それが「感覚」とされる程度には、状況や身体反応との連動は認められる。だが、Eを他の諸感覚から区別するような特徴的な状況や身体反応は見出されないとしよう。さて、これは私的言語なのだろうか？

実に微妙な問いだが、もしそれが正当に「感覚」と呼べるならば、痛み等の他の感覚と区別する特徴的な状況や身体反応を欠いていたとしても、「感覚E」は私的言語ではないと、私は考える。以下、その理由を述べよう。

まず、「感覚E」の想定が私的言語〈E〉の想定とは異なることを確認しておこう。実のところ、ウィトゲンシュタイン自身、私的言語を「感覚」という言葉を用いて導入している。（「E」は感覚を意味するドイツ語"Empfindung"の「E」だろう。）

> 次のような場合を想像してみよう。私にある種の感覚が繰り返し生じ、私はそのことを日記につけようと思う。そこで、私はその感覚に「E」という記号を結びつけ、私がこの感覚をもった日にはその記号をカレンダーに書きこむこととする。
> （『哲学探究』第二五八節）

だが、この言い方はウィトゲンシュタイン自身によってすぐ後に修正される。

> 「E」をある感覚の記号と称することにいかなる根拠があるのか。「感覚」とは言うまでもなくわれわれの公共言語の語であり、私だけが理解できる言語の語などではない。（中略）かくしてひとは哲学するさいに、最終的には分節化されない音だ

けを発したくなるようなところへと至るのである。(『哲学探究』第二六一節)

私自身も、ある種の「体験」を「E」と名づけるという形で私的言語を導入した。だが、それは「体験」という公共言語を用いることも本来許されないような想定だったのである。いっさいの公共言語と隔絶されたところで私は何ごとかと向き合い、それを「E」と名づける。それが、私的言語の想定である。それに対して、ここで考えてみたい「感覚E」は、あくまでも公共言語たる「感覚」という語を用い、それに依拠する形で導入される。

では、公共言語の「感覚」という語を用いていることが、どうしてそれを私的言語の想定と決定的に異なったものとするのか、検討していこう。

ここで問題にしているような意味での「感覚」という語の典型例は、痛みや痒み、あるいは冷たさや甘さといったものである。さらに、例えば痛みを取りあげても、典型的なケースと典型的でないケースがある。典型的な事例としては、金槌で指を叩き、その痛さに顔をしかめて呻くといったものが考えられる。そのような場合には、その状況であれば誰でも痛いとみなされうる特徴的な状況において痛みが生じ、そして誰が見ても痛そうに見える特徴的な身体反応が現われている。典型的なケースにおけるこの「誰でも」の構造は決定的に重要であり、この構造があるから、われわれは「痛み」という概念を誰とでも共有できるのである。逆に、そのような特徴的な状況や身体反応がいっさい伴わないのであれば、われわれは「痛み」という語を学ぶことができなかったに違いない。

だが、それは典型的なケースにおける話であり、「痛み」と呼ばれるもののすべてが必ず特徴的な状況と身体反応を伴うわけではない。痛みに特徴的な状況を欠いているケースもあるだろうし、とりたてて特徴的な身体反応を伴わない場合もある。そうして、痛みは典型的なケースから周縁的なケースへと連続的な移行をもつ。

一般に、ある概念が使用される周縁的なケースでは、何が正しい概念使用なのかは明確ではなくなってくる。（例えば「恋愛」という概念が堂々と適用される事例もあるだろうが、「恋愛」と適切に呼べるのか首を傾げてしまうような周縁的な事例もあるだろう。具体的には、想像におまかせするが。）いわば、概念とは境界のはっきりしない町のようなものと言える。中心的な市街地からだんだん離れ、町外れに差しかかると、その概念使用についてだんだん心細くもなる。「感覚E」もまた、そのような町外れの語にほかならない。むしろ、心細くなるのがまっとうなのである。

感覚Eは他の諸感覚と区別するような特徴的な状況も特徴的な身体反応ももたない。ただ私は「最近ときどき感覚Eが生じるんだ」とあなたに言う。あなたは「感覚Eって何？」と尋ねるだろう。私は「いままで感じたことのない新しい感覚が繰り返し生じるんだよ。だからそれを「Ｅ」と名づけたんだ」と答える。あなたはさらに「それは気持ちいいのかな、気持ち悪いのかな？」と尋ねるかもしれない。「よくも悪くもない。その感覚が生じたからって何がどうなるわけでもないんだ」と私は答える。あなたは「ふーん」とか言って、それで会話は終わる。あるいは「何か身体に問題がある徴候かもしれないから、気をつけた方がいいよ」とか忠告してくれるかもしれない。なるほどこれは内容希薄な会話ではあるだろう。しかし、意味の分からない会話とも思われない。感覚概念の町外れでは、こんな会話が交わされてもよいのではないだろうか。

だが、それは町外れだから可能なのである。このような周縁的な言語使用は、典型的な言語使用に支えられてのみ、可能となる。感覚の典型例の一つは痛みであり、痛みの典型的なケースは、その状況であれば誰でも痛いとみなされうる特徴的な状況と、誰が見ても痛そうに見える特徴的な身体反応を伴ったものである。こうした場面において、「痛み」とか「感覚」という概念は誰にでも共有可能なものとして与えられている。まず典型的な場面で作られた概念が、その後で周縁的なケースに適用されるのである。

そうした観点から見るならば、「感覚Ｅ」と私的言語〈Ｅ〉の違いは明らかだろう。「感覚Ｅ」は公共言語の感覚概念に依拠し、あくまでもその周縁的使用として導入される。他方、私的言語〈Ｅ〉における「Ｅ」は感覚の一種とさえされていない。私的言語〈Ｅ〉においては、いっさい特徴的な状況や身体反応をもたないケースこそが、まさしく典型例とされる。われわれは、私的言語〈E〉を公共言語の周縁に位置するものと捉えてしまいがちになるだろう。だが、私的言語の想定はそれを許してはくれない。私的言語とは、公共言語から完全に隔絶された私的孤島なのである。それは、概念の成立基盤を破壊しさった不毛の土地に概念を打ち立てようとする、不可能な幻想にすぎない。

19 本質的にプライベートな体験について

私的言語と私秘的体験

私にしか理解できない完全に個人仕様の言語などありえない。言語は、原理的にその意味理解が他人にも開かれている公共的なものでしかありえない。前回、私はそう論じた。このことからさらに、本質的に私秘的《プライベート》であるような体験の不可能性を結論したくもなる。少なくとも私は、かつてなんとなくそんなふうに考えていた。原理的に他人の理解を拒むような言語は不可能、それゆえ、原理的に他人の理解を拒むような本質的に私秘的な体験も不可能。だが、この「それゆえ」はインチキである。

なるほど、すでに論じたように、他人の理解を拒む私秘的な体験をかりに「E」と名づけたとして、「E」の意味が原理的に他人に、それゆえ自分にも、つまり誰にも、理解できないのであれば、そんなものは言語ではありえない。だが、この議論をそのまま体験に当てはめるわけにはいかない。自分自身にも理解できないような体験はあってもよいし、実際あると私には思われる。かつての私が「意味」とか「理解可能性」といったことに過剰にしばられていたのは、まさに私が『論理哲学論考』的な思考圏にいたからだろう。この呪縛から逃れるのは、困難だが、単純なことだ。ひとはしばしば理解できない力に突き動かされて動く。この、誰もが知っていることを、ただ呑み込みさえすればよい。だが——呑み込めたとして——、私は何を呑み込んだのだろうか。

私秘的体験の同一性

私秘的体験のあり方を見てとるため、もう一度、私的言語の不可能性の議論を、ただし今度は私秘的体験を肯定する観点から、振り返ってみよう。

私は、私に生じたある独特な体験を「E」と名づける。そして翌日、またあの体験だと思って、日記に「E」と記す。だが、今日生じたそれは本当に昨日生じたあれと同じ種類の体験なのだろうか。私はそうだと思う。ところが、他人の理解を拒否したこの私秘的な場面では、「私はそう思う」ということと「本当にそうだ」ということの区別がなくなってしまうのである。他人を排除した私的言語においては、いわば「私がルールだ」という状態になり、私はただ私がそうすべきと思うように言葉を用いるだけとなる。

そのとき、今日生じたその体験と昨日生じたあの体験は同じ種類のものとも言えなくなる。なるほど私は両者を同じ種類の体験だと思った。だが、言えることはそこまでであり、

「私が同じ種類だと思うもの」という規定は、ひとつの種類を規定するだけの実質的な効力をもちえない。

そのことを見てとるため、私秘的場面から離れて身のまわりのものごとに対してこの規定を適用してみよう。例えば、あるもの（日本語では「茶碗」と呼ばれるもの）に対して私は「C」と名前をつける。そして、以後、私がそれと同じ種類だと思うものを「C」と呼ぶことにする。ところが、私が何をそれと同じ種類と思うかについては、何の制約もない。ただ私が同じだと思えば同じなのである。例えばいま私の横を動いていったそれ（日本語では「猫」と呼ばれるもの）を「C」と呼ぶべきと私が思えばそれはそうなのであり、あるいはまた、空に浮かぶあれ（日本語では「雲」と呼ばれるもの）を「C」と呼ぶべきと私が思えばそれはそうなのである。かくのごとく、「私が同じ種類だと思うもの」は無際限に放恣な姿をとることになり、それはなんらかの同一性を規定しうるようなものではありえない。

つまり、私秘的体験は、いっさいの分類を拒んでいるのである。われわれは自分たちの生きる世界をさまざまに分類している。これは茶碗であり、それは猫であり、あれは雲である。だが、私秘的体験はこうした秩序をもちえない。比喩的に言えば、それはいっさいの具象的意味を剝ぎ取られた、抽象画のような世界と言えるだろう。私は、そのような分節化された構造をもたない体験を「場」と呼ぶことにしたい。[1]

非言語的な体験の場

私秘的体験は公共言語では語られえず、私的言語も不可能であるため、非言語的な体験となる。逆に、非言語的な体験は他人に伝達されることもありえないため、私秘的体験となる。つまり、「私秘的体験」と「非言語的体験」は同じものである。そして、いま示したように私秘的体験はいっさいの分類的秩序、つまり分節化された構造を欠いている。それゆえ、非言語的体験もまた、分節化された構造をもちえない。あるいは、非言語的であっても、言語以前に体験はなんらかの分節化された構造をもつのではないかと思われるかもしれない。だが、そうではない。分節化された構造を体験に与えうるのは、ただ言語（公共言語）だけなのである。

それゆえ、多くの人の反発を招くかもしれないよけいなことを言えば、分節化された言語をもたぬ動物たちは体験をまったく分類せずに受け入れていることになる。動物だって「エサ」とか「敵」といった分類はしていると言われるかもしれない。なるほど、彼らもある種の場のパターンに応じてそれに特有の反応を示すだろう。だが、それはあくまでも分節化されない場のパターンなのである。物理学の比喩を用いるならば、彼らは自分がおかれた力の場のあり方に応じて運動しているにすぎない。もっと身近な喩えで言うならば、特定の気圧配置のパターンに応じて台風の進路が定まるようなものと言ってもよいだろう。そして彼らを観察するわれわれ人間が、そうした場のパターンを「エサ」とか「敵」といった分節化された言葉を用いて描写するのである。分節化された言語をもたない動物たちにとっては、それはあくまでも抽象画のような、いっさいの分類をもたぬ分節化されない場でしかない。人間もまた動物である。それゆえわれわれもまた分節化されない非言語的な場に晒されている。だが人間の場合には、そこに言語によって分節化された世界もまた開けている。非言語的な場に晒されつつ、言語的に分節化された世界に生きる、この二重性こそ、人間の特徴であると私には思われる。

因果と触発

非言語的な体験の場は、「茶碗」とか「猫」といった意味規定を欠いているため、それを「理解する」ということも問題にならない。その体験は、私には理解できないというよりも、そもそも理解の対象ではない。

私は、ただその体験の場に晒され、その影響を受ける。細かいことを気にしなければ、それは因果的な影響であると言ってもよいだろう。非言語的な体験が原因となって、さまざまな反応が引き起こされる。ある体験は私に呻き声を上げさせるかもしれないし、ある体験は私を緊張させ、私の表情をこわばらせるかもしれない。だが、より正確に言うならば、それは「因果的」と言えるようなものではありえない。一般に、因果関係は二つのできごとの間に立てられる。例えば、猫がジャンプして書棚の本が崩れ落ちたとき、本の崩落というできごとの原因は猫のジャンプというできごとである。だが、非言語的な体験の場は分節化をもたない。原因として特定できるようなできごとが、そもそもそこには見出せないのである。それゆえ私は、「因果」ではなく、むしろ――カントを意識しつつ――「触発」と言いたくなる。

少しカントの話をしておきたい。カントは、われわれが知覚し認識するさまざまな現象とは別に「物自体」の存在を想定していた。物自体は、人間が時間・空間の形式を与え、またさまざまなカテゴリーによって秩序づける以前のものとしてある。それゆえ、われわれは物自体を認識することはできない。認識しうるのは時間・空間の形式をもちカテゴリー化された現象だけでしかない。物自体は認識を超越したものとして、存在する。

実は、私も（「私も」と言ってよいと思うのだが）若い頃はカントのこの「物自体」という考え方を馬鹿にしていた。それはまた、私が濃厚に観念論的傾向をもっていたということでもある。われわれが認識可能なものは、時間・空間の形式をもち、カテゴリーによって意味を与えられた現象である。ならば、現象こそがわれわれの出発点であり、なぜそれとは別に認識不可能な物自体のごときものを想定する必要があるだろう。――だが、いまでは私はそのような感覚をもっていない。これはもうあまり理屈ではないので、本当に「感覚」と言いたくなるのだが、「やっぱ物自体だよなあ」と、最近ではそんな感慨にふけるようになっている。

そしてカントは、現象に対するわれわれの認識は物自体に「触発」されたものであると言う。例えば、窓辺で猫が寝ているのを見るとき、私のその知覚は物自体に触発されて成立している。ラフな言い方をすれば、物自体が原因となって私の知覚が成立していると言うこともできるだろう。だが、カントに従うならば、それを「因果」として捉えることはできない。因果は、物自体に意味を与え、それによって現象を構成するカテゴリーのひとつにほかならない。つまり、原因と結果の関係は、あくまでも現象における秩序なのである。猫がジャンプして本が落ちる。私は、因果関係のもとにその現象を捉える。ところが物自体とは、「猫がジャンプして本が落ちた」という意味を与えられる以前のものにほかならない。物自体は因果というカテゴリーによって意味を与えられる前の段階にある。だとすれば、物自体と現象の関係を因果のカテゴリーで捉えるわけにはいかない。そこで、「触発」と言われることになる。

私は、この「触発」という構図を非言語的な体験の場に対して見てとりたい。非言語的な体験は私のさまざまな反応の「原因」ではありえない。非言語的な体験は、私の反応を因果的に引き起こすのではなく、触発するのである。

非言語的な体験が言語を触発する

物自体に触発されて経験が成立するように、非言語的な体験に触発されて分節化された体験あるいは分節化された世界が成立する。だが、その成立の仕掛けはそう単純ではない。鍵は、非言語的な体験が、私の発話をも触発するということにある。例えば、私はある種の体験に触発されて「痛い！」と叫ぶ。この「痛い」という言葉が、いわばその返す刀で非言語的な体験に「痛み」という意味を与えるのである。そうしてそれは「痛みの感覚」という言語的に分節化された体験となる。この事情を、少しでも解きほぐすよう試みてみよう。

痛みに関わる言葉をまだ教わっていない子どもを考えよう。言葉を習っていなくとも、非言語的な体験に触発されて、その子どもは呻いたり泣き叫んだりする。そこで大人は、ただワーワー泣き叫ぶ代わりに「イタイ」という音声を発することを教える。この段階では、「イタイ」という音声はまだ言語と呼べるようなものではない。それはたんに新たに教えられた身体反応というにすぎない。彼は、なんでそうするのかも分からないまま、泣き叫ぶ代わりに（あるいはおそらく泣き叫ぶことに加えて）「イタイ！」とわめくようになる。

最初はワーワー泣き叫ぶことの代わりであったとしても、「イタイ」という音声は「痛い」という日本語でもある。それは、泣くこととは異なり、過去形にしたり、他人に対して適用されたり、質問に用いられたりする（泣き声ではそうはいかない）。さらに、そうした言語使用の適切さがその言語共同体の中で評価され、ときに訂正を受ける。やがてその子どもは、そうした痛みに関する言語実践に参加するようになるだろう。他方、それと同時に、非言語的体験によって「痛い」という発話が触発されもする。そうして、公共の言語実践と非言語的体験による触発が重ね合わされることによって、彼は、「痛い」という発話をするときのその体験が「痛み」という感覚なのだという了解をもつことになる。つまり、「イタイ」という発声を触発していた非言語的体験が、いまや「痛み」という公共言語によって分節化され、それはもはや私秘的体験ではなく、「痛み」として公共的に理解可能な体験となる。[2]

これに対して、「E」は公共言語として流通していく機会を奪われていた。それゆえ、非言語的体験による触発というレベルにとどまらざるをえず、したがって「E」は分節化された言語にはなりえなかったのだと言えるだろう。

さらに、非言語的体験が分節化されたならば（つまり非言語的体験ではなくなったならば）、そのとき、触発も因果関係として捉えられるようになる。非言語的であったそれは、痛みの感覚として分節化され、私はそこに痛みが生じているというできごとを特定できる。それゆえ、そのできごとをさまざまな反応の原因とみなすことができる。痛みが生じていることが原因で、呻いたり泣いたり「痛い！」と叫んだりする。いまや、そう言えるのである。

非言語的体験と言語的世界

以上のことは、「痛み」のような事例に限られるものではない。例えば、「緑」という語に対しても、同様の構図が成り立つと私は考えている。まず、「ミドリ」という発声が非言語的体験に触発される。次に、その発声が「緑」という日本語として公共的に流通し、さまざまな文脈で「緑」という語が使用され、さらにその使用の適切性が評価される。そしてそれによって、「ミドリ」という発声を触発していた非言語的体験は「緑」として意味を与えられ分節化された性質となる。こうして、非言語的体験から言語的に分節化された世界が成立してくるのである。

ここで私は、言語的に分節化された体験を、圧倒的に豊かな非言語的体験の場が取り巻いているというイメージを抑えることができない。非言語的体験が言語を触発し、触発された言語が非言語的体験を分節化する。そうして言語化され分節化されたものは、非言語的体験のごく一部であるに違いない。もちろん、非言語的体験なるものがいったいどのようなものであるのか、語ることはできないし、それが豊かなものだなどというのも、無根拠どころか意味不明だということは承知している。また、非言語的体験の場などというものが存在することさえ、論証することはできない。それでも私は、非言語的体験が存在することを、しかもそれが豊かなものであることを、確信している。言語は、あるいは言語的に分節化された体験や世界は、非言語的な体験の海に浮かぶちっぽけな島にすぎない。[3]

第19回　註

1　複雑な私的言語

ここまで私は私的言語〈E〉を批判してきた。そして、「E」には特定の体験を分節化する力はない、と結論した。だが、それは「E」だけを考えているからではないか。自分の中で、さらに別の体験が生じ、それを「F」と名づけ、また別の体験が生じてそれを「G」と名づけたとしたらどうか。そのとき、私的に体験がE、F、Gと分節化されうるのではないか。永井均はそのような複雑な私的言語による私的な分節化——独我論的秩序——の可能性を主張している（『私・今・そして神』、講談社現代新書、一九三－一九七ページ）。

そこでいま、「E」に加えて「F」も導入することを考えよう。「F」は「E」とは異なる体験を名指すと想定されるものであり、Fに対してもやはり特徴的な状況や身体反応は伴わないと想定される。つまり、状況がどうであるかとか他人にどう見られるかとはおかまいなしに、ただ私は自分に生じる体験とだけ向き合い、そこにEとFの二種類の体験の生起を見出すのである。もちろんこれだけでは、たんに私的言語〈E〉に加えてもう一つの私的言語〈F〉を並列したにすぎず、不可能なものを何個並べたって不可能であることに変わりはない。そこでさらに、EとFの間に相関関係があると想定しよう。つまり、Eが生じたならばそれに続いてFが生じるとする。そのとき、「Eが起こった」というある時点における私の判断は、偽になりうるのではないだろうか。永井の議論を引用しておこう。永井は、「E」だの「F」だのという無味乾燥な記号に代えて「しくい」「ろましい」「こじむい」といった私的言語を考える。そして、それらが組織を成していると考えよ、と言う。

しくい気分になるのは、これまでのところいつもろましい感情を味わった後で、そいいの際には無性にこじむいワインが飲みたくなる、といったように。こういう場合、ろましい感情を味わってもいなければ、こじむいワインが飲みたくもならずに、なぜか急にしくい気分になったとしたら、「このしくさに似た気分はいったい何だろう？　おれは本当にしくいのだろうか？」と自問することができるだろう。（一九四ページ）

私はある時点で「Eが起こった」と考える。いつもはEに続いてFが起こる。ところがそのときにはFは起こらなかった。私は「じゃあ、本当はさっきEは起こってなかったのかな」と考えるかもしれない。ここに、「Eが起こったと思う」ことと「本当にEが起こった」こととのギャップが生じる。これは私的言語〈E〉の場合にはありえなかったことであり、私的言語〈E〉が批判されたのも、「Eが起こったと思う」と「本当にEが起こった」とが完全に癒着しているからであった。だとすれば、Eに加えてFを考え、さらにEとFの連動を考えれば、私的言語批判の鉾先はかわせるのではないか。

いや、EとFの連動を考えても、あるいはしくかったりろましかったりこじむかったりどんなに複雑な組織を成そうとも、事情は私的言語〈E〉の場合と変わらない、私は——永井に反して——そう論じたい。

ここで想定されるEとFの連動には例外がありうるのか。まず、そう問おう。

（1）例外はありえないとする。つまり、Eが起こったならば必ずその後にFが起こり、逆にFが起こったならば必ずそれに先だってEが起こっているとしよう。その関係は必然的であり、Eが起こっているのにFが起こっていないとか、Fが起こっているのにEが起こっていないということは考えられない。だが、そうであるとすれば、EとFはもはや別々の二つのできごととは言えないだろう。EとFは完全に癒着し、一体化している。それゆえ、むしろEとFを併せてSとでもすべきである。そしてそうだとすれば、それは二つの私的言語が組織化されたのではなく、たんに一つの私的言語〈S〉であると言うべきだろう。(「ろましい」と「しくい」が必然的に連動するならば、両者は一体化し、むしろ「ろましくい」とでも呼ばれるべきである。)

EとFの連動が必然的であるならば、わざわざ連動を考える意味は失われる。そのとき事情は、一つの私的言語〈E〉の場合となんら変わりがないのである。

(2)それゆえ、EとFの連動は例外がありうる偶然的なものと想定しなければならない。そのとき、Eが起こりFが起こらないか、逆にFが起こりEが起こらないということが考えられねばならない。だが、これはつまり、Fの生起と独立に「E」の真偽が問えるか、あるいはEの生起と独立に「F」の真偽が問えるということである。だが、忘れてはならない。私的言語〈E〉だけを考察した結果、われわれは「E」に真偽を言うことはできない、と結論した。そこで、私的言語〈F〉という援軍を頼み、両者の連動を想定することで、それらを感覚記述の言語として成立させることができないかと考えたのである。ところが、それが例外を許すような偶然的な連動であるためには、Fの生起と独立に「E」の真偽が問え、またEの生起と独立に「F」の真偽が問えるのでなければならない。つまり、「E」と「F」は、その連動の事実の確認の前に、それぞれ独立して真偽が言えなければならない。なんのことはない、私的言語〈E〉と私的言語〈F〉がそれぞれ単独では成立しないため両者の連動に訴えようとしたのだが、その連動の事実を確認するためには、すでに私的言語〈E〉と私的言語〈F〉が成立していなければならないのである。そうだとすれば、EとFの連動に訴えたとしても、事態は何ひとつ変わらないと言わざるをえない。

私的体験は、どうしたって分節化されない場となるしかないのである。

2 「痛み」という語の習得過程

「イタイ」という発声と泣くこととの関係に関連して、『哲学探究』第二四四節が興味深い。少し長くなるがその節全体を引用しよう。

> 語はいかにして感覚と関係づけられるのか。ここにはなんの問題もないように見える。だって、われわれは日常的に感覚について語り、感覚を名指しているではないか。しかし、その名と名指されたものとの結合はいかにして確立されるのか。この問いはこう言い換えることもできる。ひとは感覚の名の意味をいかにして習得するのか。例えば「痛み」という語の意味をどうやって習得するのか。一つの可能性はこうだ。言葉が原初的で自然な感覚の表出に結びつけられ、その代わりとなること。子どもがけがをして泣き叫ぶ。すると大人たちがその子に話しかけ、「イタ

イ！」といった叫び声を教え、後に文を教える。大人たちは、その子どもに新しい痛みのふるまいを教えるのである。
「するとあなたは、「痛み」という語が本当は泣き叫ぶことを意味していると言うのか」——もちろん違う。痛みの言語表現は泣き叫ぶことにとって代わっているのであり、泣き叫ぶことを記述しているのではない。

この箇所をどう解釈すべきかははっきりしない。一つの明快な解釈を述べるならば、こうである。感覚に関する一人称現在形の発話、例えば「(私は)おなかが痛い」は自分の腹痛の記述ではなく、泣き声や呻き声のような自然な身体的表出に類するものにほかならない。——このような主張は「表出説」と呼ぶことができるだろう。表出説を主張する動機や表出説の利点や欠点についてここで立ち入って論じることは控えよう。ここまでの議論から明らかなように、私自身は表出説の立場には立っていない。「おなかが痛い」という発話は、私の腹痛の記述であり、「痛い」という語は感覚記述に用いられる。それがわれわれの非哲学的な常識であり、私は哲学においてもこのなにげない常識を回復したいと考えている。

では、いまの引用箇所はウィトゲンシュタインが表出説をとっていたことを示しているだろうか。一般的に言って、ウィトゲンシュタインになんらかの哲学的学説を帰すことには慎重にならねばならない。なるほど、彼は『論理哲学論考』における「世界の像としての言語」という考え方、つまり言葉をもっぱら記述のためのものとして捉える見方から自分自身を引き剝がし、そこから可能なかぎり遠くに身を置こうとしていた。その運動の一環として、「私はおなかが痛い」という記述文の形をしたものが、実は記述ではなく身体的表出の一種なのだとする考え方はきわめて重要かつ魅力的なものであっただろう。そういうときのウィトゲンシュタインの通例として、とりあえずそれで行けるところまで行ってみるという態度がある。それゆえ、第二四四節においても、表出説の考え方にひじょうに魅力を感じつつ議論が提示されていることは確かであるが、最終的にウィトゲンシュタインが表出説をとったのかどうかに関しては、さしあたりは保留しておきたい。

そこで、ウィトゲンシュタインの意図を忖度することを離れて、第二四四節の内容自体を見てみよう。この節の叙述だけを見るならば、これはけっして表出説を主張するものではないし、また表出説を支持するものでさえないと私には思われる。つまり、ここで述べられていることは、私の議論にも組み込むことができるものだと思うのである。実際、私は第二四四節でのウィトゲンシュタインの指摘に賛成する。

問題は、われわれが「痛み」という語をどうやって習得するかである。そしてウィトゲンシュタインは、大人たちは「新しい痛みのふるまい」として、泣き叫ぶことにとって代わる形で「イタイ！」という発声を子どもに教える、と答える。ウィトゲンシュタインはこれを「一つの可能性」として述べているが、私はむしろもっと積極的に、「痛い」のような原初的な感覚の言葉の場合にはこれが唯一の可能性だと言いたい。つまり、「痛がゆい」とか「キリで刺すような痛み」のような複合的な感覚語の場合にはまた違った習得過程が考えられるべきかとも思うが、「痛い」のような単純な概念の場合には、「イタイ」という発声が新たな身体反応になるよう訓練するしかないと思うのである。

「痛い」という語の習得に関するストーリーを素描してみよう。（過度に単純化された発生論的なストーリーは哲学的な虚構でしかない。しかし、それでもわれわれに一つの観点を与えてくれるという効果は期待できるだろう。）まず、子どもは「痛い」という語を教わる前の段階にあり、それでもなんらかの非言語的体験はもつ。その非言語的体験のあるものは、大人から見て痛みに特徴的な状況において痛みに特徴的な身体反応を示す。例えば、ころんでひざを擦りむいたとき、その子はワーワーと泣きわめく。そうした場面で、大人は子どもに「イタイ！」という発声を教える。これは条件づけによる訓練と同じと考えてよい。まさに、泣き叫ぶことに並ぶ新たな痛みのふるまいを仕込むのである。次に、「イタイ」というその発声を利用して、子どもを「痛み」という日本語を用いて大人たちが為している言語ゲームへと巻きこむ。そして子どもは「イタイ」

という発声がなぐさめや手当を求めるアピールになることを学ぶ。やがて、「どこが痛いの？」「おなかが痛いの」といったやりとりを学び、「もうなおった？」「うん、もう痛くない。でもさっきはすごく痛かった」と否定形や過去形の使用を学び、また「お母さんおなかが痛いんだって」と一人称以外の使用も学んでいくだろう。そうして、「痛い」という語を用いたさまざまな文の使用を学ぶと、ついに、嘘をつけるようにもなる。かくして、「痛み」という語を用いた文の真偽ということが子どもの関心の中に芽生え、子どもは感覚記述の言語ゲームに参加していくことになる。こんな流れが、私の思い描く「痛み」という語の習得過程である。

そのとき、『哲学探究』第二四四節は、この習得過程の出だしの段階を示唆したものと読める。それゆえ、それはけっして「痛い」という語を用いたわれわれの言語ゲームの記述ではない。ウィトゲンシュタインが感覚記述の言語ゲームを認めるかどうかは、先ほど述べたようにここでは結論を保留しておきたいが、少なくとも第二四四節に関して言うかぎり、習得過程に関するこのコメントに感覚記述の言語ゲームを接続することは不可能ではないだろう。

3　二元論

けっきょくのところ、私はデイヴィドソンが批判した枠組と内容の二元論というドグマに戻ってしまったのだろうか。

そうは考えない。私自身、自分の立場を「二元論」と称するかどうかについては大いに迷っているが、そして第7回を執筆した頃には自分を二元論者と称するつもりはなかったのだが、連載を終え、あらためて全体を見渡しているいまでは、「二元論でいいか」という気持ちになっている。とはいえ、それはけっしてデイヴィドソンが批判した形の二元論ではない。

枠組と内容の二元論の直感的な原型は、例えばブロンズ像である。ブロンズ像では、青銅という素材に裸婦といった形が与えられる。ここにおいて、素材と形という二つの要因によって、一体の像が成り立っている。同様に、枠組と内容の二元論は、認識を成り立たせる二つの要因として、素材となる内容とそれに形を与える枠組を考えるのである。それに対して私は、相貌をそのような二層構造としては捉えない。相貌は、けっして相貌中立的な何ものかに担われているわけではない。例えば、いま目の前にあるそれはコーヒーカップとしての相貌をもっている。だが私はそこにコーヒーカップの相貌を担うべき相貌中立的な「基体」のごときものを認めない。相貌はまさに端的に立ち現われるのであり、そこには二元論的構図はない。

だが、相貌だけがあるわけではない。相貌をはみ出したもの、あるいは相貌という小島を取り囲む海、すなわち非言語的な場が存在することを、私は認めたい。非言語的な場はけっして相貌の背後にあるわけではない。それは相貌を取り巻き、私を取り囲んで、そこにある。それは現象として現われているわけではないが、私を突き動かし、相貌を生成・変化させる力として剝き出しになっている。

けっして神秘的な何ごとかを言っているのではない。目の前の光景を見たときに、なるほど道があり、木立があり、犬を散歩させている人がいる。そうした相貌でその光景は立ち現われている。しかし、その眼前の光景も、言葉で表わしきれない圧倒的に豊かなものに溢れていませんかと言いたいのである。

別に「二元論」を自称してもかまわないが、それは枠組と内容の二元論ではない。あえて言えば、力と相貌の二元論——語らせる力と語り出される相貌との二元論——である。

20　語られる過去・語らせる過去

過去自体

小学生の頃のことを、同級生だった人と話しているとしよう。あるとき二人はけんかをした。そのきっかけは君がぼくの給食のプリンをとって食べちゃったからだ。それはおまえがぼくのプリンになめたスプーンをつっこんだからじゃないか。そんなことしていない。いや、した。と、五十半ばの男が情けない会話をしている。こうした記憶の食い違いに対して、野家啓一は次のように主張する。

そのような場合、われわれは「過去の真実は一つしかない」のだから、どちらかが記憶違いをしているはずだという強烈な思いにとらわれます。それは別に間違いではありません。しかし、そこから記憶違いを正すべき唯一無二の「過去自体」がどこかに存在すると考えれば、大きな哲学的誤りを犯すことになります。それはカントの「物自体」と同様に、少なくとも認識論的にはいかなる理解可能な意味も持つことはできないからです。(『歴史を哲学する』、岩波書店、一三五ページ)

きっぱり「大きな哲学的誤り」と言われてしまうと、いささか気遅れするのだが、私は、過去自体は存在すると言いたい。ただし、「過去自体」ということの意味が私と野家でおそらく同じではないため、実質的な違いがどこにあるかは、慎重に検討しなければいけない。

思い出すことと過去を語ること

野家の議論は大森荘蔵の議論を引き継いだものである。二人の違いは強調点の置き方にあると言えるだろう。野家は歴史を物語ることへと視線を向け、それに対して大森は想起という体験のあり方を捉えようとする。私の関心もさしあたり想起にある。しばらく大森の議論を追っていこう。

過去のことを思い出すとはどういうことだろうか。例えば数ヵ月前に立ち寄ったお寺を思い出す。深い緑に包まれた境内。蟬しぐれ。それはたんなる想像ではない。では、それらのイメージの中に、たんなる想像には見出せず、想起に特有な特徴が何かあるだろうか。ラッセルならば、「なじみの感じ」とか「過ぎ去った感じ」があると言うだろう。だが、なじみの感じをもった想像だってあるだろうし、過ぎ去った感じと言われても、よく分からない。

それに対して大森は、そうしたイメージそれ自身にはいかなる過去性のしるしもないと指摘する。分かりやすく絵で考えてみよう。過去形の絵。お寺の境内の絵を描き、さらにそこに過去時制を描きこむ。できはしないだろう。その絵を、そのイメージを、過去のものとするのは、ただそれについて「境内には誰もいなかった」とか「蟬の声がうるさかった」と過去形で語るからである。かくして、大森は想起を言語的なものと捉える。想起の本質はイメージを思い描くようなことではなく、過去を語ることにあるというのである。

想起を過去自体と比較することはできない

想起と想像を区別するのは、想像の語りが偽でもかまわないのに対して、想起の語りは真であるべきとされる点にある。偽な想起は訂正されるか撤回されねばならない。では、例えば「S君がぼくのプリンをとった」といった思い出の真偽はどのようにして決められるのだろうか。似顔絵であれば、実物と比較して似ているか似ていないかが言える。同様に、想起を過去の事実の写しのように考えるのであれば、そのとき、想起の真偽は想起と過去の事実との比較によって決定されることになる。だが、似顔絵の場合には絵と別に本人に会うことができるが、想起の場合にはそうはいかない。こちらに想起をおき、横にその想起のもととなった体験をおいて比較してみるなどということは不可能である。われわれは、もはや過去に戻ることはできない。

実際にどのようにして想起の真偽が決定されうるのかを考えよう。われわれに与えられているものは、現在のさまざまなことがらでしかない。他人の記憶、日記や手帳といった記録、物的な証拠、あるいは現在われわれが正しい知識として認めている無数のこと（世界のあり方、自然法則等）。そして、ある一つの想起は、それを取り巻くこうしたもろもろのことがらとの整合性によって、真偽が決定される。もちろん単純に不整合なら偽、整合的なら真とは言えないだろうが、こうした現在のことがらとの整合性をもとにして真偽を考えるしかない。そして確かに、多くの想起はこのようなやり方で実際に真とされているのである。大森は、こうした整合性のチェックをわれわれの社会的制度と考え、それによって確立される真理性を「制度的真理概念」と呼ぶ。

この真理概念によって真とされる過去命題を系統的に接続すれば一つの物語りができあがる。この物語りこそ、われわれが想起による過去と呼ぶものにほかならない。過去とは過去物語りなのである。（「物語りとしての過去」『大森荘蔵著作集』第九巻『時は流れず』、岩波書店、一五ページ）

大森もまた、野家と同様、過去物語と独立な過去世界を「過去自体」と呼び、その想定を拒否する。過去世界は過去物語と独立なものではありえず、われわれの社会的制度を背景とした過去物語によって構成されるというのである。

過去の独立性

私は、こうした議論のほとんどに賛成したい。想起の真偽を過去の事実との比較によって決定することはあからさまに不可能である。それゆえ、整合性のチェックは想起の真偽にとって決定的に重要となるだろう。私自身は整合性のチェックの役割を過大に評価すべきではないと考えているが、それは大森や野家の議論の大枠を崩すものではなく、「制度的真理概念」と呼ばれるものをさらに実情に即した形で仕上げていく必要があるというにすぎない。[1]

問題は、「過去世界は想起と独立ではない」と彼らが言うときの、その意味にある。大森の議論はこうであった。過去世界は過去物語によって作られる、それゆえ、過去世界とは過去物語なのである。だが、過去世界が過去物語によって作られることを認めたとしても、そこから過去世界が過去物語に等しいことは出てこない。大森はなるほど過去世界の作り方を述べはした。しかし、そのことと、作られたものが何であるのかは別の話である。

ここで「過去物語によって作られる」という言い方に注意しなければいけない。われわれは「その家はレンガによって作られている」という言い方もするし、「その家は伝統的工法によって作られている」という言い方もする。前者は構成要素を意味し、後者は作り方を意味する。「によって」にはいくつかの意味があり、それを混同してはならない。（「そのシチユーは太郎によって作られた」から太郎がそのシチューの構成要素であることは導けない。）それゆえ、過去世界は過去物語によって作られるとしても、過去世界すなわち過去物語とは言えないのである。

むしろ平凡な実感に従うならば、過去はわれわれがいまそれをどう思い出そうとも、あるいは思い出さなくとも、それとは独立に存在する。私はこの実感を保持したい。同時に、大森や野家が言うような、過去世界は過去物語によって作られるという論点も掬いとりたいと考えている。ひとことで言えば、過去世界は過去物語によって過去物語とは独立なものとして作られると言いたい。だが、その主張の内実を明確にするのは、それほど簡単ではない。

非言語的な過去と身体的記憶

前回私は、言語的に分節化された世界は非言語的な体験の海に浮かぶちっぽけな島にすぎないと述べた。この主張を、ここでも繰り返したい。そして、過去における非言語的体験を「過去自体」と呼びたい。（ただし、その意味するところは大森や野家とは異なっている。彼らが批判する過去自体は言語的に分節化された過去世界であり、それに対して私が過去自体と呼ぶものは非言語的である。しかし、カントの物自体も非言語的なものであった。それゆえ、紛らわしいのは確かだが、大森や野家には失礼して、私は「過去自体」という用語をよりカントに近い意味で使うことにしたい[2]。）

例えば、私は寺の境内に立ち、多くのことを言語的に分節化して捉えるが（緑青をふいた屋根、鐘楼、蝉の声）、同時にそれらを取り巻く圧倒的に豊かな非言語的体験に晒されている。そしてそれはさまざまな形で私に影響を与える。私はそれをカントにならって「触発」と呼んだ。非言語的な体験の場は、できごととして分節化されていないために、それを原因として特定することができない。それゆえ、「因果」ではなく「触発」と呼んだのである。

私は、過去の非言語的な場――過去自体――からも触発される。例えば、蝉たちのにぎやかな声の調子を思い出す。コンサートで聴いた曲でも、食べた料理の味でもよい。そこには言語化しきれないさまざまなイメージが伴っている。そして私はそれらの非言語的イメージを過去の体験に由来するものとして捉えている。過去自体が現在の私を触発して、非言語的イメージが私に現われるのである。

一般に、自転車の乗り方を覚えていたり文章を暗唱したりするタイプの記憶は想起とは区別される。それを野家の言い方を借りて「身体的記憶」と呼ぶことにしよう。コンサートで聴いた曲を思い出して口ずさむこともまた、身体的記憶である。別に口ずさまなくともよい、聴いた曲を頭の中で思い浮かべることや、あるいは料理の味を非言語的に思い出したりすることも、身体的記憶となる。想起と身体的記憶の違いは、それが過去についてのものであるかどうか、すなわち過去への志向性をもつかどうかにある。想起は過去形の言語的内容をもち、それによって過去についてのものとなる、つまり過去への志向性をもつ。他方、身体的記憶は過去自体によって触発された私の身体反応であり、過去に起因するものではあっても、過去についてのものではない。

哲学が記憶を論じるとき、例えばベルクソンやラッセルにおいて、身体的記憶は軽視ないし無視されてきた。大森と野家の議論もその伝統にのったものと見ることができるだろう。だが、私はその伝統に異を唱えたいと考えている。非言語的な身体的記憶なしには言語的な想起も成り立たないと思うのである。

過去物語を触発する

過去について語ることは、そうした物語が私の口をついて出てくるという点では、コンサートで聴いた曲が口をついて出てくるのと同様、過去に触発された私の身体反応にほかならない。その意味では、言語的な想起は身体的記憶の一種だと言えるだろう。私は、非言語的に、夏の照りつける日差しの強さを思い出し、蟬たちの声を思い出し、それと同時に、言語的に「境内には誰もいなかった」と語る。それらはすべて、過去自体に触発された私の身体反応である[3]。

だが、言語的な身体反応は事態を決定的に変化させる。「蟬が鳴いていた」と言語的に思い出すとしよう。それは私の（言語習得によって身についた）自然な身体反応であるが、同時に日本語の文でもある。それゆえ、「蟬が鳴いていた」という私の言語的な身体反応は日本語によって開かれる論理空間内に〈蟬が鳴いていた〉という事態を指定することになる。かくして、「蟬が鳴いていた」という過去物語によって、非言語的であった過去自体が、蟬が鳴いていたというできごととして形を与えられる。非言語的な体験の場としての過去自体は、過去物語によって言語的に分節化された過去世界になるのである。その意味で、確かに、分節化された過去世界は現在の過去物語によって作られていると言えるだろう。

だが、そうだとしても、過去世界すなわち過去物語ではない。私は、過去世界をあくまでも過去物語の原因として作る。過去物語が過去自体からできごとを分節化すると、われわれはそのできごとを原因として捉えることができるようになる。触発は、ここにおいて因果として捉えられる。いま私が「蟬が鳴いていた」と物語ることは、蟬が鳴いていたというできごとに因果的に引き起こされたものとされるのである。つまり、過去物語によって作られた過去世界は、その過去物語を引き起こした原因にほかならない。

そして原因と結果は、言うまでもなく、同じできごとではない。また、原因と結果の関係はけっして必然的なものではなく、かりに桶屋がもうかるという結果にならなかったとしても、風が吹いたという事実は変わらない。同様に、かりに過去物語という結果に結びつかなかったとしても、その原因となった過去世界は存在する。なるほど、「蟬が鳴いていた」と語るからこそ、私はその原因となった体験をまさにその語りを用いて「蟬の鳴き声を聞いていた体験」として捉える。だが私は過去のその体験を、あくまでも私がそのように物語ることとは独立に存在するものとして、語り出すのである。

過去自体を、「物語としての過去」に対して「語らせる過去」と呼ぼう。過去自体が私を触発して、私に過去を物語らせる。ここでも私は、語らせる過去が、語られた過去よりもはるかに豊かなものであるという思いを抑えることができない。語らせる力をもちながら、しかし語られなかった過去。それを、「語られないがゆえに存在しない」と、私は言う気にはならない。

第20回　註

1　過去整合説

「整合性のチェックが、そして整合性のチェックだけが、過去命題（過去の世界のあり方を記述した命題）の検証手段である」とする考え方を「過去整合説」と呼ぼう。大森や野家がこれほど潔癖な整合説を唱えているかどうかは不明であるが、過去整合説は過去命題の検証のあり方を捉えようとする考え方としては、一面では不十分であり、また一面では過剰である。

現在までに真とみなされてきた過去命題の集合をAとしよう。そこには歴史の教科書に載っているようなことがら（織田信長は本能寺で自刃した）もあれば、私の個人的な記憶に基づくもの（野矢茂樹は子どもの頃江の島海岸で溺れそうになった）もある。そこに過去命題pが新たに付加されたとする。しかも、pはこれまでの過去命題の集合Aと整合しないとしよう。そのとき、確かにわれわれはその整合性を回復するようになんらかの修正を施すことになる。だが過去整合説は、われわれがどのようにして整合性を回復しているのかについても、またどのように整合性を回復すべきなのかについても、何も述べてはいない。ただ「整合性が回復されたならば、その整合的な集合に属する過去命題は真だ」と言うのみである。それは整合性を回復する手段について何も述べていない、これが過去整合説の不十分さの一つである。

また、整合性だけで考えるならば、かなり突拍子もない修正も可能となる。かなり突拍子もない例を出そう。いま、次の過去命題を考える。「野矢茂樹は三歳のときに宇宙人にさらわれ、十五歳のときに模造記憶を植えつけられて地球に帰された。」そのさい、周囲の人間たちの記憶も改竄され、関連する物品も周到に用意された。」もしこれが事実ならば、私が子どもの頃（小学校低学年の頃だっただろうか）江の島海岸で溺れそうになったという記憶も宇宙人の捏造ということになる。もちろんわれわれはこんな荒唐無稽な可能性は最初から無視する。しかし、過去整合説に従うならば、荒唐無稽だからという理由でそれを却下することはできない。過去命題aとbが不整合を起こしているとしよう。そのとき、aを真としてbを偽とするか、aを偽としてbを真とするか、あるいはいっそaもbも偽とするか、その三つの選択肢がある。そして過去整合説はそのどの選択肢も均等に扱うしかない。bがどれほど荒唐無稽であったとしても、bが真でaが偽という選択肢を排除できないのである。この点でも、過去整合説は不十分と言わざるをえない。

また、過去整合説には過剰な面もある。任意の過去命題の真偽に対していちいち整合性のチェックをかけるなどということは、われわれの実践のあり方からかけ離れている。例えば私はさっきコーヒーを飲んだことを覚えている。それは鮮明な記憶である。認知症的な事情があれば話は別であるが、正常な範囲であれば、われわれはさっきコーヒーを飲んだといった鮮明な記憶についてはそもそもなんのチェックもなしにそれを真として受け入れるだろう。それに対して過去整合説は、すべての過去命題をいったんは係争中のものとして、それを整合性の法廷にかける。そしてオーケーが出たものをわれわれは信頼することになる。だが、それはまったく実情ではない。われわれの生活はいくつもの記憶を無条件で信頼することによって成り立っている。先週授業をした。昨夜風呂に入った。さっきコーヒーを飲んだ。私はこうした記憶に対していちいち整合性のチェックを施しはしない。さらに言えば、それを明示的に思い出しさえしないかもしれない。例えば私は先週授業をしたことを表立って思い出しはしない。しかし私は今週の授業の準備をし、そのさい先週の続きから授業内容を検討する。私のこの行動は、先週授業をしたということを暗黙裡に踏まえている。こうして、明示的にせよ暗黙の内にせよ、私は過去のあることがらを鵜呑みにして生活しているのである。

　こうした事情を論理空間と行為空間という言葉を用いて述べることもできる。もし諸命題の整合性を論理空間上で考えるならば、すなわち、論理的な可能性をすべて均等に考慮した上で整合性を考えるならば、それはわれわれを身動きとれない状態に放置することになる。それゆえ、整合性を考えるにせよ、あくまでも行為空間の中で考えねばならない。われわれは荒唐無稽な可能性を最初から無視し、(認知症の疑いといった)特段の理由がなければ明晰判明な記憶を無条件で信頼する。それはまさに私が行為空間という概念で考えていることに重なるものである。そして、行為空間の中で過去命題の検証を考えるならば、整合性のチェックはさらに行為・実践との関係から捉え返されねばならない。それは、整合説と呼ぶよりはプラグマティズムの真理観に近いものとなるだろう。

2　歴史的過去の過去自体

私が「過去自体」と呼ぶものは、さしあたり、われわれの現在のさまざまな反応を触発する過去の非言語的体験である。だが、それはなお「体験」の範囲にあるため、過去世界全体からすればかなり局所的なものにとどまっている。過去はわれわれの記憶の範囲をはるかに越えて広がっているだろう。そこで、われわれの記憶の範囲を越えた過去をとりあえず「歴史的過去」と呼んでおこう。いったい、歴史的過去における過去自体について、どう考えればよいのだろうか。もはや現在のわれわれを記憶の形で触発することのない遠い過去の過去自体——。

歴史的過去は想起的にではなく、史料に基づいて探求される。ではその史料はどのようにして作られたかと言えば、それを作成した人自身の記憶に基づくか、他人からの伝聞に基づくか、あるいは別の史料に基づくだろう。伝聞や史料に基づく場合、さらにその元を辿っていけば、その史料が捏造でないかぎり、必ず誰かの記憶に行き着くと考えられる。そうであるとすれば、史料もまた、その元々は過去自体からの触発の産物であったと言える。いわば、史料は、かつての触発の残響なのである。そう考えれば、史料に基づいて明らかにされた歴史的過去もまた、非言語的な過去自体に取り巻かれていると考えるべきだろう。

だが、事情はもう少し複雑である。われわれが史料にかつての触発の残響を聴きとるのは、われわれが史料を言語的に読み解くからでしかない。言語がなければ過去は体験の範囲を越えることはない。言語をもたぬ動物たちは歴史意識をもちえず、その時間的世界は彼らの体験の範囲に限られている。人間以外のどんな動物が、自分が生まれる前の世界に思いを馳せるだろう。

そうだとすると、より正確には事情はこうであると思われる。われわれは歴史的過去を語る。大森や野家の言い方をするならば、過去を物語る。そうして言語的に物語ることによって初めて、体験の範囲を越えた過去が開ける。だが、言うまでもなく、われわれはたんに思いつくままを物語るのではない。歴史的過去は史料に基づいて語られねばならない。ここで、歴史家には失礼してかなり単純化して述べることを許していただきたい。例えば一冊の日記がある。われわれはその日記を一つの拠り所として平安時代について物語を組み立てる。そうして平安時代の物語を開くと同時に、その日記――その著者がそれを書いたという事実――もまた、その物語の中に投げ込まれる。それは、二重の意味で「平安時代の」日記なのである。すなわち、平安時代について書かれたという意味で、そしてまた平安時代において書かれたという意味で。史料は過去物語を開くと同時に、過去物語の中に投げ返される。そして過去物語の中に位置づけられて初めて、史料は触発の残響を響かせることになる。われわれは、平安時代にその著者がその日記を書いたという事実から、その著者をそのように触発した非言語的な体験たる過去自体をそこに想定する。こうして、史料は過去物語を開き、その物語の内に自らを位置づけることによって、その過去物語を取り巻く圧倒的に豊かな過去自体を、そこに横たわらせるのである。

3 身体的記憶と言語的記憶

ここで、記憶に関するいくつかの用語の整理を行ない、とくに身体的記憶と言語的記憶の関係について補足をしておきたい。

過去のできごとを思い出すことは、自転車の乗り方を覚えているといった場合と対比して「エピソード記憶」と呼ばれることもあるが、われわれはこれをふつうの意味で「想起」と呼ぶことができるだろう。過去のできごとについて思い出すこと、これが想起である。重要なことは、過去への志向性がそこに見出されるという点にある。それに対して、自転車の乗り方を覚えているといった記憶を、私は野家にならって「身体的記憶」と呼ぶ。身体的記憶のポイントは、想起と異なり、過去への志向性が見出されないことにある。想起と身体的記憶をあわせて、「記憶」と総称する。「思い出す」という語は想起を表わし、「覚えている」という語は記憶一般を表わす。

記憶（覚えている）｛想起（思い出す）……過去への志向性をもつ
身体的記憶……過去への志向性をもたない｝

過去への志向性をもつかどうかで想起と身体的記憶は区別されるが、その区別はただちに言語的記憶と非言語的記憶の区別に重なるわけではない。例えば、昨夜のコンサートのことを思い出すとき、そこで思い出される演奏は非言語的であるだろう。それゆえ私としては、「想起すなわち言語的」とは言いたくない。だが、想起のポイントである過去への志向性は、言語によってのみ生じる。ただ過去形を用いた言語使用だけが、過去世界を過去として開く。大森も野家もそう主張するが、その点に関しては私もまったく同意したい。それゆえ、想起は必ず言語的な部分を含まねばならない。しかし、想起されることのすべてが言語的である必要はない。私は昨夜の演奏についてさまざまに言語的に思い出すだけでなく、その演奏の実際や会場の雰囲気を非言語的に思い出しもする。他方、「身体的記憶はすべて非言語的である」と言えるかどうかについては、いささか微妙な点がある。というのも、本文において私は、「非言語的に、夏の照りつける日差しの強さを思い出し、蝉たちの声を思い出し、それと同時に、言語的に「境内には誰もいなかった」と語る。それらはすべて、過去自体に触発された私の身体反応である」と書いたからである。

「境内には誰もいなかった」という音の組合せを発すること、それ自体は身体的記憶だと言いたい。もちろん私はその音列を有意味な言語使用として発話する。それゆえ、その発話によって過去への志向性が生じ、それは想起ともなる。だが、想起の基盤には非志向的な身体的記憶がなければならない。これが、本文で述べた私の基本的な主張である。

とはいえ、まったく非志向的であるならば、それは「記憶」とも呼べないだろう。例えば、運動神経のよい人が初めて一輪車に挑戦し、最初からみごとに乗りこなしたとする。だがそれは身体的「記憶」ではない。他方、私がいま自転車に乗れるのは身体的「記憶」である。その違いは、言うまでもなく、過去にそれを練習したことがあるかどうかにある。少し個人的な話をさせていただけば、私の場合には、あれは小学校二年か三年だったろうか、補助輪のない自転車で、後ろを人に持ってもらいながら走っていた。しばらくして、後ろから「もう、手、放してるぞ」と言われ、言われたとたんに転倒した。そんなことを思い出す。だが、すんなりと練習が成就した人ほど、もう練習のことなど忘れているに違いない。それでもいま自転車に乗れることを「自転車の乗り方を覚えている」と言うのは、常識的に見て練習なしに自転車に乗れるようになるとは考えにくいために、「おそらく練習はしたのだが、いまはもうそのことを忘れているのだろう」と考えるからにほかならない。それゆえ、それが身体的「記憶」であるだろうことはあくまでも推測にとどまる。この推測を正当化するものは、過去の練習を言語的に思い出すことである。

　つまり、身体的記憶は、それが「記憶」であるためには言語的な想起を必要とするのである。身体的記憶はそれ自体では過去への志向性をもたない。それゆえ、身体的記憶を「記憶」として過去に結びつけるものは言語的な想起以外にない。かくして、ここには興味深い構造が確認される。言語的な想起は、その基盤として身体的記憶を必要とする。過去に触発された特定の身体反応をもたない者は、過去を物語ることもできない。だが、身体的記憶を「記憶」たらしめるには言語的な想起が必要となる。この事情をこんなふうに言い換えてもよいだろう。――言語的な想起という能力は身体的記憶が支え、「身体的記憶」という概念は言語的な想起が支える。

　これは、実のところ、過去自体と過去物語との間の関係にほかならない。過去物語は過去自体に触発されて成立する。だが、過去自体を「過去」自体とするものは、過去物語なのである。

21　何が語られたことを真にするのか

今回のタイトルを見て、読者は、この連載の著者が与えそうな答えをただちに返してくるかもしれない。何が語られたことを真にするのかって？　どうせ、ほら、「語られないものが語られたことを真にするのだ」とかなんとか。

当たり。だが、私には正しいと思われるこの答えは、現代哲学の中では強い逆風に晒されている。つまり、あえて対比して言えば、「語られたことだけが語られたことを真にする」という考えの方が、むしろ主流と言えるのである。

そこで、その逆風を感じとっていただくために、「語られないものが語られたことを真にする」というテーゼを念頭におきながら、まずは「語られたことだけが語られたことを真にする」という主張の方を見ていくことにしよう。

所与という考え

われわれはいろいろなことを知っている。堂々たるものとしては自然科学の知識があるが、さしあたりもっと身近な何気ない例で考えていこう。例えば、いま部屋の外で雨は降っていない。私はそのことを知っている。「知っている」と言えるためには、それは当てずっぽうではなく、根拠をもっていなければいけない。窓から外を見ると、青空であるし、道も濡れていない。誰もが傘を差さずに歩いている。これが、外ではいま雨が降っていないということを私が知っていると言える理由である。

このあたりまえのことからひとつの重要な確認が為される。知識であるためには、どういうルートでそれを知るようになったのかということが決定的に重要だ、ということである。例えば、私が部屋の中で水晶玉を覗き込みながら不可解な呪文をつぶやき、やがておもむろに顔をあげ、「外では雨は降っておらん」とか言ったとしても、それは何ごとかを知る適切なルートとはみなされず、それゆえ私はそれを「知っている」とは言われないだろう。

知識を獲得するルートは、人から教えてもらったり、本からであったり、インターネットからであったりする。しかし、そうした知識も元をたどれば、誰かが実際にその目で見て（あるいはその耳で聞き、その手で触れて）、観察したことに基づくと考えられる。より一般的な言い方をすれば、知識は経験に基づくとされるのである。

私は、外が青空で道も濡れていないこと、そして誰もが傘を差さずに歩いていることを窓越しに見た。だから、外では雨は降っていないと考えた。これは観察に基づいた知識であり、適切なルートと言える。ここにおいて、観察は知識を根拠づけている。そして、観察それ自身はもはや他の何ごとかを根拠にもつものではない。われわれはまず観察し、そこからさまざまな知識を得ていく。観察は、知識の出発点として、われわれに直接与えられたものと考えられる。その意味で、観察は「所与《データ》」と呼ばれるのである。

そして、知識がそこから出発すべき最初の地点として、かつて「感覚所与《センスデータ》」と呼ばれるものが考えられた。知識を獲得する本当の出発点にある所与は、何一つ知識をもっていない完璧に無知の人間にも観察できるものでなければならない。だとすれば、「道が濡れていない」などという観察はまだ真のスタート地点とは言えないだろう。「道」も知らない、「濡れる」も知らない、そんな人間にも可能な観察。何も知らなくったって、何かは見たり聞いたりしているはずだ。それが、センスデータにほかならない。つまり、それはいっさいの知識を含まず、また「道」だとか「濡れる」といった概念も含まない、非概念的な経験とされる。

ページから目を上げて、あたりを見ていただきたい。そこから、机だとか棚だとか、意味をすべて剝ぎ取ってしまう。それは色と形の戯れであるが、色や形といった意味さえも剝ぎ取るので、本当にもう表現しようのない非具象的な世界となる。それが、非概念的な経験である。

他方、ここで問題にされている知識は、言語的な内容をもった知識、すなわち「雨」だとか「降っていない」といった概念によって捉えられた概念的な知識にほかならない。かくして、「非概念的な経験（センスデータ）に基づいて概念的な知識が獲得される」という考え方が提唱されることになる。

所与の神話という批判

だが、センスデータ論は厳しく批判された。もし観察が非概念的であり、いっさいの意味を欠いたものであったとしたならば、どうしてそれをもとに、「だから、しかじかの知識が得られた」と言えるのか。

ここにおける「だから」は、「インフルエンザウィルスに感染した。だから、高熱が出た」における「だから」ではなく、「高熱が出ている。だから、インフルエンザかもしれない」におけるような「だから」にほかならない。前者の「だから」は因果関係を表わしている。それに対して後者は、高熱が出たことを証拠として、インフルエンザかもしれないということを推論している。これは、因果関係の「だから」ではなく、推論関係の「だから」である。

では、「このような非概念的な経験をした。だから、しかじかの概念的な知識が得られた」はどうか。知識を正当化するためのデータは、その知識の証拠となるものであるから、その関係は推論的なものでなければならない。しかし、非概念的な経験と概念的な知識をつなど「だから」は、推論的なものではありえない。理由は単純で、推論は言語的な内容において成り立つからである。「道が濡れていない」という意味で捉えられるからこそ、「雨は降っていない」と推論できる。それに対して、非概念的な経験は言語的な分節化をもたない場のようなものにすぎない。そんなものを「かくの如し」と示されても、何も推論できはしない。

たとえて言えば、マネの「草上の昼食」のような具象画から、それに基づいてなんらかの物語(この裸の女性はきっと風邪をひくだろう、等々)を読み取り、語り出すことはできる。だが、抽象画から(さらにそこから色や形という意味さえも剝ぎ取って)、それに基づいて何か物語を読み取れというのは、できない相談だろう。いっさいの意味を奪われたものは、概念的な知識の証拠にはなりえないのである。

この事情を、ウィルフリッド・セラーズは、非概念的経験は「理由の論理空間」には属さない、と表現した。概念的に捉えられていない経験は、概念的な知識を正当化する理由にはなりえないというのである。こうして、知識を根拠づける最終的な所与として非概念的経験をもちだしてくる考え方を、セラーズは「所与の神話」と呼んで批判した。

それゆえ、観察が概念的な知識の根拠となりうるためには、観察もまた概念的なものでなければならない。つまり、私はそれを「青空」「道は濡れていない」「誰もが傘を差さずに歩いている」といった意味のもとに捉えているからこそ、その観察から「雨は降っていない」

という知識を得ることができる。言い換えれば、語られた知識を支えるのは、語られた観察だけなのである。

かくして、非概念的な経験――あるいはむしろ前回までの私自身の言い方に合わせるならば、非言語的な体験、すなわち語られないもの――は、知識にとって何の役目も果たさないと結論できるように思われる。

だが、最初に述べたように、私はこの強い風に逆らって進みたいと考えている。

知識の獲得と活用

といっても、さしあたり言いたいことはあたりまえのことである。（哲学はしばしばあまりにも身近なあたりまえのことを忘れがちになる。）われわれは概念化されたものごとだけに影響を受けるわけではない。インフルエンザという概念をもっていなくとも、ウィルスに感染すれば身体はそのように反応する。暑ければ汗をかき、のどが渇き、水を飲む。道を歩いているときにも、概念的に捉えられていない多様な情報に、私は無自覚の内に反応しているだろう。例えば、足裏の微妙な感覚に反応して歩き方を変化させ、目の端で捉えた何かに反応してそちらを向く。あるいは、こう言ってもよい。言語をもたない動物たちでも、さまざまな仕方で状況に反応する。人間である私もまた、一匹の動物として、非言語的・非概念的なレベルで状況に反応しているのである。こうした動物的な生を適切に導くのでなければば、概念的な知識も適切なものとは言えないだろう。知識の最終的な審級は概念的な観察ではない。それは、非概念的な動物的生なのである。

ここで、ロバート・フォグリンの *Walking the Tightrope of Reason*（Oxford U.P., 2003）に言及しておきたい。私は以前、この本の翻訳（『理性はどうしたって綱渡りです』、春秋社）に共訳者の一人として関わったが、フォグリンもまた私と同じ問題意識をもっており、その点でおおいに共感しながら翻訳を進めたものである。フォグリンの診断によれば、人間の理性は野放図にその本領を発揮させるとろくなことにならない。われわれは理性の手綱をとらねばならない。しかし、理性の手綱を理性にとらせるというのでは洒落にもならない。そこでフォグリンは、理性を非概念的な制約に服させねばならないと訴える。その点で、彼の見るところ（そして私も同感であるが）、非概念的な制約を逃れて理性が野放しになった最たるものが、哲学なのである。逆に、きわめてうまく手綱がとれている例が、自然科学だと言える。

科学と技術

しばらく自然科学について見てみよう。自然科学の営みを、「観察データを集め、それをうまく説明するような理論を立てる」と描写することは、それほど的外れではない。だが、これはまだ自然科学の姿の半面でしかない。「いかに獲得するか」という観点だけから知識を捉えるのでは不十分である。知識はただ手にすればよいというものではない。知識は使うためにある。そして知識を活用する場面においてこそ、知識は非概念的な制約に服することになる。ここにおいて、われわれの眼差しを、知識を獲得する場面から知識を活用する場面へと転換しなければならない。

自然科学の知識が活用される場面、それは技術への応用である。ここで、科学と技術の関係について、「科学理論が技術と独立に前もって確立され、それが技術に応用される」のように考えてはならない。その捉え方はあまりにも素朴である。なるほど、例えば量子論は半導体に応用され、半導体は携帯電話にも利用される。そこで、携帯電話は量子論の恩恵を受けていると言うこともできる。だが、科学と技術の関係は一方向的ではなく、互恵的なのである。技術において、すなわち人間がその技術を用いて活動することにおいて、理論は世界と接触し、世界と擦り合わされる。技術における成功は理論の信頼性を増し、さらなる理論展開を促すだろうし、技術における失敗は理論のどこかがまちがっていたのではないかと疑わせるきっかけとなる。

科学における実験の役割も、このような「知識の活用」という観点から捉えることができる。実験の役割は、たんに観察データの収集というだけではない。理論を技術の形でわれわれの生活の中に取り込む前に、人工的に整えられた環境の中で模擬的に適用してみるという意味が、実験にはある。つまり、理論を実際に世界と接触させ、世界の内に解き放ったならばどうなるかをテストするのである。

実験であれ、技術を実際に活用する場面であれ、理論が世界と接触する仕方は基本的に非概念的なものとなる。例えば、ロケットを飛ばそうとして失敗する。言語的にどう描写しようと、概念的にどう捉えようと、うまくいかなかったことは動かない。概念的に捉えられた理論を、装置のような形で物として実現し、そして世界の中で動かしてみる。それは順調に動いたり、抵抗にあったり、あるいはまったく動かなかったりするだろう。その抵抗こそ、非言語的な場としての世界が理論に向けてくる「力」なのである。

「所与の神話」批判は、知識を獲得する場面に関しては正しいと私も考える。しかし、それは「知識は経験に基づく」ということの半面にすぎない。知識を活用する場面に目を向けるならば、そこでは非言語的体験——語られないもの——こそが、決定的に重要な役割を担っているのである。

知識と行為

日常的な知識の場面でも、知識は活用されるべきものである。もちろん、私がもっている知識のすべてに対して私自身がそれを活用するということは、実際にはありえない。だが、いやしくもそれが知識であるかぎり、誰かがどこかでそれを活用する場面が見出されねばならない[1]。

そして知識の活用は、最終的にはそれを踏まえて行為することに行き着く。外は雨が降っているという知識は、傘を持って外出するという行為を導くだろう。あるいは、腐ったものを食べると腹をこわすという知識は、早目に食べるよう行為を導く。ここにおいて、私は、非言語的な体験に晒されることになる。言葉でそれを何と表現しようとも、それをどのような概念で捉えようとも、傘を差さずに雨の中を歩けばびしょ濡れになり、腐ったものを食べれば腹をこわす。[2]

知識は、行為を通して世界と接触し、交渉する。そしてそれは非概念的・非言語的なものにほかならない。いわば、私はさまざまな知識を携えて、非言語的な体験の海を泳ぐ。うまく泳ぎきれることもあるだろうし、溺れてしまうこともあるだろう。首尾よく泳ぎきれたならば、知識は信頼性を増す。溺れてしまうならば、知識は再点検されねばならない。まさにこのようにして、「語られないものが語られたことを真にする」のである。[3]

第21回　註

1　無用な知識

連載時の文をそのまま残しておいたが、「いやしくもそれが知識であるかぎり、誰かがどこかでそれを活用する場面が見出されねばならない」というのは、おそらく強すぎるだろう。例えば、私は「日本で最初にラーメンを食べたのは水戸光圀である」などというどうでもよい知識をもっているが、誰がどこでどのようにこの知識を活用しうるのか、あまり想像できない。このような知識を「無用な知識」と呼ぶならば、けっこうたくさんの知識が無用なものであるように、私には思われる。

ただし、二点注意しておきたい。

(1) 知識はいわば「公共財」であるから、私がそれを活用できないからといって、無用な知識となるわけではない。例えば、「宇宙にはブラックホールが存在する」などという知識は私にとっては活用のしようもないものだが、共同体全体を考えればけっして無用の知識ではないだろう。

(2) 知識は、ひとつひとつが単独で活用されるのではなく、複数の知識が組み合わされて活用される。複数の知識は互いに関係しあい、体系を成している。その知識体系全体が活用されるのである。それゆえ、ある知識を単体で取り出して無用だと決めつけてはならない。

この二点を考慮した上で、さて、無用な知識はあるだろうか。すでに述べたように、私はあると思う。しかもけっこうたくさんあると思う。くどいようだが、「日本で最初にラーメンを食べたのは水戸光圀である」などは、以上の二点を考慮してもなお、無用な知識なのではないだろうか。

無用な知識の場合には、「成功裏に活用できれば真」といったプラグマティックな基準は適用できない。では、無用な知識はいかにして真とされるのだろう。ラーメンに関するかの一口豆知識に関して言えば、それが真とされる理由は単純であり、記録に残されているからである。（ウィキペディアの二〇二〇年八月の記載に従えば、中国からの亡命者が水戸光圀に中華麺を献上したという記録があるそうである。）一般に歴史的事実の場合には、史料が証拠となる。そして証拠関係とは推論的なものであり、それゆえ言語的なものにほかならない。つまり、この場合には、語られないものではなく語られたもの（記録等の史料）が知識を正当化しているのである。

本文において私は、語られないものが語られたものを正当化すると論じたが、しかし、語られないものだけが語られたものを正当化するとまでは主張していない。なるほど、知識の本領は活用されることにあるだろうから、プラグマティックな基準が最優先されねばならない。すなわち、ある知識体系に対して、成功裏に活用できればその知識体系は全体として正当化され、活用において失敗したならばその知識体系はどこか修正されねばならない。だが、同時に、証拠に基づく正当化も為される。われわれは、この二つの正当化の方法を、プラグマティックな基準を優先させつつ、併用しているのではないだろうか。

ただし、正直に述べておけば、知識の正当化についてはさらに検討しなければならないポイントが多く残されており、私はまだそれを明晰に見通すには至っていない。ここで述べたことも、とりあえずの暫定案にすぎない。

2　知識を踏まえた行為

「知識を踏まえて行為する」という言い方は曖昧である。「踏まえる」というのがどういうことなのかをもう少し規定しておかないと、いろいろなことが「知識を踏まえて行為する」ことに含まれてしまうだろう。

例えば、「日本で最初にラーメンを食べたのは水戸光圀である」という知識を私は無用な知識としたが、こんな知識でも誰かとラーメンを食べながら披露して「へえ」と言ってもらえるぐらいの活用の仕方はあるだろう。あるいは、「光圀ラーメン」なるものも売られているようだが、それも、ある意味ではこの知識を踏まえた行為と言えるかもしれない。しかし、これはわれわれが求める意味での「知識を踏まえた行為」ではない。めでたく光圀ラーメンがたいへんな売れ行きを見せたとしても、そのことはこの知識の正当化とは無縁であると考えられる。逆に、光圀ラーメンがまったく売れなかったとしても、それはこの知識の改訂を促す圧力とはならないだろう。

では、「知識を踏まえて行為する」とはどういうことだろうか。別の例を考えてみよう。例えば、目の前のものを見て「これは卵だ」と判断する。ふつうこういう判断は知識とは言わないかもしれないが、目下の議論の脈絡では堂々たる知識である。私は自分の目で見て、それが卵だと判断した。それゆえ私はそれが卵だと知っている。そこでこの知識と「卵はゆでると固くなる」という知識を組み合わせて、ゆで玉子を作る。ゆで玉子を作るという私の行為は、これらの知識を踏まえていると言えるだろう。この事例が光圀ラーメンの事例と異なるのは、私がそこで世界の事実そのものを利用しているという点にある。私は、これが卵であるという事実、そして卵はゆでると固くなるという世界のあり方を利用して、ゆで玉子を作るのである。

知識を踏まえて行為することのポイントは、行為を通してその知識が世界と接触・交渉することにある。それゆえ、そこで「知識を踏まえる」と言われていることは、世界の事実に到達していなければならない。雨が降っているという知識を踏まえて傘を持って外出するときには、私は雨が降っているという事実を踏まえて行為している。腐ったものを食べると腹をこわすという知識の場合には、腐ったものを食べると腹をこわすという世界のあり方を踏まえて、私は行為している。それに対して、一口豆知識の披露や光圀ラーメンの販売の場合は、いわば「水戸光圀が日本で最初にラーメンを食べた」と言われていることが利用されているのであり、水戸光圀が日本で最初にラーメンを食べたという事実そのものを利用しているわけではない。知識を踏まえて行為するとは、その知識が捉えている世界の事実そのものを利用し（私としてはこれを「知識に対するde re の利用」と呼びたくなる）、その事実が成り立っていることを前提にして行為することである。だからこそ、その行為の失敗は、その事実が実は成立していないのかもしれないという疑いを促す圧力となる。

3　観察文の真偽

誤解されることはないと思うが、念のために述べておけば、「語られないものが語られたことを真にする」からといって、私はセンスデータ論に賛成するわけではない。

まったく日常的な意味で、観察したものを報告した文を「観察文」と呼ぼう。例えば、「いま私の机の上にはコーヒーカップがある」や「犬を連れた人が道を歩いている」は観察文である。センスデータ論は、こうした観察文の証拠となるような経験があると考えた。だが、それは「所与の神話」批判が論じるとおり、まちがいである。観察文は、何かそれを疑うもっともな理由（遠方でよく見えない、暗くて見えにくい、したたかに酔っぱらっている、視力が弱っている等々）がないかぎり、それを正当化するいかなる証拠も必要としない。お好みならば、観察文は無根拠であると言ってもよい。

むしろ、観察文はそれを踏まえて行為することにポイントがある。それゆえ、センスデータ論とはまったく違う意味で、観察文は語られないものによって真とされる。「机の上にコーヒーカップがある」という観察文は、それを踏まえて私がそのコーヒーカップを手にとり、コーヒーを飲むといった行為を成功裏に遂行できれば、真なのである。

ただし、この点についてはより正確に述べなおさねばならないだろう。われわれは行為空間の中で生きている。そこでは、いたずらな懐疑は遮断されている。それゆえ、観察文はそれを疑うもっともな理由がないかぎり、いわばデフォルトで真なのである。私はコーヒーカップを見て、ためらいなくそれに手をのばす。このためらいのなさは私のうかつさの現われではない。半信半疑で手をのばし、ぶじコーヒーが飲めたときにようやくその観察文の真理性を確信する、などというのはまったく実情ではない。だが、言うまでもなく、ときにわれわれは見まちがいや聞きまちがいをする。それは行為の失敗として現われるだろう。観察文を踏まえて行為したところが、うまくいかない。そのときはじめて、われわれはその観察文に疑いの目を向ける。観察文の場合には、「語られないものによって真にされる」というよりも、「語られないものによって偽にされる」と言った方が、より実情に即していると考えられる。

22 何を見ているのか

いったい私は何を見ているのだろう。知覚は、言語的な体験なのだろうか。それとも、非言語的な体験なのだろうか。見まわせば、机が見え、足元に猫が寝ているのが見え、窓の外には曇った空が見える。それらはまさにそのように語り出され、私は言葉で語り出されたそれらを見ているとも言いたくなる。いや、そうではない。言葉はいわば穴ぼこだらけではないか。「曇った空」と言葉で言い表わせる以上のものを、私は見ていないか。言葉では尽くせない穴ぼこから、言葉では語られない不定形のものが溢れてくるのを感じないだろうか。そのとき、知覚は非言語的な体験だと言いたくもなる。

実は、これは現代哲学において論争にもなっている問題にほかならない。一方に、知覚は言語的、あるいはその論争でよく言われる言い方を使えば「概念的」（私はここで「言語的」と「概念的」を同じ意味で用いる）であると言う人たちがいる。他方、知覚は非言語的・非概念的だと主張する人たちがいる。前者は「概念主義」と呼ばれ、後者は「非概念主義」と呼ばれる。そして私はといえば、こうした論争において最もつまらないと言われそうな考えをもっている。概念的な知覚も非概念的な知覚も、どっちもあるんじゃないの、というわけである。

知覚と相貌

まず、知覚は概念的だという考え方から見ていこう。概念主義の旗頭はジョン・マクダウエルである。ここで前回の議論を思い出していただきたい。ウィルフリッド・セラーズは、非概念的な知覚が概念的な知識を正当化するという考えを「所与の神話」として批判した。マクダウェルはセラーズのこの議論を踏襲する。言葉で語れないなんだか分からない不定形のものは、言葉で語られた知識のための証拠とはなりえない。それゆえ、知覚が概念的でなければ知識は経験による支えを失ってしまうだろう。かくしてマクダウェルは、知覚は概念的でなければならないと主張する。

これに対して私は、前回、非概念的な体験が概念的な知識を正当化すると論じた。知識は活用されなければならない。そして知識は、われわれが行為する場面で活用される。その行為がうまくいくかいかないか、それは言葉でどう語られるかとは別の問題である。例えば、それを何と言い表わそうと、ロケットは飛ぶときには飛び、落ちるときには落ちる。どういう概念で捉えようと、腐ったものを食べれば腹をこわす。ここにおいて、非概念的な体験こそが重要となる。それゆえ、知識を正当化するという観点だけから言えば、知覚は概念的でも非概念的でもどちらでもかまわないのである。

その上で、改めて知覚のあり方を考えてみるならば、マクダウェルの議論とは別に、知覚が概念的・言語的な側面をもつことは明らかであるように、私には思われる。猫を見るとき、われわれはそれを猫という相貌のもとに見ている。そして猫という相貌は、猫という概念をもつ者たちにだけ現われる。以前私は、「クリーニャー」という変な概念をもっている人たちを想像してみた（第7回）。その人たちは猫という概念も掃除機という概念ももっておらず、猫を見ても掃除機を見ても「クリーニャー」と言う。彼らにとっては、そこで昼寝している、われわれには猫の相貌をもつそれが、クリーニャーという相貌をもっているだろう。それは、われわれには想像もつかない相貌でしかない。相貌は、まさにどのような概念をもつかに依存するのである。

こうしてみると、われわれが知覚するものは、猫だけでなく、樹木、建物、あるいはさまざまな性質や状態や動作、そしてそれらが組み合わさった事実（猫が陽だまりで寝ていること）、ことごとく相貌をもっているように思われる。

では、知覚はすべて概念的なのだろうか？

無意識的な知覚

知覚には、意識的な知覚だけではなく、無意識的な知覚もある。そして無意識的な知覚に関しては、おそらく、非言語的な知覚の存在はあまり異論なく受け入れられるのではないだろうか。実際、マクダウェルも無意識的な知覚について概念主義を主張するわけではない。そこでまず、無意識的な知覚が存在するということを簡単に見ておこう。

例えば、飛んできたボールを見たという自覚なしに、それでもとっさにそれをよけていたといったことはありうるだろう。そのような場合、それを「目には入っていたが見ていなかった」と言うか、あるいは「無意識のうちに見ていた」と言うか、それはさしあたりたんなる言葉づかいの問題にすぎない。いずれにせよ、「目に入っていた」とは言われうるのであり、私としては、それもまた「知覚」と呼ぶことにしたい。なんらかの情報が入力され、それに基づいて行為ないし行為への構えが引き起こされ、しかもその行為が適切なものであるならば、その情報取得を「知覚」と呼んでいけない理由はないと、私には思われる。（無意識的な知覚に関する事実や実験の事例は、例えば下條信輔『サブリミナル・マインド』（中公新書）などを参照されたい。）

無意識的な知覚を認めるのであれば、そこにおいては非概念的な知覚も容易に認められるだろう。例えば、箸を使って何かをつかむとき、その微妙な感触の違いで箸をもつ力の入れ方を調整する。そうした情報は、多くの場合非言語的・非概念的であるに違いない。感覚器官を通して非概念的な刺激が入力され、それと自覚することなく、身体がその刺激に反応する。そんな事例はいくらでも見出せるだろう。

とはいえ、無意識の知覚がすべて非概念的というわけでもない。無意識のうちに相貌を知覚し、反応しているということもあるだろう。例えば、がやがやしたパーティ会場で、背後の人たちの会話など聞いていなかったはずなのに、自分の名前が口にされるとそこだけ聞こえてくるという現象がある。逆に言えば、その他の会話は、耳に入っていたのだが、無意識のうちに不要の情報として処理していたのである。ここで無意識のうちに処理されたのは会話であり、その内容であるから、概念的なものである。それゆえそれらの会話は、無意識のうちに、しかも概念的に知覚されていたと言えるだろう。

つまり、無意識の知覚と呼びうるようなレベルでは、非概念的な知覚も概念的な知覚も、ともに見出せるのである。

では、意識的な知覚の場合はどうだろうか。

微妙な色合いという問題

概念主義は、意識的な知覚はすべて概念的であると主張する。それに対して私は、意識的な場合にも、概念的な知覚と非概念的な知覚が両方あると言いたい。

概念主義に対する非概念主義者からの反論はさまざまにあるが、私の見るところ、最も強力な反論は最もシンプルなものであるように思われる。つまり、目を開けてよく見てみよ。概念的に捉えられる以上のものがそこにあるのは明らかじゃないか、というわけである。例えば、微妙な色合い。一個のりんごを手に取ってみよう。君はその色合いをすべて言葉で表現できるか、と。

とはいえ正直に言って、この反論はあまりに素朴で、一見チャチな反論にも見える。実際、マクダウェルはこれに対して次のように再反論してくる（J. McDowell, *Mind and World*, Harvard U.P. 1994, pp.57-58. 神崎繁他訳『心と世界』、勁草書房、一〇二—一〇五ページ）。

なるほど、既存の色名の中にはその微妙な色合いを表わす言葉はないかもしれない。しかし、「この色合い」や「あの色合い」といった言い方で、それを言語的に表現することはできる。そのとき、「この」や「あの」という指示詞で示されているその色が、新たな色見本となる。もしそれが一枚の色紙ならば、その色紙を持ち歩いてもよいだろうが、そうでなければ記憶に頼ることができる。そうしてわれわれは、あとになって「あの色合いはちょっと派手だったな」と思い出したり、また後に同じ色合いを見たときに「これはあのときのあの色合いと同じ色だ」と再認したりするだろう。そうであれば、「この色合い」や「あの色合い」という言い方で、そのいわく言い難い色が概念的に捉えられているということになる。われわれは、「色合い」という概念と「この」や「あの」という指示詞を用い、目の前のその色を新たな色見本として、既存の言葉にはない色概念をその場で作ることができる。かくして、われわれが認知しうる色合いであれば、それはすべて概念化することができるのである。

だが、私の考えでは、マクダウェルのこの再反論は失敗している。第一に、ある色合いを指し示して「この色合い」と表現するだけでは、概念を形成したことにはならない。「この色合い」がどの範囲の色合いを指すのかは、それだけではまだ分からないからである。その色と並べたときに違いが分からないほど厳密に同じ色合いだけを指すのか、そうでないならば、どの程度の違いまで許容するのか、そうしたことは、その見本を用いてある程度安定したやりとりができるようにならなければ定まらない。概念は、われわれの安定した言語使用において形成されるものにほかならない。ウィトゲンシュタイン的に言えば概念を定めるのは慣用であり、グッドマン的に言えば習慣による囲い込みである。つまり、概念形成には時間も手間もかかるのである。

すると第二に、初めてその色合いを見た場面では、「この色合い」に関わる慣用も習慣も形成されていないのであるから、われわれはその概念をもっていないと言うべきなのである。ここで、「概念をもつ」とはどういうことなのかに関して以前に為した議論（第11回）を振り返っていただければ幸いである。例えば、猫と掃除機をともに表わす概念である「クリーニャー」。われわれはその概念を理解することはできる。既存の日本語に翻訳することもできる（「猫または掃除機」）。だが、われわれはその概念を実際に使いこなしてはいない。その意味で、われわれはクリーニャーという概念をもってはいない。同様に、既存の日本語では表現できない色合いは、まさに既存の日本語では用いられていないがゆえに、われわれはそのような概念を使いこなしてはおらず、それゆえその概念を所有してはいないのである。

そのように見るならば、われわれが目にしている微妙な色合いの多く（ほとんど？）に対して、われわれはその色合いを表わす概念をもっていないと言うべきだろう。

味覚はどのようにして概念的なのか

味覚の事例で考えてみよう。何かを口にしたときに「この味」と言う。だが、そこには少なくとも三つの異なるレベルがあるだろう。第一レベル（素人レベル）は、「この味、好きだなあ」などと言って、それでおしまい。後に同じものを食べてもそれがあのときの「あの味」かどうか分からない。第二レベル（グルメレベル）は、その味を再認できるレベル。再びその料理を食べたときに、「前と違う」とか「そうそう、この味」とか言える。しかし、実際に食べてみないと「この味」とは言えない。第三レベル（料理人レベル）は、実際に食べていなくとも、「またあの味にしよう」とか、「あの味に少し辛味をつけてみよう」とか考えられるレベル。マクダウェルは、概念的な知覚の条件として第二レベル（再認可能性）を要求する。だが、私はそれに対して二つの点で反対したい。

まず第一に、われわれの実際の経験のレベルを、私はマクダウェルよりも低いところに見たい。再認できない素人レベルの味覚経験というのは確かにある。そしてこの事実は、非概念的な味覚経験があることを意味している。

第二に、「概念的」であるための要求を、私はマクダウェルよりも高いところ、料理人レベルに置きたい。概念とは、それを用いて思考することができるものでなければならない。実際に猫がいないところでも猫についてあれこれ考えることができる。それが、「猫」という概念をもっていると言われるためには必要だと思うのである。味覚の場合も、実際にその料理を食べていないときに、その味についてあれこれ考えることができるのでなければ、「この味」という概念をもっているとは言えないだろう。

マクダウェルに従えば、微妙な味でも、「この味」として捉えれば、次にその味を経験したときにそれを再認でき、それゆえ概念的だということになる。しかし、再認できない味覚はあるし、また再認できるからといって、それだけではそれを「概念的」と言うには不十分なのである。[1]

非概念的な知覚は概念化の可能性をもつ

こうして私は、概念主義でも非概念主義でもない描像に到達する。知覚は、意識的であれ無意識的であれ、概念的なものと非概念的なものをともにもっている。

目の前の光景を見てみよう。そこには概念的な知覚も非概念的な知覚もある。「曇った空」が見える。それは概念的に「曇った空」として捉えられる。そして同時に、その曇り空はいわく言い難いあり方をしている。それは、ニュアンスと言ってもよいし、表情と言ってもよいだろう。概念的な知覚、すなわち相貌は、このように非概念的なニュアンスや表情をまとって現われている[2]。

最後に、非概念的な知覚は概念化の可能性をもっていることを強調しておこう。マクダウエルが指摘したように、既存の日本語では表現できない微妙な色合いであっても、「この色合い」という言い方でそれを捉えることはできる。もちろん、この時点ではわれわれはまだその概念をもっているとは言えない。しかし、これは概念化の端緒を与える。われわれはその色合いを一つの見本として、しかるべき慣用と習慣を形成するよう働きかけることができる。そうして新たな言語実践が定着すれば、われわれは「この色合い」を表わす新たな概念をもつようになる。あるいは、早春の山のえも言われぬ表情を「山笑う」と表現し、それがわれわれの言語実践の中に定着すれば、まさにそこに山笑うという相貌が立ち現われるだろう。非概念的な知覚は、そうして概念的な知覚の隙間から溢れ出し、いつか語り出されるかもしれないそのときを待っているのである。

第22回　註

1　概念主義に対するもう一つの反論

概念主義に対する非概念主義からの別の反論としては、「知覚を言語的・概念的なものに限定してしまうと、言語をもたない動物や言語習得以前の赤ん坊は知覚していないことになってしまう」というものがある。だが、概念主義がこれに反論するのは難しくないだろう。概念主義は言語をもつ人間についての主張であり、それ以外のものについてまで概念主義を言い立てる必要はない。それゆえ、言語をもたない動物や赤ん坊に対しては概念主義とは別立てに考えることができる。必要ならば、言語をもたないものに対しては非概念的知覚を認めることもできるだろう。ともあれ、言語をもたない動物や赤ん坊たちの知覚がどのようなものであるにせよ、言語をもった人間の、しかも意識的な知覚については、すべて概念的なのだというわけである。

とはいえ、このような概念主義からの応答にはなお不満が残るかもしれない。というのも、この概念主義の応答は、言語をもたない動物や赤ん坊の知覚と言語をもつ人間の知覚をまったく異なるものとして峻別するが、それは必ずしもわれわれの直観に合致しないからである。もちろん、動物や赤ん坊の知覚についてのわれわれの直観なるものも頼りないものでしかないだろうが、しかし、私としては、「人間もまた動物である」ということを重く受け止めたいと考えている。言語をもつことによって人間は言語をもたないものたちから決定的に異なる存在となった。それは確かだろう。だが、それでも、われわれもまた動物である。それゆえ、知覚の場面でも、動物が享受しているものと共通のものを(全面的にではないが、少なくとも部分的に)享受している。すなわち、私は、われわれもまた言語をもたぬ動物たちと同様の非概念的な知覚をある程度は享受していると考えたいのである。だが、これは概念主義に対して私が抱く不満ではあるが、反論というほど強いものではない。

2 非概念的な知覚と複眼的構造

かつて私は、『哲学・航海日誌』(春秋社、一九九九年/中公文庫、二〇一〇年)において、知覚と感覚の違いについて考察し、そのさい、知覚は「……であることを見る」

といった形式をもつが、感覚はそのような形式をもたない、例えば痛みは「……であることを痛む」という形式をもつわけではない、と論じた。だが、これを書いたとき私は、概念的な知覚のことしか考えていなかった。（文庫版のあとがきに書いた表現を用いるならば、『哲学・航海日誌』には「語りえぬものに対する疼き」がなかった。）それゆえ、『哲学・航海日誌』における論述は修正されねばならない。

「……であることを見る」における「……であること」とは、例えば「足元で猫が寝ていること」であり、それは言語的・概念的な内容にほかならない。それゆえ、非概念的な知覚は「……であることを見る」といった形式をもちはしないのである。では、非概念的な知覚はむしろ知覚よりも感覚に近いと言うべきなのだろうか。

まず、私が知覚と感覚の違いの核心と考える点から押さえていこう。私は、知覚のポイントは「同一の対象を異なる視点から捉えること」にあると考えている。（ここで「視点」とは視覚以外の知覚様態にまで拡張して考えられねばならない。）例えば、机の上のコーヒーカップを見るとき、私はそれをさまざまな距離、さまざまな角度から見ることができる。そして私は、『哲学・航海日誌』において知覚がもつこの「同一の対象を複数の視点から捉える」というあり方を、「複眼的構造」と呼んだ。それに対して感覚は複眼的構造をもたない。例えば痛みは、同一の痛みをさまざまな「視点」から痛んでみるといった言い方に意味を与えることができない。視点を変えてコーヒーカップを見るように、「視点」を変えてその痛みを痛んでみるということは意味不明である。そのことは、われわれが「もっとよく見てごらん」とは言うが「もっとよく痛んでごらん」とは言わないことにも現われている。そこで私は、感覚が知覚のような複眼的構造をもたないことを捉えて、感覚のあり方を「単眼的構造」と呼んだのである。

さて、私のそうした議論を踏まえるならば、問題は、非概念的な知覚も複眼的構造をもつのか、である。この問題に思い至ったとき、私が直感的に出した答えは、「もたない」だった。世界を対象に分節化する力をもつのは言語だけである。それゆえ、非概念的・非言語的な知覚は対象に分節化されないものでしかない。だが、対象をもたないのであれば、「同一の対象をさまざまな視点から捉える」という複眼的構造など、もちえようはずもない。そう、思われたのである。私は、いまでは私のこの議論はまちがっていると考えている。しかし――読者を私の紆余曲折につきあわせて申し訳ないが――、もうしばらく私の最初の直感に沿って進んでみよう。

非言語的知覚が複眼的構造をもたないのだとしたら、非言語的知覚は「知覚」とは呼べないのではないか。そう思われる。だが、必ずしもそうではない。例えばコーヒーカップという対象のもとにいわく言い難い色合いを見るとしよう。ときにその色合いをもっとよく見るために、近づいてみたり、手にもってみたりするかもしれない。ここにおいて、その微妙な色合いという非言語的性質はコーヒーカップという対象のもとにあり、そのおかげで、視点を変えて観察することも可能になるのである。そうだとすれば、なによりもまず言語的・概念的な知覚において対象が与えられ、その上でその対象のもとに非言語的・非概念的知覚が成り立つ、そういう構図になっているのではないか。私の考察はそのように進んだ。

しかもこれは想起における私の議論とパラレルな構図である。第20回で、私は想起を論じ、こう述べた。過去への志向性をもつのは言語だけである。非言語的な身体的記憶はそれ自体では過去についてのものとはならない。それゆえ記憶は、すべてが言語的であるとは言えないが、少なくともそこには言語的想起がなければならない。同じことが知覚についても言えるのではないか。知覚において、対象への志向性をもつのは言語的知覚だけである。非言語的な知覚はそれ自体ではなんらかの対象についてのものとはならない。それゆえ知覚は、すべてが言語的・概念的であるとは言えないが、少なくともそこには言語的・概念的な知覚がなければならない。こう考えて私は思った。――きれいな議論じゃないか。

だが、そうだとすると、言語をもたない動物や赤ん坊はどうなるのか。私は嫌な感じがした。言語をもたないのであれば、概念的知覚はもちえない。だが、いま私が考察を進めてきた地点に立つならば、概念的知覚がゼロであれば非概念的知覚は「同一の対象をさまざまな視点から捉える」という複眼的構造をもちえないことになる。他方、『哲学・航海日誌』以来、私は複眼的構造を知覚の本質と考えてきた。そうして私は二つの結論の内、どちらかを選ばなければならなくなった。

（1）言語をもたない動物や赤ん坊は知覚しない。

（2）複眼的構造は知覚の本質ではない。

そしていったんは（1）の結論に立ったのである。私は足元で寝ている猫を見てつぶやいた。おい、はるちゃん。あんたは知覚してないのか？

私はこの連載の第1回で「猫は後悔するか」と問いかけ、このどことなくぼんやりした猫は（ぼんやりしているがゆえにではなく、言語をもたないがゆえに）後悔なんかしないだろうと結論した。そしていままた、知覚もしていないと結論しようとしている。猫は分節化した構造をもった言語をもっていない。それゆえ対象を分節化していない。ならば「同一の対象をさまざまな視点から捉える」ということもない。したがって知覚していない。——この議論のどこかに穴はないか。

言語をもたないということは、まちがいなくかなり多くのものを動物たちから奪いとる。動物たちを擬人化するならば、フィクションの中でライオンが日本語を話すように、彼らも人間と同程度の言語を用いると想定すべきである。言語を奪っておきながら、複雑な心の動きを動物たちに帰属するような擬人化は矛盾したものでしかないだろう。だが、言語をもたないことによってどれほどのものがそれとともに失われるのかは、慎重に見きわめねばならない。ここで見てとらねばならないことは、動物たちの心的活動の実態という人間にはよく分からぬことではなく、「言語を使う」ということと「知覚する」ということの間の概念上の連関である。

分節化された言語は、例えば「豚が空を飛ぶ」のように、事実に反する事態を表現しうる。われわれは、事実に反する可能性を言語使用において理解する。それゆえ、言語をもたぬ動物は事実に反する可能性を理解しえない。彼らはいわば現実べったりの存在であり、それゆえ「ああすればよかった」とか「こうしなければよかった」といった後悔の思いはもちえない。これが、第1回の私の議論の骨子である。

また、対象を分節化するということは、その対象を異なる状況において考えることができるという反事実的な了解を必要とする。例えば、机の上にコーヒーカップを見るとき、机とコーヒーカップを別々の対象として理解しているためには、そのコーヒーカップが机の上にあるだけではなく、私の手の上にあったり、床におかれたり、あるいは窓から放り投げられたりするといった反事実的な可能性もまた、了解していなければならない。

こうした反事実的な了解は、分節化された言語をもたない動物たちにはもちえないものでしかない。だが、そんな現実べったりな動物たちでも、獲物を追跡することはできる。私はそんな議論を第1回の註4に補足として書いた。それは、動物たちが獲物や敵といった対象を分節化していることとは区別されねばならない。反事実的な了解をもっていない以上、追跡されている獲物は状況に埋め込まれており、状況から切り離された対象としての自律性をもちえていない。あえてそれを表現すれば、非言語的な場の中で、特定の刺激パターンに反応しているのだと言ってもよいかもしれない。彼らは、反事実的な了解のないところで、ただ現実の状況のもつある特徴に対して識別的に反応し、それを追いかけるのである。対象を分節化する以前の、現実べったりの刺激－反応構造の中でも、こうした追跡可能性は捉えられるだろう。

——複眼的構造には、追跡可能性で十分ではないか。私の中にそんな考えが浮かんだ。言語をもたない動物たちは、なるほど対象を概念レベルで捉えてはいない。しかし、特定の対象に対して識別的に反応することはできる。実は、我が家にいるもう一匹の猫（あんず、出番だ）は「もってこい」をする。気が向くとお気に入りのおもちゃを私の近くに落として、待っている。向こうに放ってやると走っていってくわえて戻ってくる。それを飽きることなく繰り返す。猫自慢に聞こえてしまったらご寛恕願いたい。彼女はそうしてそのおもちゃを追跡するのである。このとき、その猫はそのおもちゃを複眼的に捉えていると言うことは許されるのではないか。対象を追跡している間、自分と対象の位置関係は変化する。それゆえ、さまざまな視点から対象を捉えていると言ってよいだろう。

言語をもたない動物たちは反事実的な了解をもつことができず、現実の中でしか生きていない。しかし、現実の中だけであれ、変化する視点の中で同一の対象に対して識別的に反応することはできる。つまり、複眼的構造は、反事実的な可能性まで要求しなくとも、現実の中だけでも持ちうるのである。

もしそう考えてよいのならば、知覚の本質は複眼的構造にあるという私の主張を保持しながら、言語をもたない動物や赤ん坊から知覚を奪いとらないで済む。はるもあんずも、私を見ている。哲学者として以上に、飼主として、どこか安堵するのである。

23 言語が見せる世界

相貌を見る

街の雑踏を歩き、そこに行き交う人々を見るとき、私は彼らをたんに「人として」しか見ていない。もちろん彼らは年齢・性別・服装もさまざまであり、仔細に観察すれば尽きることなくその一人一人についてディテイルを語り出すことができるだろう。しかし彼らに対する私の無関心は、たんに彼らを「人として」の相貌のもとに捉えている。あるいはもう少し分解能が上がったとしても、「中年男性」「若い女性」「老人」「子ども」等々の相貌のもとで見ているだろう。いずれにせよ、一人一人がもつ個性へと関心が向かないとき、私は彼らをなんらかの一般的な相貌のもとに見ている。つまり、「人」「男性」「女性」「中年」「若い」「老人」「子ども」といった概念のレベルで彼らを見ているのである。

どの概念のもとに相貌を知覚するかは、その対象に対する知覚主体の関心に応じている。関心があれば、その概念はより詳細なものとなり、関心がなければ大雑把な概念で済ませてしまうだろう。あるいは、言うまでもなく、自分の手持ちの概念でしか対象を捉えることはできない。「ツグミ」という概念をもっていない人は、ツグミを見てもそれを「ツグミとして」見ることはない。相貌は、関心に応じて、そしてまたどの概念をもっているかに応じて、異なりうるのである。

では、「相貌を見る」とはどういうことだろうか。だが、この問いに答えるには、まず「概念とは何か」という大きな問題に多少なりとも答えを与えておかねばならない。

概念とプロトタイプ

例えば「鳥」という概念を考えよう。「鳥」という概念とは何か。これに対する一つの答えは、それは鳥たちの集合だというものである。「鳥」という概念を満たすものの集合は「鳥」の外延と言われる。あるいは、「鳥」の概念とは鳥たちの集合を規定するような諸特徴だという答え方もある。そのような、ある外延を規定する特徴は内包と言われる。このように外延や内包によって概念の内実を捉えようとする考え方は、「古典的概念観」と呼べるだろう。

古典的概念観に従って「鳥」という概念を外延的に捉えるとき、その集合には「鳥」と呼ばれうるありとあらゆるものが属している。その中には、ダチョウやペンギンのような、いささか鳥らしからぬ鳥も含まれることになる。他方、「ああ人は昔々、鳥だったのかもしれないね。こんなにも、こんなにも、空が恋しい」（中島みゆき作詞）などと歌い上げるとき、誰もダチョウやペンギンのことは考えていない。

われわれの概念理解には、たんに鳥の集合を規定できる、すなわち鳥と鳥ではないものとを弁別できるというだけではなく、どういう鳥が典型的な鳥らしい鳥であり、どういう鳥が例外的な鳥らしからぬ鳥なのかという了解も含まれているように思われる。そこで認知意味論は、そうした典型例を「プロトタイプ」と呼び、古典的概念観に反して、ある概念をもっていることの核心をその概念のプロトタイプを把握していることに見るのである。

このようなプロトタイプを重視する考え方に立つとき、二人の人が同じものを同じように「鳥」と呼んだとしても、つまり、その外延の規定は同じであったとしても、何を典型例とするかによってその概念内容は異なりうることになる。例えば、私の場合には、アヒルよりはカラスの方がより鳥のプロトタイプに近いと考えているが、アヒルの方がカラスよりも鳥のプロトタイプに近いと考える人たちもいるかもしれない。その場合には、その分、「鳥」という概念も異なっていると言うべきだろう。想像しにくいがもっと極端な場合を考えるとすれば、ペンギンこそ鳥のプロトタイプであり、カラスを見たときに「変な鳥！」などと言う人たちがいたとして、その人たちはわれわれとはかなり異なった「鳥」概念をもっていると言えるだろう。

あるいは、同じ言葉を同じ外延に対して使用していても、時代によってそのプロトタイプが異なるために、その概念は変化したと言うべきであるような場合も少なくないと思われる。例えば、「男」。「男」と呼ばれる対象は昔も今も変わりはない。しかし、男のプロトタイプ、典型的な男とされる対象は、ずいぶん変化した。そしてそれはつまり、「男」の概念が昔と今とで変わったということである。[1]

意味と事実

こうした考え方は、もうひとつの非常に重要な帰結をもっている。「鳥」という概念と「空を飛ぶ」という属性の関係を考えよう。もし「空を飛ぶ」ということが「鳥」という概念に含まれるのだとすると、「空を飛ばない鳥」という表現は論理的に矛盾していることになる。だが、「空を飛ばない鳥」という表現はけっして矛盾ではない。それゆえ「鳥」という概念には「空を飛ぶ」という属性は含まれていないと考えられる。実際、空を飛ぶものとして鳥の集合を規定したならば、ダチョウやペンギンは鳥の集合からは排除されてしまうことになる。それゆえ、「空を飛ぶ」という特徴は「鳥」の内包には含まれないとされねばならない。つまり、古典的概念観のもとでは、「空を飛ぶ」という属性は「鳥」の意味には関わってこないのである。

だが、プロトタイプという考え方に従うならば、「ふつうの鳥は空を飛ぶ」という命題は鳥のプロトタイプについての記述であり、「鳥」の意味に関わるものとなる。先に引用した歌詞などは、まさにこうした鳥のプロトタイプ理解を利用したものにほかならない。こうして、「鳥」という語の意味、鳥の概念の内に、典型的な鳥についてのさまざまな事実が入り込んでくることになる。これは、プロトタイプという考え方の重要な帰結である。

だが、どのような事実でも意味の内に入り込むというわけではない。例えば、カラスは鳥のプロトタイプに属すと言えるが、だからといってカラスについての事実がすべて「鳥」という概念の内に含まれるなどということはない。カラスは紫外線領域を感じとる視細胞をもっているらしいが、そんなことは「鳥」という概念はもちろん、「カラス」の概念の内にも、含まれてはいない。では、どのような事実が概念の内に含まれ、どのような事実が含まれないのだろうか。この問いは、つまるところ、「プロトタイプ」とは何なのか、という問いにほかならない。

典型的な物語

例えば、梢でカーと鳴いているあのカラス、あれは鳥のプロトタイプだろうか。これはなかなか微妙な問題である。

なるほどカラスは鳥のプロトタイプである。だが、梢でカーと鳴いているあれは、鳥のプロトタイプではない。あのカラスは、あのカラスなりの個性を何かもっているだろう。それに対して、プロトタイプはいっさいの個性をもたない。プロトタイプとは、現実に存在するものではなく、いわば概念的に構成された抽象的なものなのである。あるいは、もっと平たい言い方をするならば、鳥のプロトタイプとは現実に存在する鳥ではなく、われわれの通念上の鳥なのである。つまり、ふつうの鳥について語られるふつうの事柄――羽と嘴をもち、空を飛び、卵を産み、鳴き、ある鳥は水面を泳ぎ、ある鳥は渡りを行ない、ペットとして飼われているものもいるし、あるいは人間の食用にされるものもいる、等々――の全体である。そこでは、紫外線を感じる視細胞の有無などは、まったく触れられていない。

　そこで私は、プロトタイプに関わるわれわれのもつ通念を、「典型的な物語」と呼ぶことにしたい。そして、それこそがプロトタイプという言葉で捉えられるべきものであると言いたい。ある概念を理解するとは、その概念のもとに開ける典型的な物語を理解することなのである。[2]

　それゆえ、ある概念を教えるのであれば、その概念のもとに開ける典型的な物語を教えねばならない。生活の中で、テレビや本を通して、ふつうの鳥のふつうの物語を学ぶ。あるいは、子どもに「恋愛」という概念を教えようとしたならば、典型的な恋愛物語を教えることになるだろう。大人には面白くもない陳腐な恋愛ドラマを見せたり読ませたりすること。もちろん実際にドラマなどで展開されるのは、多少なりとも典型的でない要素を含んだ物語であるだろう。しかし、それを通して学ばせたいのは、「ふつうの恋愛のあり方」である。ふつうの男とふつうの女が、ふつうの遊園地でふつうのデートをし、ふつうの映画を見て、ふつうの食事をする。いっさいの個性を剝ぎ取られた徹頭徹尾凡庸な恋愛、おそらくは世の中に存在しない恋愛物語である。

物語を見る

「相貌を見る」とは何かという問題に戻ろう。

相貌とは、あるものをある概念のもとに知覚することである。そこでいまやわれわれはこう答えることができる。相貌を知覚するとは、その概念のもとに開ける典型的な物語をそこにこめて知覚することにほかならない。ひとことで言えば、われわれはそこに物語を見ているのである。

あるものを犬として見るとき、私は、そのものを「ふつうの犬の物語」に登場するキャラクターとして見る。もちろんその犬にはさまざまな個性があるだろう。しかし、さしあたり私はそうした個性に関心をもっていない。道の向こうに見えるそれを、たんに「犬を散歩させている人がいる」と見る。そしてそれ以上の関心をもたない。それゆえ、それはさしあたり犬としての相貌であり、それ以上のものではない。そこに私は、ただふつうの人がふつうの犬をふつうに散歩させているふつうの物語を見る。

相貌は、それをどのような物語の内に位置づけるかに応じて変化する。例えば、泣いている女性が写っている一枚の写真は、それがどのような物語の一場面なのかによって、その相貌を変えるだろう。悲しくて泣いている、つらくて泣いている、あるいはくやしくて泣いているのかもしれない。悲しくて泣いているとしても、そこに読み取られる物語によって、その悲しみの深さや質はさまざまでありうる。その一枚の写真は、前後にどんなストーリーをもつかによって、劇的に異なる相貌をもちうるのである。

　われわれが現実に出会うどの一場面も、なんらかの物語の一場面にほかならない。街ですれ違うどの人も、その人なりの来し方と行く末をもっている。道端の空き缶にも、それなりの来し方と行く末がある。どのような物語の一場面と見るかによって、その相貌が決まってくる。あるものをただ「犬として」見て、それ以上の関心を示さないとき、そこに読み込まれる物語は「犬」という語を用いて語られる典型的な物語である。あるいはその犬にさらに「盲導犬として」の相貌を見るのであれば、私はそこに「訓練を受け盲人の歩行の介助を行なう」という物語を読み込むだろう。

　相貌には物語がこめられている。一般に、何かを「ａとして」知覚するとは、「ａ」という言葉を用いて語り出される典型的な物語をそこにこめることにほかならない。相貌とは、言語がわれわれに見せる世界なのである。[3]

現実のリアリティ

だが、現実はつねに、典型的な物語をはみ出している。

第一に、典型的な物語は不必要なディテイルには関心をもたない。他方、現実は際限なく豊かなディテイルをもつ。ある犬をたんに「犬」の相貌で見ていたとしても、現実のその犬は、その相貌をはるかに越えた細部をもっている。例えばその犬は今朝いたずらをして怒られたかもしれない。しかし、そんなことは典型的な物語に属すことではない。あるいはその犬の色や形に関してだけでも、典型的な物語ではまったく触れられていない細部に満ちているだろう。

第二に、しばしば現実のものごとは典型から逸脱するような性質やふるまいを示す。相応の関心をもって観察すれば、世の中は「変なもの」に満ちている。変な鳴き方をする犬、変わった形の椅子、不思議な味の料理、奇妙な服装、そしてとりわけ人間ときたら、私に言わせれば変な人の方が多いようにすら思われる。とくに「変」とまで言わなくとも、典型からある程度ずれているために「おや?」と目を引くようなことであれば、本当にいくらでもあるだろう。

ここには、私が「実在性《リアリティ》」ということで意味したいと考える二つの側面がある。一つは典型的な物語を越えて際限なくディテイルを供給するという側面、そしてもう一つは典型的な物語から典型的でない物語へと逸脱していくという側面である。概念が開く典型的な物語には、無限のディテイルも、意表を突く驚きも、まったく欠如している。目の前のものにとりたてて関心を抱いていないのであれば、私はただその典型的な物語の世界の内にとどまっているだろう。しかし同時に、そんな典型的な物語を食い破り、そこからはみ出してくる実在性も、われわれは確かに受けとめているのである。世界を語り尽くすことはできない。そして何よりも、世界は私を驚かしうる。それゆえ、典型的な物語の世界は、私にとってあくまでもスタート地点にほかならない。典型的な物語とは、言語によって課される「初期設定《デフォルト》」であると言ってもよいだろう。私はまず、言語が見せる相貌の世界に立つ。そして、世界の実在性に突き動かされ、新たな物語へと歩を進めるのである。[4]

第23回　註

1　男らしさ

関連する話題ではあるが、少し脱線してみたい。
ペンギンやダチョウを「鳥らしからぬ鳥」と言い、スズメやカラスを「鳥らしい鳥」

と言うのは正しいと思うが、私のことを「男らしい男」と言うのはどんなものだろう。私は自分のことをふつうの男であり、けっして変な男ではないと思っている。しかし、あまり「男らしい」とは思っていない。

いや、もちろん私がどのような男なのかが問題なのではない。そんなことは読者の知ったことではない。問題は、「男らしい」という言い方が男のプロトタイプを表わしてはいないように思われることにある。例えば、道ですれ違った人を「ふつうの男性」という相貌で捉え、それ以上の細部には関心をもたなかったとしよう。ではその場面で、私はその人を「男らしい人」という相貌で捉えただろうか。そんなことはない。同様に「ふつうの女性」という相貌で捉えた見知らぬ通行人を、「女らしい人だな」と思ったりはしない。どうも、「……らしい」というのは、それによってプロトタイプを示すこともあるが、必ずしもそうとばかりは言えないように思われる。

では、「男らしい」や「女らしい」というのは男のプロトタイプや女のプロトタイプとどう違うのだろうか。

まず、男のプロトタイプというのがどういうものなのかを考えてみよう。考えてみるとこれがなかなか難しい問題であることに気づかされるのだが、さしあたりは最初の近似としてふつうの男が典型的にもっている性質だけをもち、例外的な性質はいっさいもたないような人物像と言えそうである。では、ふつうの男が典型的にもっている性質とはどのようなものか。（正直に言って、私は自分のこの問いかけに即答できなかった。「ふつうの男……うーむ」とか呟きながら、哲学の問題を考えるときにいつもそうするように、怪しくも近所を徘徊するのだった。とくに現代のわれわれの社会においてはジェンダー的特徴をなくそうという傾向があるので、そもそも男のプロトタイプというのが崩れかけているのかもしれない。それでも、こんなものかなあと思われる性質をいくつかメモすることはできた。）

男のプロトタイプを構成する性質とは、「男というものはふつう（女と比べて相対的に）x」の「x」に入る性質だと考えてよいだろう。さて、xには何が入るだろうか。私の思いついたところでは、「背が高い」「力が強い」「たくさん食べる」「服装に無頓着である」「社会との関わりが強い」「あまり喋らない」「勇敢である」「攻撃的である」「考え方・感じ方が単純である」「気がきかない」「大胆である」「大雑把である」などが入れられるのではないだろうか。もちろん、具体的な個人を見れば、ほとんどの（おそらくはすべての）人はこれらのいずれかを満たさないだろう。だが、これはあくまでも「ふつうの男」像である。また、「男」というのは「女」との対比を成す概念であるから、その特徴づけも基本的に女性との対比となる。（ふつうの男はふつうの女よりも背が高い、ふつうの男はふつうの女よりも力が強い、等々。）

ふつうの男に対するいまの性質のリストがそれほど的外れでないとしよう。これに対して「男らしさ」はどうか。例えば、「単純である」とか「気がきかない」といった性質は「男らしさ」に含まれているのだろうか。そうではないだろう。「男らしい」とは、力が強いとか勇敢であるとか大胆であるといった性質から成っていると思われる。つまり、「男らしい」とは男のプロトタイプを構成する諸性質の中からポジティブな価値を認められる性質を拾い出してきたものなのである。（現代において認められているというよりは、「男らしい」という概念が作られてきた当時の社会においてポジティブな価値を認められていたと言うべきかもしれない。）

すると、「男らしい」とは男のプロトタイプ——典型（ふつうのあり方）——に対して、むしろ「範型」（あらまほしきあり方）と言うべきであり、強く言えば「理想型」に関わるものと言うべきだろう。

ちなみに、女性の場合には、女のプロトタイプの中でポジティブとみなされる／みなされていた性質を集めると「女らしい」と言われ、ネガティブとみなされる／みなされていた性質を集めると「女々しい」と言われてしまうのではないだろうか。もっとも、「女々しい」というのは、女のプロトタイプの中でネガティブとみなされる性質を特徴的にもっている男に対して言われることではあるが。

おまけの問題提起——では、「子どもらしい」というのは、典型なのだろうか、範型なのだろうか。

2　典型的な世界

「プロトタイプ」と言わずに「典型的な物語」と言うことによって、より全体論的な含みが出てくると思われる。例えば「鳥のプロトタイプ」を取り上げるときには、「スズメやカラスは鳥のプロトタイプであり、ペンギンやダチョウは鳥のプロトタイプではない」のように説明される。あたかも、図鑑のページをめくりながら「鳥」という概念を習得しているかのようである。だが、鳥に関する典型的な物語を語ることは、たんに図鑑だけにとどまるものではない。それはふつうの森ないし水辺に生息しているか、あるいはふつうの人にふつうに飼われていたりするだろう。ふつうの動物園にもいる。ふつうの焼鳥屋でふつうに変わり果てた姿となり、ふつうのおじさんの腹におさまっていきもする。それは図鑑の中の鳥の姿などではなく、むしろ鳥にまつわるきわめて多様な通念の全体と言うべきである。

しかも、ある概念にまつわる通念を語り出すとき、そこに登場する他のものたちもまた、プロトタイプとなる。例えば、ふつうの犬はふつうの人にふつうに飼われている。典型的な物語の中では、犬がプロトタイプ（ふつうの犬）であるならば、飼主もプロトタイプ（ふつうの人）である。われわれはそこで、いっさいの個性をはぎとられた純粋に概念レベルの普遍的な物語を語り出す。そこでは、概念同士は論理的な関係よりもゆるい、通念のレベルでつながりあい、その連関はさらに波及して広がっていく。ふつうの犬を飼っているふつうの人は、ふつうの生活を送っている。そこでふつうの人のふつうの生活の物語がそこから開けてくることにもなる。あるいは、ふつうの犬はふつうのエサを食べる。ふつうのエサの多くはふつうのペットショップで売られている。そしてそこにはふつうの店員がいる。こうして、典型的な物語は芋づる式に、というよりも竹林の根のように、あらゆる方向へと伸び、網目状に絡み合うものとなるのである。それゆえ、典型的な物語は全体として典型的な世界全体を語り出すものとなる。もちろんそんな全体を語り出すことは実際には無理であるから、もしそれを表立って語り出そうとしたならば、手の届く範囲にスポットライトを当ててその一部分だけを語ることになるだろうが、われわれが暗黙のうちにもっている概念了解のレベルで言うならば、ある概念が開く典型的な物語は世界全体に広がっているのである。

私は、この全体論的な含意をこめて、「典型的な物語」と言いたい。それゆえそれは、たんに「プロトタイプ」を言い換えただけのものではなく、既存のプロトタイプ概念から一歩踏み出たものとなっているだろう。

3 「物語をこめる」ということ

例えばそこに陶器のコーヒーカップがある。その「陶器のコーヒーカップ」という相貌のもとに、典型的な物語が読みとられる。コーヒーを入れ、持ち手に指を入れてそれを手に持ち、口に運ぶ。飲み終わったら、洗って、しまう。コーヒーが入っているときに倒したらコーヒーがこぼれるだろうし、落としたら割れてしまうかもしれない。こうしたことが、この場合の典型的な物語である。

さらに、この相貌のもとに無数の物語が排除されている。例えば、コーヒーを入れたときにコーヒーが外に滲み出してきてしまうことはないという了解を、われわれはもっているだろう。さらに、あえて言うのもばかばかしいような荒唐無稽な可能性もここでは排除されている。このコーヒーカップはひとりでに移動したりはしない。コーヒーを入れたとたんに爆発することはない。コーヒーを飲みほしたあと自然にコーヒーが湧き出てくることはない。手にもったときに手がくっついて離れなくなることはない。……いくらでも思いつく。

私は、現在の一時点において、このコーヒーカップを見ている。しかし、その相貌はその一時点の事実をはみ出している。第一に、その時点に先立つ過去の物語やそれ以後の未来の物語をもっている。第二に、反事実的な想像（倒したらこぼれ、落としたら割れる）をもっている。そして第三に、無数の荒唐無稽な可能性を排除している。われわれの現在の知覚は、このように過去－現在－未来という時間の流れの中にあり、反事実的な可能性の了解に取り囲まれ、さらに無数の可能性を遮断することによって成り立っているのである。私はこれらをまとめて、「相貌には物語がこめられている」と表現する。

だが、それにしても、「こめられている」とはどういうことだろうか。少なくともそれは表立って考えているということではない。過去、未来、反事実的可能性、そして排除される無数の可能性、そうした物語が織り成す全体を、私がいま表立ってすべて考えているということはありえない。この事情に対する一つのアナロジーはメロディを口ずさむ場合である。ある歌を口ずさもうとして最初の音を口にする。そのとき、私は確かに、最初のその一音にすでにその歌の全体（少なくとも最初の数小節）をこめている。例えば、「はー」と歌い出すとき、私はそこに「はーれーたーるあおぞら」でも「はーるよこい」でもなく、「はーれたそらー、そーよぐかぜー」という能天気な楽曲をこめている。しかし、もちろん私はまだその歌を歌い終わってはいない。その歌の全体のことを頭の中で考えているわけでもない。私はただ、その歌の出だしの音として、その一音を口にしただけでしかない。フッサール的に言えば、「はー」という歌い出しにおいて私は、「歓喜の歌」ではなく「憧れのハワイ航路」を予持(Protention)しているのである。

もちろん、私が生きているそこはつねに「いま」であり、私が向かい合っているのはつねに現実の事実である。だが、私はけっして静止した一時点を生きているわけではない。いささか比喩的かつ曖昧な言い方になってもどかしいのだが、私の立っているそこは、静止した点ではなく、運動の途上にあり、一定の方向を示しているのである。(生の瞬間はスカラー量ではなく、ベクトル量であると言ってもよい。) 私は、目の前のコーヒーカップに対して、これからそれを手に取り、コーヒーを飲もうとする構えのもとに、それを見ている。われわれはそうした運動の方向に対する感受性を確かにもっている。その現われが、相貌にほかならない。(おそらく相貌は、行為ないし行為の意図と密接な関係をもっているだろう。だが、私はまだそうしたことを見通せていない。)

4　個体と相貌

「個体と普遍」という観点から少し論じておきたい。そこに寝ているものを「ポチ」という個別の対象として捉えるとき、その対象は「個体」と呼ばれ、それを「犬」とか「チワワ」といった一般的な括り方で捉えるとき、その一般的なものは「普遍」と呼ばれる。その言い方を用いるならば、相貌は普遍である。では、個体と相貌の関係はどのようなものなのだろうか。「ポチという相貌」は考えられないのだろうか。

個体は特定の相貌でも相貌の集合でもない。私はそう考えている。しかし、「ポチという相貌」はないのかと問われるならば、いま表明した私自身の考えに矛盾するようにも聞こえるだろうが、「ある」と答えたい。

例えば、「N・Y」というのが人名であるとする。ある程度その人のことを知るようになると、N・Yさんについての典型的な物語がそこに伴うようにもなってくる。昼食はたいていカレーを食べるとか、よく歩くとか、読書家である、等々。そのとき、「N・Yさんらしい／N・Yさんらしくない」という言い方が為されるようになる。今週は毎日昼食にカレーを食べたと聞けば、「N・Yさんらしいね」と言い、2kmの道のりで彼がタクシーを利用したのを目撃すれば、「N・Yさんらしくないな」と言うだろう。そのとき、そこには「N・Yという相貌」と呼ぶべきものが成立している。つまり、「N・Y」という人名は「N・Yさんらしい」という言い方において、むしろ普遍名詞として機能していると言えるだろう。（このような固有名詞の普遍名詞化は、例えば「彼は現代のソクラテスだ」のような言い方にも見られるものである。この場合にも、「ソクラテス」はむしろ普遍名詞として、ソクラテスに関わる典型的な物語をそこに開くものとなる。)

このように普遍名詞としての機能を担うとき、品詞上は固有名詞であっても、そこには相貌が伴うことになる。「ポチという相貌」「N・Yさんという相貌」「ソクラテスという相貌」等々は、「ポチ」「N・Y」「ソクラテス」という名前が普遍名詞として機能する場面で成立するのである。

さて、そうだとすると、個体とは何なのだろうか。

例えばそこに一匹の犬が寝ているとする。私がそれ以上の関心をもたなければ、それはたんに犬としての相貌にとどまるだろう。もう少し関心をもつならば、チワワとしての相貌をもつかもしれない。そこでその犬に対して「ポチ」と名前をつける。私は何をしたのだろうか。私はもちろん犬としての相貌に名前をつけたのでも、チワワとしての相貌に名前をつけたのでもない。かといって、相貌をもたぬのっぺりとした何ものかに名前をつけたのでもない。私は、特定の相貌を示しているそれに名前をつけた。しかし、その特定の相貌に名前をつけたのではない。

ポチは、特定の相貌をはみ出ていく無限のディテイルを示すだろう。その表情も、その歩き方も、その毛の色でさえ、私はそれを語り尽くすことはできない。そしてまた、私がポチについてどのように典型的な物語を語ろうとも、ポチはそれをはみ出ていく物語を生きるだろう。ポチは私の予想を裏切り、私を驚かす存在であり続ける。私は、それをこそ、「ポチ」と名づけた。

その「それ」とは何か。

それは、私が「実在性《リアリティ》」と呼んだそれである。それはこちらがあてがった典型的な物語をはみ出していく湧き出し口であり、それを私に差し出して私をさらなる語りへと突き動かしていく力——語らせる力——である。それゆえ個体とは、けっして不変不滅の実体のごときものではない。かつてウィトゲンシュタインはこう主張した。「対象とは不変なもの、存在し続けるものである。」（『論理哲学論考』二・〇二七一）だが、それはまちがっていると言いたい。実際、不変なもの・存在し続けるものなど、ありはしない。持続するのは、私を語らせるポチの力であり、その力に応じようとする私のポチへの関心である。私は、持続するその関心のもとに、私を語らせるその力を「ポチ」と名づけた。それゆえ固有名とは、実は、対象の名前ではない。

対象なき固有名の使用というこの考えを、私としては「個体の唯名論」などと呼んでみたくもなる。（標準的な意味論からあまりにもかけはなれたこの主張に、実のところ、私自身がいささか臆してはいる。しかし、かつて『同一性・変化・時間』（哲学書房、二〇〇二年）という著作で行き着いた私自身の荒唐無稽な地点（「言語は時々刻々と変化して止まない」——流転的言語観）から、これでようやく抜け出せるのではないかとも考えている。私はその著作において、固有名はあくまでも対象を指示し、かつ対象において不変なものなどありはしないと考えることによって、固有名の意味が文字通り時々刻々と変化すると論じたのである。だが、いまや私は、固有名は対象を指示するのではないと考えようとしている。）

24 うまく言い表わせない

「うまく言い表わせない」とはどういうことか

芽吹き始めた早春の山の、まだ緑が白っぽい初々しい姿。そんなふうに描写しても、どうもうまく言い表わせている感じがしない。あるいは、黒い雲が垂れこめて、いまにも風雨が強まりそうな、そんな空の様子。これもまだ、うまく言えている気がしない。だが、「うまく言い表わせない」とは、どういう現象なのだろう。目の前に広がるのは実際に黒雲の垂れこめた空であり、それを「黒雲の垂れこめた空」と描写するのは、けっしてまちがいではない。

あるいは、こうした不満には、さらなる細部描写を求めるタイプのものがある。「珍しい鳥がいたよ」と報告される。それに対して、「どういうふうに珍しいのか、もう少し詳しく教えてよ」と言いたくなる。だが、いま問題にしたい「うまく言い表わせない」という不満はこのタイプのものでもない。つまり、「黒雲が垂れこめた空」という言い方に対して、もっと詳しく述べてほしいというわけではない。

私の考えでは、「うまく言い表わせない」という不満は相貌――この場面では表情と言ってもよいだろう――に関わっている。「黒雲が垂れこめた空」という言い方では、その相貌、その表情が捉えきれていない。そんな感じに襲われるのではないだろうか。そして例えば「不機嫌な空」という言い方を思いつく。あるいは、早春の山の様子に対して、「山が笑っている」という表現に思いいたる。そうした言い方がぴったりしたものと感じられるのであれば、それはつまり、その空が「不機嫌」としか言いようのない相貌をもっているからであり、その山が「笑っている」としか言いようのない相貌をもっているからである。

手持ちの言葉ではその相貌を表現できない。しかし、それでも、うまく言い表わしてやりたい。そのようなとき、ともあれ、既存の言葉を利用してなんとかするしかない。「不機嫌」という言葉は本来は人間に対して使われる言葉であり、感情をもたない空に対しては使用すべきではない。しかし、多少の無理をして、空に対して「不機嫌」と形容する。文字通りには、もちろん、山が笑うはずがない。しかし、あえて、山に対して「笑う」という言葉を流用する。いわゆる「隠喩（メタファー）」と呼ばれる表現方法である。「山が笑っている」や「不機嫌な空」は字義通りにとれば無意味となる。あるいは「彼女は頭の回転が速い」や「みんなの目が釘づけになった」は、字義通りには偽である（真だったらこわい）。

隠喩とは、このように本来の仕方で適用すると無意味ないし偽になってしまうところを、その本来の仕方を越えて流用する表現にほかならない。いわば、既成の言葉に自分の持ち分を越えて仕事をしてもらうのである。

またもや、デイヴィドソンからの挑戦状

では、隠喩の為す仕事とは、どのようなものなのだろうか。この問いに対して、隠喩を論じる多くの哲学者・言語学者たちは、隠喩はそこで新たな意味を生み出すのだ、と答えてきた。私もまた、そう答えたいと考えている。隠喩は、字義通りには無意味ないし偽な文を利用して、真な（それゆえ有意味な）何ごとかを新たに意味しうる、と。隠喩が生み出すこの新たな意味は、「隠喩的意味」と呼ばれる。「山が笑っている」という隠喩は、字義通りには無意味だが、隠喩的には、早春の山の様子を意味している。

ところが、これに対して強烈な批判が為された。この連載につきあってくれている読者であれば「またか」ということになるだろうが、ドナルド・デイヴィドソンである。

デイヴィドソンは、隠喩的意味なるものを想定している点において、従来の隠喩論はことごとく根本的な錯誤に陥っていると糾弾する。「目が釘づけ」や「山が笑う」は字義通りに解されねばならない。それゆえ、それは偽ないし無意味な文である。そしてこの場面で、まともな発話者があえてあからさまに偽ないし無意味な文を発話したということが、聞き手にしかるべき効果をもたらす。その効果は、従来の隠喩論がさまざまに言いたてたものと考え

てよい。例えば、「山が笑う」の場合であれば、その山の様子と笑いとの間の類似性に気づかせるといった効果を、それはもたらすだろう。だが、そうした隠喩の働きを捉えるのに、「隠喩的意味」など無用でしかない。デイヴィドソンはそう主張する。（"What Metaphors Mean," in his *Inquiries into Truth and Interpretation*, Clarendon Press, 1984. 邦訳「隠喩の意味するもの」、野本和幸他訳『真理と解釈』、勁草書房、所収）

デイヴィドソンに従えば、ここでわれわれは言葉の意味とその言葉が聞き手にもたらす効果とを明確に区別しなければならない。どんな言語使用も、さまざまな効果をもちうる。なるほど隠喩は隠れた類似性に気づかせるといった効果をもちうるだろう。だが、それは隠喩だけに可能な仕事ではない。デイヴィドソンは一つの事例として、エリオットの「河馬」という詩を引きあいに出す。その詩では、河馬と教会について交互に字義通りに述べられるだけであり、両者を結びつける隠喩は提示されていない。しかし、それでも河馬と教会の類似性に気づかせる効果をもっている。つまり、隠喩がもたらす効果は、隠喩的意味など想定しなくとも、実現しうるものなのである。

言葉は一般に聞き手や読み手になんらかの効果をもたらす。まして、あからさまに偽ないし無意味なことを言われたのであれば、それは相応の効果をもつだろう。その、いわばショック療法的な効果が隠喩の働きであり、その効果をもたらすには隠喩的意味など不要だ、というわけである。

デイヴィドソンの批判から何を守るべきか

他にも、あの手この手でデイヴィドソンは隠喩的意味などありはしないということを論じるのだが、詳細に踏み込むことは控えよう。いまはむしろ何が対立点なのかを明確にするよう試みておきたい。

まず、簡単に触れるだけにするが、ここには言語観における根本的な対立がありうる。デイヴィドソンは、言葉の意味を言語と世界の関係において捉えようとする。それゆえ、言葉の意味とそれが聞き手に与える効果は明確に区別されねばならない。他方、言葉の意味をコミュニケーションにおける話し手と聞き手のあり方から捉えようとする考え方もある。そしてそのような考え方に立つならば、言葉の意味とそれが聞き手に与える効果とは、必ずしも截然と区別されるものではない。私自身は、コミュニケーション的な言語観の方に共感する。だが、隠喩的意味に関してさしあたり私がデイヴィドソンと対決したいと考えている対立点は、この根本的な地点ではない。対立点を浮き彫りにするには、むしろできるだけデイヴィドソンに近い仕方で「言葉の意味」ということを捉えておいた方がよいだろう。

デイヴィドソンは、記述文の意味はあくまでも世界がどうであるかということであり、それが聞き手に与える効果は意味とは区別されねばならない、と主張する。よろしい。そうだとしよう。その上で私は、デイヴィドソンに抗して、隠喩もまた世界がどうであるかを描写しているのだ、と言いたいのである。つまり、「山が笑っている」は、文字通りに解されるならば無意味であるが、隠喩的に解されるならば真でありうると言いたい。というのも、実際に、私の眼前で、山は笑っているからである。

そこにおいて山は、まさに「笑っている」としか言いようのない相貌をもっている。それは既存のどんな表現でもうまく言い表わせない相貌にほかならない。世界には確かに、山が笑っているという相貌が立ち現われており、それゆえ「山が笑っている」という隠喩はその相貌を記述したものとして、真なのである。ところがデイヴィドソンはこのような相貌記述を世界記述として認めることができない。そのことは、デイヴィドソンが古典的な概念観にとどまり、プロトタイプ的な概念観をもっていなかったことと関係している。[1]

隠喩は新たな物語を開く

少し前回の復習をさせていただきたい。例えば「鳥」という概念に対して、それを鳥の集合として捉えるような概念観を私は「古典的概念観」と呼んだ。それに対して、認知意味論は鳥の典型例を鳥の「プロトタイプ」と呼び、鳥のプロトタイプの理解が鳥という概念理解の核心にあると考えた。私は基本的にその考え方に従い、さらに、鳥のプロトタイプを、鳥についての典型的な物語として捉えたのである。

そこで、このような捉え方は隠喩を説明するさいにもきわめて有効であると主張したい。

「山が笑っている」を例にとろう。「笑っている」という語は、笑いを巡る典型的な物語をそこに開く。その中には、自暴自棄の笑いなどは含まれてはいない。典型的には、笑いは喜ばしいものであり、何か押さえられていた気持ちがはじけるような感じであり、また、永続するものではなく、一時的なものである。もちろんそこには笑っている人に特徴的な表情やしぐさ、そして笑い声も伴っている。そうした典型的な物語を、山についての物語に改作するのである。山は文字通りには笑顔を作りはしない。それゆえ、笑顔を作ることは笑いの典型的な物語には含まれるが、「山が笑っている」が開く物語には含まれない。他方、「喜ばしい雰囲気を帯びる」とか、「永続するものではなく、一時的なものである」というのは、山の物語として可能である。そうして、「笑っている」の典型的な物語を利用して、山についての新たな物語を語り出すのである。

ここで、こうした物語の改作にその場の状況が決定的に重要となる。「笑っている」の典型的な物語の中には、微笑みのような笑いもあれば、呵々大笑するような笑いもある。そこでいま眼前の早春の山の様子を見るならば、その初々しい姿は「呵々大笑する」が開く物語よりも「微笑む」が開く物語こそふさわしいだろう。こうして、「山が笑っている」という隠喩は、その眼前の山の雰囲気、その山がこれまで冬を過ごし、これから春本番を迎えようとしていること、そしてその山に生きる動植物たちの活動力の高まり、あるいは、そこに向かい合う者の気分など、さまざまな物語を開くことになる。「山」が開く可能な物語と「笑っている」が開く典型的な物語が重ね合わされ、さらにその場の状況が参照されて、そこに新たな物語が生み出されるのである。

新たな相貌が生まれる

さらに、私は前回、例えば「鳥」の相貌を知覚する——あるものを「鳥として見る」——ということを、「鳥」という概念のもとに開ける典型的な物語をこめて見ることであると論じた。この議論をつなげるならば、隠喩は新たな物語を生み出し、それに伴って新たな相貌を生み出すことになる。「山が笑っている」という隠喩は、新たな物語を生み、そしてそれによって山は新たな相貌をもつようになる。

だが、そうだとすると、隠喩を巡る事情は最初に述べたよりもはるかに複雑であると言わねばならない。初めてその隠喩が作られた場面を考えよう。新たな隠喩が作られるということは、新たな物語が作られ、新たな相貌が作られることである。つまり、「山が笑っている」という隠喩が初めて作られたとき、その相貌も初めて作られたということになる。ならば、「うまく言い表わせない」とは、いわく言い難い相貌がそこにあるという意味ではありえない。うまく言い表わすまで、相貌はまだ存在していないのである。では、「うまく言い表わせない」とは、どういうことなのか。それは、新たな相貌が誕生する予感のようなものと言うしかない。いわば、相貌誕生直前の、陣痛の呻き声なのである。

もちろん、ぶじに誕生する場合もあれば死産する場合もある。その場でどのような物語を生み出すにせよ、すでにそれに先立つ物語があり、それを取り巻く無数の物語がある。新たな物語は、それらの物語につなぎ合わされねばならない。その山はこれまで冬を過ごしてきた。そしてその山を見る私は春を待ちわびている。そうした中に、いわばジグソーパズルの一ピースとして、新たな物語が語り出される。うまくあてはまったときその隠喩は成功とされ、はまりそこねたならば、失敗とされることになる。

成功した隠喩は、ぴったり収まる相貌を生み出す。そしてそれによって、その隠喩は真になるのである。「山が笑っている」という隠喩は、成功したならば、まさに山が笑っているとしか言いようのない相貌を世界の内に作り出す。そのとき、本当に山は笑っているのである。かくして、「山が笑っている」という隠喩は、自分が生み出した世界の相貌によって、真なる相貌記述となる。

とはいえ、だからといってそれは字義通りに真とされるわけではない。「山が笑っている」という表現は、字義通りにはやはり無意味でしかない。それがその早春の山にふさわしい意味を獲得するには、「笑っている」という語の字義通りの意味が開く典型的な物語を利用して新しい物語が作り出されねばならない。だとすれば、「山が笑っている」はあくまでも隠喩的に真なのである。それゆえ私は、デイヴィドソンに反して、隠喩は隠喩的意味をもつと言いたい。[2]

隠喩は、聞き手になんらかの効果をもたらすだけのものではない。それならば、デイヴィドソンも指摘するように、隠喩に限らず詩でもよいだろう。隠喩の眼目は真であることにある。しかも、すでにある世界をたんに描写するのではなく、隠喩は、その最も創造的な場面において、自らを真にするように世界の相貌を創り出すのである。[3]

第24回　註

1　相貌の存在論

デイヴィドソンは「真理条件意味論」と呼ばれる意味論を提唱している。ひとことで言えば、ある文の意味を、その文がどういうときに真になるのかということ（真理条件）の理解を通して捉えようという考え方である。私自身はとくに真理条件意味論の立場に立つわけではないが、なるべくデイヴィドソンに寄り添いつつデイヴィドソンとの違いを見定めるという観点からすれば、この大雑把な規定で捉えられるかぎりの真理条件意味論にはとくに異議はない。

私とデイヴィドソンの最大の違いは、相貌を世界に存在するものとして認めるかどうか、それゆえ文の真偽に相貌が関わりうるかどうか、という点にある。私は、相貌はけっして主観的なものではなく、世界に存在する客観的なものであると考え、相貌は文の真偽に関わると主張したい。他方デイヴィドソンはそれを否定するだろう。

「ポチは犬だ」という単純な文を考えよう。「ポチ」は個体を表わす。個体というのが何であるのかはきわめて大きな問題であり、前回の註においても個体とは何かについて少しだけ論じたが、いまは――ふつうそう考えられているように――たんに個別の対象として捉えておこう。問題は「……は犬だ」という述語の意味である。デイヴィドソンはそれをあくまでも外延的に捉える。「……は犬だ」の意味は、基本的には、その述語を満たす対象たち、すなわち犬の集合である。それゆえ、「ポチは犬だ」という文は、「ポチ」と呼ばれる個体が犬の集合の要素である場合に真とされる。これは分析哲学系の言語哲学においては、フレーゲ以来の伝統的な考え方であると言える。だが、私はこのフレーゲ的伝統と手を切りたいと考えている。そしてそれに代えて、こう主張したい。「ポチは犬だ」は、「ポチ」と呼ばれる個体が犬という相貌のもとに捉えられるとき、そしてそのときのみ、真である。

2　隠喩と言語変化

私を含め、隠喩的意味を認める立場の人を「隠喩論者」と呼ぶことにする。以下しばらく、隠喩論者に対するデイヴィドソンの批判的議論に従いつつ、隠喩論者を追い詰めていってみよう。そしてその後で、隠喩論者はデイヴィドソンの批判の手からどのようにして逃れられるかを考えてみたい。

まずこう問われる。隠喩を用いるとき、その表現は字義通りの意味を失い、ただ隠喩的意味をもつだけになるのだろうか。それとも、字義通りの意味と隠喩的意味の二つの意味をもつのだろうか。字義通りには「笑う」は無生物に対しては適用できない語であり、それゆえ「笑う」が字義通りの意味ならば「山が笑っている」は無意味となる。あるいは、「目が釘づけになった」は「釘づけ」を字義通りにとれば偽である。では、「山が笑っている」や「目が釘づけになった」において「笑う」や「釘づけ」は字義通りの意味と隠喩的意味の二つの意味をもつのだろうか、それとも隠喩的意味だけをもつのだろうか。

まず、隠喩的意味だけをもつのだと答えてみよう。しかし、デイヴィドソンはこの答えをただちに却下する。それではたんに新しい語を導入することと違いがなくなってしまうというのである。例えば、なんでもよいのだが、早春の、なんとなくぽわぽわっとしてきた山の様子を前にして、そのたたずまいを「やのめく」と言うことにする。新語である。「ようやく山がやのめいてきた」とか「なかなかやのめかないね」とか「早くやのめけばいいね」のように用いる。意味は、既存の言葉では表現しがたいその早春の山の相貌である。これは言うまでもなく、隠喩ではない。だが、もし隠喩が字義通りの意味を捨てて新たに隠喩的意味だけをもつというのであれば、それは「やのめく」という新語を導入した場合とどこが違うというのか。デイヴィドソンはそう追及する。

そうだとすれば、隠喩論者は、隠喩には字義通りの意味と隠喩的意味の二つの意味がなんらかの形で同時にあると論じなければならない。だが、それはどのようにしてだろうか。へたな答え方をすると隠喩はたんなる多義語と区別がつかなくなってしまうだろう。例えば、「赤の色が濃い」と言うときと「疲労の色が濃い」と言うときとで、「色」という語は多義的に用いられていると考えられる。そして多義的な使用とみなされるかぎりは、「疲労の色が濃い」は隠喩とはみなされないだろう。（多義語と隠喩の境界は実のところそれほど明確ではない。例えば「君の考えは甘い」と言うとき、これは多義的な使用なのだろうか、隠喩なのだろうか。これについては後で少しコメントしたい。）

それゆえ、隠喩表現は、多義語の場合のように二つの意味を対等の仕方でもつというのではなく、その二つの意味を何か異なる仕方でもつとされねばならないだろう。そこで、隠喩論者はこう答えるかもしれない。隠喩表現は表立っては隠喩的意味をもって使用されるのだが、潜在的に字義通りの意味をもち、両者がなんらかの仕方で結びつけられているのだ、と。だが、デイヴィドソンはこの方向もうまくいかないと論じる。その議論は必ずしも明確なものではないが、詳細に立ち入ることは控えよう。私自身は「隠喩は潜在的に字義通りの意味をもつ」という方向の答え方に訴えるつもりはない。

私が、その場に一緒にいる人に向かって「山が笑ってるよ」と言う。私が伝えたいのは、その隠喩的意味だけである。「隠喩的意味」という言い方が、何か字義通りの意味とは異なる意味のレベルを想定させてしまうのであれば、「隠喩的意味」という言い方はやめた方がよいかもしれない。だが、たとえ「隠喩的意味」という言い方をやめるとしても、それによって私はデイヴィドソンと正反対のことを主張したいのである。デイヴィドソンは、「山が笑っている」という隠喩表現は旧来の字義通りの意味しかもたず、それゆえそれは無意味な表現なのだ、と論じた。それに対して私は、そこには新たな意味が発生していると言いたい。そして、その新たな意味だけが伝えられようとしている。それゆえ、「山が笑っている」という発言は、「無意味でありかつ同時に真」なのではなく、ただたんに真なのである。

だが、すでに述べたように、これに対してデイヴィドソンは「それは新語を導入することとどこが違うのか」と反論してくる。私は、隠喩が新語を導入することの一種であることをむしろ積極的に認めたい。「山が笑う」において「笑う」は既存の意味とは異なる新たな意味を担うものとなる。その意味では、「山が笑う」の「笑う」は旧来の日本語にはない新しい語彙なのである。だが、隠喩の場合には、「やのめく」のような純然たる新語の導入の場合とは、その導入のされ方がまったく異なっている。「笑う」は既存の意味をもっている。「山が笑う」という隠喩は、その既存の意味を利用して新しい意味を作り出す。より正確に言えば、それを使用した発話の状況とその発話が担っている既存の意味とを利用して、その場で新しい意味を作り出すのである。これは、いささか大仰に言えば、既存の日本語から新たな日本語への言語変化にほかならない。そして隠喩とは、その言語変化を生み出す仕掛けなのである。

デイヴィドソンは隠喩のこの正体を見てとっていなかった。それゆえ、隠喩がもし隠喩的意味をもつならば隠喩は字義通りの意味と隠喩的意味の二つをなんらかの形で同時に(すなわち同一言語内で)もっていなければならないことになると論じて隠喩論者を追い詰めていったのである。だが、隠喩に二つの意味の層があるとしても、それは同一の言語内にあるわけではない。「山が笑う」という隠喩表現が一つの言語の中でなんらかの仕方で字義通りの意味と隠喩的意味の二つを担うわけではない。「山が笑う」において、それを無意味にしてしまうような旧来の「笑う」の意味はまさに「旧来の」意味であり、早春の山の相貌を表わす意味こそが新たに獲得された意味である。その二つが同時に「山が笑う」という隠喩表現にこめられているということはない。隠喩の聞き手はまず旧来の意味に従ってその表現を受け取る。そうすると、その発言は無意味ないし偽になってしまう。しかし、話し手は何か真なことを述べようとしていると思われる。そしていま、眼前の山はこのような相貌のもとに立ち現われている。これらから、聞き手は「山が笑う」という表現に新たな意味を付与しようと試みる。ここで起こっていることは言語変化であり、新たな意味の誕生である。それゆえ、「山が笑っている」という発言のもとに、同時に字義通りの意味と隠喩的意味の二つを担わせようとするのは、隠喩に対する誤解でしかない。隠喩とは、いわば二つの言語にまたがる運動の名称なのである。それゆえ、一つの言語の中に「隠喩」と呼ばれる表現形態があるわけではない。

3　隠喩の一生

隠喩が言語変化の運動であるならば、その運動が終わったときには隠喩は隠喩であることをやめる。少なくとも、「創造的な隠喩」であることをやめるだろう。例えば、「昔のことは水に流そう」などという言い方を聞いても、もはや隠喩という感じはしないのではないだろうか。実際、「水に流す」という表現がふつうに辞書に載っているということは、われわれはすでに隠喩という運動の企てた言語変化を為し終えているということである。「君の考えは甘い」という言い方もそうだろうし、おそらく私が例として挙げた「目が釘づけになる」なども、すでに言語変化を為し終えた地点にあると思われる。そのような隠喩は「死んだ隠喩」とも呼ばれる。つまり、隠喩には誕生から死に至るまでの推移が見られるのである。

誕生したての隠喩を見てみよう。次は西脇順三郎の「雨」と題された詩である。

南風は柔い女神をもたらした。
青銅をぬらした、噴水をぬらした、
ツバメの羽と黄金の毛をぬらした、
潮をぬらし、砂をぬらし、魚をぬらした。
静かに寺院と風呂場と劇場をぬらした、
この静かな柔い女神の行列が
私の舌をぬらした。

もしこの詩の文脈から切り離して、たんに「南風は柔い女神をもたらした」とだけ言ったならば、いったい何をもたらしたのか分からないだろう（開花かもしれない、少女たちの笑顔かもしれない、桜餅かもしれない)。誕生したての隠喩は、それが置かれた脈絡から切り離せないのである。「山が笑っている」もまた、手垢がついてしまう前のその誕生の場面では、目の前の山の様子をともに見ている人でなければその意味を理解できなかっただろう。こうして隠喩は、その発話の文脈に強く依存しつつ、新たな意味を生み出そうとする。しかもそこでは旧来の意味(無生物に対しては無意味になるような「笑う」の意味)が、そうした言語変化を引き起こすための不可欠の要因となる。

繰り返してまとめるならば、誕生したての隠喩の特徴は二点ある。一つは、隠喩的意味の生成がきわめて文脈依存的であること。そしてもう一つは、その字義通りの意味が実質的に機能していることである。

多くの場合、隠喩は、それが新しい意味を生み出す創造的な隠喩であればあるほど、その強い文脈依存性のゆえに、その場面に結びつけられた限定的な言語となるだろう。だが、中には反復的に使用されていく隠喩もある。例えば「目が釘づけになる」などは、もう数えきれないほど使用されているだろう。そうした反復使用を重ねることによって、われわれはその文を単独で見ただけでその発話の文脈が理解できるようになる。たんに「目が釘づけになる」とだけ書かれてあったとしても、誰もそれで何かとても残酷な場面を考えたりはせず、ある程度長い時間にわたって何か注目すべきことが目の前で起こったのだという了解をもつだろう。さらに、そうして文脈独立的になるにつれて、元々の字義通りの意味（物理的に釘を打ち付けて固定する）は機能しなくなる。こうして、「目が釘づけになる」は、言語変化を引き起こす仕掛けとしてはその役割を終える。つまり、隠喩としての死を迎える。

だが、たとえ「目が釘づけになる」という言い方が辞書に掲載されるようになったとしても、われわれは、それが隠喩として誕生したかつての場面を考えることができるだろう。それはちょうど、ある語句がその語源を示唆しているのと同様である。例えば「矛盾」は、よく知られているように、どんな盾でも貫く矛とどんな矛でも防げる盾を一緒に売っていたという中国の故事に基づいている。このように、ある語句はその出自を刻印している。同様に、「目が釘づけになる」などの死んだ隠喩もまた、その誕生の現場をその表現のうちに刻印しているのである。

死んだ隠喩がなお「隠喩」と呼ばれるのは、刻印されたこの出自のゆえにほかならない。死んだ隠喩の場合、「隠喩」というカテゴリーはちょうど「故事成語」と同様のカテゴリーになっていると考えられる。「故事成語」とは、言うまでもなく文法上の品詞分類ではなく、その語句の成り立ちに関わる分類である。そして、「矛盾」が故事成語であることを知らなくとも、「矛盾」という語を正しく使うことはできる。同様に、「目が釘づけになる」という表現もまた、それが隠喩であることを知らなかったとしても、正しく使用することができるだろう。死んだ隠喩の場合、「隠喩」とは現在の言語使用に対する分類カテゴリーではないのである。

死んだ隠喩が、いわば死にきって、その出自に対する意識が消えさることもある。「昔のことは水に流そう」や「君の考えは甘い」などはかなりそうであると私には感じられる。あるいは、「物価が上がる」という表現に対して、「本来「上がる」は空間的に上昇することであるから、それを物価に適用するのは隠喩である」などと言われると、むしろ当惑するに違いない。こうなると、そうした表現は隠喩として捉えられるよりも、むしろ多義的表現として捉えられるのではないだろうか。「笹舟を水に流す／失敗を水に流す」、「甘い苺／甘い考え」、「煙が上がる／物価が上がる」などは、隠喩としてよりも多義性の現われとして捉えられるように私には感じられる。

ここに、隠喩と多義性の境界の曖昧さが生じる。隠喩が完全に死にきって出自の意識を失うとき、それは多義的な表現となる。だが、隠喩は徐々に死んでいくものであろうから、どうしても死んだ隠喩と多義語の境界は曖昧にならざるをえない。

翻って、誕生したての生きた隠喩の場合、隠喩とは言語変化の運動のことであるから、そこでも「隠喩」という語は一つの言語内の表現形態の分類を示す語ではない。したがって、生きた隠喩であれ死んだ隠喩であれ、「隠喩」とはある固定された言語における言語使用を表わす用語ではないということになる。

25 自由という相貌

すべては決定されているのか

ときにひとは「鳥のように自由に空を飛びたい」などと口にする。しかし、鳥が自由に空を飛んでいると、どうすれば分かるのだろうか。梢がそよいでいる。この場合であれば、われわれはそれをたんなる自然現象と考え、木の自由な行為とは考えない。では鳥の飛翔もまた、たんなる自然現象ではないのだろうか。あるいは、突き詰めて考えれば、人間の行動だって、たんなる自然現象にすぎないのではないか。

物の運動や状態はすべて決定されているという考え方は「決定論」と呼ばれる。自然現象は法則に支配されている。あるできごとはそれに先行するできごとによって引き起こされ、そしてそれは「できごとxが生じたならば必ずできごとyが生じる」という形の法則に支配されている。それゆえ、過去の世界のあり方が与えられれば、それ以降の世界は法則によって決定されることになる。そして、人間もまた物体にほかならない。脳を含め身体が法則によってそのあり方を決定されているのだとすれば、いま私が手をあげたことも、あらかじめ決定されていたことになるだろう。[1]

自由を立証することはできない

いったい、鳥が自由に空を飛んでいるのだということをどうやって立証すればよいのか。いや、この私が、こうしていま手をあげるとき、これが私の自由に為したことだと、どうやって立証できるのだろう。

ひとつの考えでは、そして私はその考えを支持したいのだが、私が自由に手をあげたということの核心には、「あげないでもいられた」ということがある。もし手をあげるしかなかったのなら、私が手をあげたことは自由な行為ではない。それが自由だと言えるのであれば、そうしないでもいられたのでなければならない。だが、手をあげないでもいられたのだと、どうすれば立証できるのか。私は手をあげた。それに対して決定論者は「君がいま手をあげることはすでに決まっていたのだ」と言う。私は、いや、あげないでもいられたのだと言い返す。だが、もう手をあげてしまったのだ。いまさらあげないでもいられたと言ってみたところで空しいのではないか。よろしい。じゃあ、あげないでいてみよう。ほら。――すると決定論者は、「君がいま手をあげずにいたことも決まっていたのだ」と言うだろう。私はムキになって、しばらく手をあげないでいて、唐突に二回続けて手をあげる。どうだ。だが、決定論者は、そういうふうにするように決まっていたんだね、と余裕の笑みを浮かべる。

相貌としての自由

自由は立証できない。どのような仕方で手をあげたりあげなかったりしようとも、我が身の自由を証明することはできない。自由のポイントは、何かをしたりしなかったりするところにはないのである。むしろ、私は、自由は相貌に関わると言いたい。指一本動かすのでよい。それが自由の相貌をもって立ち現われている。もしそこに自由の相貌を見ない人がいたとしたならば、私はその人に向けて言うべき言葉をもたない。例えば、われわれは梢の動きを自由なものとは見ていないが、もしそこに自由の相貌を見る人たちがいたとしたらどうか。それはたんに、その人たちがわれわれと異なる生き方をしているということにすぎない。私は（相対主義者として）、彼らをけっして誤った考えの持ち主とはみなさない。ただわれわれと彼らは異なる世界相貌の中に生きているのである。同様に、人間の行動を自由の相貌のもとに見ない人たちがいたとしても、私はそれを誤りとはみなさない。それは、どちらが誤りという問題ではないのである。

それゆえ、異なる生き方の人に向けて自由を立証することが問題なのではない。問題はまさにわれわれ自身の生き方に関わっている。われわれの生き方は矛盾しているのではないか。われわれが決定論を信じているか、あるいは信じるべきだと考えているとしよう。そしてさらに決定論は自由の余地を奪うと考えているとしよう。それにもかかわらず、人間の行動を自由の相貌のもとに捉えているとしたら、それは確かに混乱以外の何ものでもない。

自由と決定論は両立するか

これに対して、「両立論」と呼ばれる立場は、自由と決定論は両立すると主張する。決定論は正しい。しかし、それはわれわれの自由を阻害するものではない、と。

例えば、「自由に行動する」とは、「強制的にそうさせられたのではない（強制からの自由）」を意味すると考えてみよう。そして「強制的」とは、暴力によってとか、薬物の力によってといった、その行為主体に対する外からの力を意味するとしよう。私が誰かに強制されて、例えば路上にあおむけに寝かされたとすると、それは私の自由な行為ではない。他方、誰に強制されたのでもなく寝っころがったならば、私は私の自由意志で寝っころがったのである。このように考えるとき、この「強制の欠如」という意味での自由は決定論と両立する。というのも、「誰に強制されたのでもなく寝っころがる」ことが決定されていたと考えることに矛盾はないからである。

両立論の立場を、相貌という観点からもう少し敷衍してみよう。前々回に論じたように、相貌はそこに「典型的な物語」を読み込むことによって成立する。例えばあるものを「鳥として」捉えるとき、私はそのものに鳥の典型的な物語——空を飛ぶ、エサを食べる、さえずる、繁殖する、等々——を重ねる。自由という相貌に関しても同じことが言える。ある人の行動を自由の相貌のもとに捉えるとき、私はそこに「自由の物語」を読み込むのである。では、自由の物語とはどのようなものか。そこで両立論者は、それは強制なしに何ごとかを為すことにほかならないと言う。もちろんそんな単純な答えではなく、その物語はもっと複雑であってよい。だが、ポイントは、自由の物語がどのようなものであれ、そのように物語が進行することは決定されていたのだと考えることに何も矛盾はない、というところにある。(映画がひとつのアナロジーになるだろうか。スクリーン上で自由な行為による冒険が進行する。私はヒーローの危機にはらはらするが、しかし、その映画の進行はもう決まっている。)

疑いなく、両立論はわれわれの自由の物語の重要な部分を取り出している。それゆえ、自由の物語の多くは、決定論と両立すると言ってもよい。だが、私は両立論に甘んじる気にはならない。両立論が語る自由の物語には、なお決定的な点が欠けていると思うのである。

自由の物語とは、けっして映画のシナリオのようなものではない。すなわち、現実に誰が、どのような状況で、何をするか、そうした実際の進行だけがここで求められている物語なのではない。もしそうならば、なるほどどのような物語であろうとも、それは決定論と両立するだろう。だが、自由の物語にとっての生命線は、「そうしないでもいられた」ということにある。私は手をあげた。しかし、あげないでもいられた。もし私が決定論を信じているのであれば、どうして手をあげたあとで「あげないでもいられたのだ」などと言えるだろう。決定論は手をあげることはあらかじめ決まっていたと言う。ならば、私は手をあげないではいられなかった。きわめて単純に、そしてあからさまに、自由の物語と決定論の物語はこの一点において衝突しているのである。

両立論からの応答──条件分析──

これに対して両立論者は、「いや、しないでもいられたということもまた、決定論のもとで語り出すことができる」となおも論じてくるかもしれない。「条件分析」と呼ばれる両立論の考え方を検討してみよう。

実際に私は手をあげた。しかし、あげないでもいられた。これは条件分析に従えば次のような意味だとされる。「私は手をあげようと思った。その結果として、私は手をあげた。しかし、もし手をあげないでいようと思ったならば、私は手をあげなかっただろう。」つまり、「……しないでもいられた」とは、「……しないでいようと思っていたならば、そうしなかっただろう」に等しいと言われるのである。

もし「しないでもいられた」がこのような意味であるならば、それは決定論と衝突しはしない。ポイントは、「しないでもいられた」を条件文として理解するところにある。「できごとxが起こると必ずできごとyが起こる」という決定論的な法則は、「できごとxが起こらなければできごとyも起こらない」ということと両立可能である。君は手をあげようと思ったから、手をあげた。それは決定されていた。しかし、もし手をあげないでいようと思っていたならば、反対にいまは手をあげないことが決定されていただろうね。決定論者はそのように言うだろう。

条件分析には納得できない

だがそれは、「しないでもいられた」ということの意味を決定論と両立可能になるように不当に弱めたからにほかならない。「しないでもいられた」はけっして条件文として分析されるようなものではないのである。

しばらく、自由と決定論の問題を離れて、「しないでもいられた」という日本語の意味について考えてみよう。「しないでもいられた」とは、「しないでいようと思っていたならば、そうしなかっただろう」と本当に同じ意味なのだろうか。例えば、「私は10時に電車に乗った。その結果として、私は遅刻した。しかし、もし10時30分の電車に乗っていたならば、私は遅刻しなかっただろう」と言ったとする。これは、「私はそのとき遅刻しないでもいられた」を意味するのだろうか。すなわち、「私はそのとき遅刻しないこともできたのだ」ということを意味するだろうか。

この事例であれば、両者はけっして同じ意味ではないということが明瞭に見てとれるだろう。「10時の電車に乗っていたなら遅刻しなかっただろう」が「遅刻しないこともできた」を意味しうるためには、10時の電車に乗ることが私に可能でなければならない。10時の電車に乗ることがそのときの私に不可能であるならば、「10時の電車に乗っていたなら遅刻しなかったのに」と主張しても、それは私が遅刻せずに行けたということを保証してはくれない。

まったく同様に、「もし手をあげないでいようと思ったならば、私は手をあげなかっただろう」は、条件分析の提案に反して、「私は手をあげないでもいられた」と同じ意味ではない。前者が後者を意味するには、私は「手をあげないでいよう」と思うことができるのでなければならない。しかし私は実際にそのとき手をあげようと思ったのである。それゆえ、もし決定論が正しいならば、私には手をあげないでいようと思う選択の余地はなかったことになる。だとすれば、私は手をあげようと思うしかなく、手をあげないでいられる可能性もなかったと言わざるをえないだろう。条件分析では「しないでもいられた」の意味は捉えられていない。条件分析は、「しないでもいられた」ということと決定論の両立可能性を示すことに成功していないのである。[2]

反決定論へ

すでに述べたように、私自身は非両立論の立場をとりたいと考えている。決定論と自由は相容れない。しかも、われわれが自由という相貌のもとに人間の行動を捉えていることは（われわれにとって）受け入れるべき事実であると考えている。ならば、私は決定論を否定しなければならない。しかし、その議論に踏み込むことは次回にまわすとして、ここではもうひとことだけ注意を述べておこう。

私がこれから為そうとしている決定論批判（反決定論）は、自然科学的な「非決定論」ではない。（自然科学的な非決定論というと、量子力学のことを考える人も多いだろう。あるいはカオス理論を考える人もいるかもしれない。これらの理論に対して私はさほど詳しくないので正確な論評はできないが、とりあえず、私自身は量子力学もカオス理論もけっして非決定論的ではないという素人考えをもっているということだけ記しておこう。いずれにせよ、ここではこうした理論に立ち入る必要はない。[3]）

自然科学的な非決定論は、例えば事象の生起は決定されているのではなく、確率的に定まるのみである、と主張するだろう。戯画化して言えば、こんな感じである。サイコロを振っていくつの目が出るか、決定論者ならばそれは決定されていると言う。他方、非決定論者は「1の目が出る確率は六分の一であり、もちろん他の目が出る可能性もある」のように言うだろう。だが、いわば神がサイコロ遊びをして、人間はただそれに従うだけ（あなたが次に手をあげるかどうかはサイコロを振って決めることにしよう）というのは、けっして「自由」の名にふさわしいものではない。もし非決定論的な自然科学によって人間の行動に関わるすべてが確率的に語り尽くされるのだとするならば、それもまた自由の物語を語り出す余地を奪い去ってしまうのである。

それゆえ、私がめざす反決定論は自然科学的な非決定論ではない。決定論であれ、非決定論であれ、もし自然科学によって人間の行動のすべてが語られうるならば、そこに自由の居場所はない。私が見据えているゴール、それはむしろこう述べることができるだろう。――自然科学は、世界を語り尽くすことができない。

第25回　註

1　決定論

決定論にもいくつかの形があり、神学的な決定論もあれば、あるいは「論理的決定論」と呼びうるような決定論もある。そうした中で、ここで問題にする決定論は「因果的決定論」と呼ばれうるものである。

「すべてのできごとには原因がある」、この主張は「因果律」と呼ばれる。私はここであなた自身がどう考えるかを尋ねてみたい。あなたは因果律が正しいと信じているだろうか？　因果律を否定するということは、原因なしに生じるできごともあると認めることである。もしかしたら宇宙の始まりというのは原因なしに生じたのかもしれない（「始まり」は定義的に先行する事象をもたない）。しかし宇宙開闢から時を経たいまとなっては、すべてのできごとはなんらかの原因によって引き起こされたと考えられるのではないだろうか。もし、それに対して「イエス」と答えるならば、あなたは因果律を信じているということだ。

次に尋ねたいのは、「同じ原因に対しては同じ結果が生じる」と考えているかどうかである。例えば、ボウリングをしたとする。ご存じのことと思うが、ボールをころがして十本のピンを倒すゲームである。一回でピンをすべて倒すとストライクと言われる。ある投げ方をしてストライクが出たとき、次もまったく同じ投げ方で投げることができたならば再びストライクが出ると考えるのではないだろうか。あるいは、レーンの状態によってボールの転がり方も違ってくるから投げ方だけでは決まらないと言われるかもしれない。よろしい、関連することがらをすべて同じに設定できたとする。そうしたらやはりストライクが出るのではないだろうか。逆に言えば、もし同じように投げて今度はストライクが出なかったとしたならば、さっきとは何かが違っていたのだと考えるだろう。これを（内容を縮めただけだが）「同一原因‐同一結果の原理」と呼ぼう。あなたはこの原理を信じているだろうか。

因果律と同一原因‐同一結果の原理、この二つを信じているならば、あなたは決定論者である。例えば、いま手をあげたとしよう。手をあげるというできごとにはそれを引き起こした原因がある。その原因は手をあげることに先立つ過去のことがらであるが、過去の世界のあり方はすでに起こったとおりに定まっている。そして同じ原因に対してはつねに同じ結果が生じるのであれば、過去がそのようであり、そこから引き起こされた結果がいま私が手をあげることであったからには、この過去の延長上にはいま私が手をあげないでいるという可能性はないということになるだろう。

いま起こっていること、そしてこれから起こるだろうこと、それらのすべてはそれに先立つ過去に原因をもつ（因果律）。過去は一通りに定まっている。そして同一の原因に対してはつねに同一の結果が生じる（同一原因‐同一結果の原理）。かくして、宇宙の始まりが与えられれば、それ以後のすべてのできごとの進行は決定されているということになる。おそらく、因果律も同一原因‐同一結果の原理もほとんどの人はそれをきわめてもっともらしいものと思うのではないだろうか。だとすれば、それは決定論をもっともらしいと思っているということにほかならない。私自身は決定論を拒否したいと考えているが、率直に言って、私自身が決定論的世界観にかなりの部分浸されている。それゆえ、私にとって、自由と決定論の問題というのは誰か立場の違う人を批判するということではなく、他ならぬ私自身の整合性の問題なのである。

2　疑似条件文

条件分析に関しては、J・L・オースティンの議論が興味深く、重要である（"Ifs and Cans," in his *Philosophical Papers*, Oxford U.P., 1961. 邦訳「「もし」と「できる」」、坂本百大監訳『オースティン哲学論文集』、勁草書房、所収）。関連する限りでポイントを紹介してみたい。

G・E・ムーアは、『倫理学』において、「他のことも為しえた」は「他のことをしようとしたならば、他のことも為しえた」という条件文にほかならないと論じ、それゆえそれは決定論と両立すると主張した。こうした条件分析の誘惑は、おそらく英語圏の方が日本語使用者よりも強いだろう。英語だと、「他のことも為しえた」は"I could have done otherwise." のようになる。これはいわゆる仮定法過去完了というものに見える。そうであるならば、そこには条件節が省略されていると考えねばならない。つまり、"I could have done otherwise if I had chosen."のように。かくして、条件分析は英語においてはきわめて自然な道筋なのである。

だが、"I could have done otherwise if I had chosen."という条件文は通常の条件文ではない、とオースティンは指摘する。次の二つを比較してみていただきたい。

国道が渋滞していなかったなら、私は一時間で到着できた……①
他のことをしようとしたならば、私は他のことも為しえた……②

それぞれ対偶をとってみよう。①の対偶は「私が一時間で到着できなかったならば、それは国道が渋滞していたということだ」となる。では②はどうか。あえてやってみると「私が他のことを為しえなかったならば、それは私が他のことをしようとしなかったということだ」となるだろうか。しかし、これはいったいどういう事態なのか、よく分からない。念のため、もう一例。「怒らないでいようと思っていたならば、私は怒らないでもいられたんだ」の対偶はどうなるか。これもあえて対偶を作れば「私が怒らないでいることができなかったならば、それは私が怒らないでいようとは思わなかったということだ」となる。これもやはり、なんだか分からない。つまり、②のような条件文はうまく対偶がとれないのである。これは、②が①のような条件文とは異なることを示唆している。①は渋滞と一時間で到着することとの間の因果関係を示している。だが、②は——ムーアの考えに反して——因果関係を示す条件文ではないのではないか。

例えば次の条件文を見てみよう。

のどがかわいているなら、冷蔵庫に麦茶があるよ……③

対偶をとろうとしてみていただきたい。これも、あえて対偶を作るなら「冷蔵庫に麦茶がないならば、君はのどがかわいていない」となり、意味不明である。こうした条件文の分析を行なったことにおいてオースティンは先駆的であり、現在ではこのような条件文は「疑似条件文 pseudo-conditional」と呼ばれている。

③において、のどがかわいていることと冷蔵庫に麦茶があることとの間には因果関係はない。それゆえ、③が正しいなら、のどがかわいていようといまいと冷蔵庫に麦茶は入っているだろう。

"I could have done otherwise if I had chosen."が疑似条件文であるとすれば、ここにおける"could have done"は仮定法ではない。その"could"は単純に"can"の直接法過去なのであり、"I could have done otherwise."は省略された条件文ではなく、直接法過去を用いた定言文なのである。

私が手をあげたとき、それが私の自由な行為であるかぎり、私はそのとき手をあげないでもいられた。しかし、「手をあげないでもいられた」とは両立論者の言うような省略された条件文ではない。私は、手をあげようと思おうが、手をあげないでいようと思おうが、いずれにせよ、手をあげることもあげないこともできた。そしてそれを自由に選んだのである。

3　量子力学とカオス理論

まったくの素人考えなので無視していただいてけっこうだが、それでも、ひとこと補足しておこう。私は、「量子力学は非決定論的ではない」ということで、けっして「量子力学には隠れたパラメータがあり、それが見つかれば決定論的な理論になるはずだ」といったことを考えているわけではない。例えば水素原子において、電子の位置はなるほど確定せず、確率的に与えられるにすぎない。しかし、その確率は水素原子におけるシュレーディンガー方程式を解くことによって求められる。つまり、確率分布という意味での電子の状態は、方程式の解として定まるのである。これはなるほど古典力学の決定論的性格とは同じものではないだろうが、それでもなお「決定論的」と呼びうる性格であるように私には思われる。

ついでにカオス理論についてもひとこと。カオス理論が決定論的だというのは、一般に認められるところだろう。最も単純な事例をあげてみよう。小麦粉を練ってパイ生地を作り、平たくのばした生地の上のある一点に黒ゴマを一粒置く。そしてそのパイ生地を半分に折りたたんでまたのばす。それを半分に折りたたんでのばす。それを繰り返す。そのとき、ゴマ粒はどのように動くか。その動きはもはやランダムとしか言いようのないものとなる。しかし、生地を半分に折りたたんでのばすという操作は確定的なものであり、それを何万回繰り返そうが、ゴマ粒の動きは決定されている。つまり、ここでは、あくまでも決定論的にランダムと呼びうる現象が生じているのである。一般にカオスとは、徹頭徹尾決定論的でありながらも非法則的ふるまいが生み出される現象であると言うことができるだろう。

人間の行為を、こうしたカオス的構造をもったひとつの複雑系として捉えるとき、それは自由にとっての援軍となるだろうか。ならないと思われる。なるほどパイ生地の上のゴマ粒はわれわれにはもはや予測不可能な動きを見せる。しかし、その動きは決定されている。それゆえ、カオスは人間の行動の予測不可能性を裏打ちするだろうが、私が手をあげたときに「あげないでもいられたのだ」ということに意味を与えうるものではない。それは決定論的である以上、古典力学と同様に、もしそれで世界のすべてのこと

――がらが語り尽くせるとしたならば、そこからは人間の自由は閉め出されてしまうのである。――

26 科学は世界を語り尽くせない

決定論と反決定論の水かけ論

私は決定論と自由は両立しないと考えている。そして、自由を擁護したいとも。それゆえ、私は決定論を拒否しなければならない。だが、決定論に直接反論することは不可能なのである。どうしたってそれは水かけ論になる。

まず、決定論をある程度きちんと規定しておこう。例えば、「かくかくの菌に感染すると、それが原因でしかじかの症状が現われる」といった因果法則がある。こうした因果法則が、「つねに必ずそうなる」と主張されるとき、それを「厳格な因果法則」と呼ぶことにしよう。それに対して、例えば「幼児のときに犬に嚙まれた経験があると、それが原因で人はたいていい犬嫌いになる」のようなものは厳格なものではなく、「大まかな因果法則」である。大まかな因果法則であれば、自由とみなされる人間の行為に対してでも成り立っており、とくに自由と衝突しはしない。決定論を支えるのはあくまでも厳格な因果法則である。

厳格な因果法則の形を一般的に規定しておくならば、「できごとAが生じると、それが原因となってつねに必ずできごとBが生じる」というものとなる。（細かい注意を言えば、ここで「A」や「B」は一回かぎりのできごとではなく、何回でも起こりうるできごとの一般的なタイプである。）そして、厳格な因果法則という概念を用いれば、決定論を次のように表現することができる。

決定論――どんなできごとxに対しても、原因yが存在し、「yならばx」を成り立たせるような厳格な因果法則が成り立っている。

すると、森羅万象、もちろん私のふるまいも含めて、例えば私がいま手をあげたことにも、なんらかの原因が存在し、その原因と私の挙手の動作を因果的に結びつけるような「つねに必ず」という形の厳格な因果法則が成り立っていることになる。そして私は前回、そのような考え方は自由の余地を抹殺すると論じたのである。

だが、決定論がこのような主張だとすると、それに直接反論することはできない。決定論は「どんなできごとにも、厳格な因果法則が成り立つような原因が存在する」と主張する。それに対して、「そのような原因は存在しない」と反論しようとしても、「まだ見つかっていないだけで、探せばきっとあるはずだ」と応じられてしまうだろう。決定論も「あるはずだ」としか言えない弱みはあるが、反決定論も「あるはずがない」とまで強いことは言えず、けっきょくどちらも決定的なパンチが出せないままとなる。

だが、決定論者は「こっちには強い味方がいる」と言うだろう。自然科学である。量子力学はともかくとしても、少なくとも巨視的《マクロ》な現象については自然科学は決定論的である。だとすれば――と決定論者は反決定論者たる私に言う――、君は自然科学を敵にまわす気か。

いや、そんな度胸は私にはない。私がやりたいことは、自然科学はけっして決定論者の味方ではないと示すことである。自然科学の営みから決定論を切り離すことができるし、実際、切り離されている。私はそう論じたい。

法則の働き方――地震観測のケース――

なるほど自然科学、とりわけ物理学の法則は、「たいてい成り立つ」というものではなく「つねに必ず成り立つ」という厳格な法則である。だが私は、そうした厳格な法則は世界の決定論的なあり方を描写したものではない（そもそも世界を描写したものではない）と考えている。私の議論を示すために、地震観測所の活動を単純化して捉えたものをモデル・ケースとすることにしよう。

地震観測において震源は次のように特定される。地震には縦波と横波があり、縦波は横波よりも速く伝わる。そこで、運動方程式やフックの法則を用いて、縦波の伝播速度と横波の伝播速度の公式が得られる。この公式を用い、縦波と横波の到達時間の差から震源までの距離を計算する。震源は、観測所Aからの距離がa、観測所Bからの距離がb、観測所Cからの距離がc、……の位置にある。そこで、それらがうまく一つの地点を示してくれれば、そこが震源ということになる。だが、もしかしたら、それらの結果が一つの地点にまとまらず、震源が特定できないことも考えられる。いま、そんな具合の悪い結果が生じたとしよう。そのとき、どうなるだろうか。「うまくいかなかった、じゃあ、運動方程式やフックの法則はまちがっていたのだ」と、そうなるだろうか。

もちろんそんなことになるわけがない。なぜか。──結果がうまく出せなかったことに対して、運動方程式やフックの法則以外にいくらでも原因が考えられるからである。例えば、地殻や地球の内部構造についてのわれわれの事実認識が違っていたと考えることができる。地震波の速度の公式を実際に適用するためには、地震が伝わる媒体（地殻や地球の内部）の固さが分かっていなければならない。そこで、もし実際と異なる固さを想定していたならば、計算結果も実際と異なることになる。逆に言えば、結果の不具合は公式そのものがまちがっていたからではなく、公式を適用するさいの前提の一つがまちがっていたからだと解釈されるのである。そして、それは地殻や地球内部の状態について、われわれに新たな知見をもたらしうるものともなる。例えば、昔はマントルは柔らかいものと考えられていたが、いまでは固体であると考えられている。地震の観測は、そのように地球内部の構造を知るための重要な手段ともなっている。

このことは、地震観測所でどのような一見不都合な結果が生じようとも、それは運動方程式やフックの法則に対する反証例とはならないことを示している。一般的に述べて、法則だけでは何も結果を出せない。なんらかの既知の事実に法則を適用して初めて、未知の事実が知られるのである。とすれば、うまい結果が出なかった場合、それは法則を反証するものとしてではなく、既知の事実とされていたものに誤りか見落としがあったからだと考えることがつねに可能となる。しかもそれはけっして法則を反証から守るための場当たり的《アドホック》な改訂ではない。地球の内部構造についての知識がそのようにして改訂されたように、一見法則に反するように見える事実を説明しようとする努力の内に、科学はその生産力の大きな源泉をもっているのである。

探求の指針としての法則

そのような形で発揮された科学の生産性の事例で科学史上最も印象的な事例は、一八四六年の海王星の発見だろう。まだ太陽系の惑星として海王星が知られていなかったときに、天王星の軌道がニュートン力学に従った計算結果とずれていることが分かった。それは、ニュートン力学に対する一見したところの反例となる。しかし、だからといってニュートン力学がそれで反証されたわけではない。天王星の軌道計算は既知の事実にニュートン力学の諸法則を適用して計算される。そこで誤りは既知の事実とされていたものの方に向けられる。そうして、未知の惑星があるはずだと考えられ、現在海王星と呼ばれている新たな惑星が発見された。

こうした事例において、法則はいわば「探求の指針」として働いている。一見その法則に反したことが生じたならば、それはその法則がまちがっているからではなく、何か現実の方に未知の原因があるに違いないとして、現実をその方向で解釈するよう促される。法則は、「この法則が維持されるように現実を解釈せよ」という探求の指針を与えるのである。地震観測の事例で言えば、運動方程式やフックの法則は地震観測という活動を支える枠組として固定されており、それゆえ地震観測という活動によっては反証されえない。不都合な結果が生じたときには、「運動方程式やフックの法則が維持されるように地殻および地球の内部構造を捉えよ」という指針に従って探求が為されるのである。

法則が厳格に成立するのは、探求の指針を与えるという、法則のこの特異な性格のゆえにほかならない。法則は、ひとたび探求の指針として採用されたならば、現実世界がその法則に反するという事実によってはけっして反証されない。「この法則が維持されるように世界を解釈せよ」という指針のもとに探求が為されるかぎり、その探求の中では、その法則は必然的に維持されることになる。だが、これはその法則がこの世界において厳格に成り立っているということを意味するものではない。「フックの法則が維持されるように地球の内部構造を調べよ」という探求においてフックの法則が成立するのは当然のことである。法則が厳格に成立するのは、世界が厳格にその法則に従っているからではなく、その探求のあり方が、その法則を枠組とし、反証不可能なものとして扱うからにほかならない。

世界は厳格な法則からずれている

フックの法則を例にとってもう少し詳しく見てみよう。フックの法則とは、「F＝kx」という式で表わされ、ばねのような弾性体に力を加えると、その力（F）に比例して弾性体に伸び（x）が見られる、というものである。ゴムひもに重りをぶらさげて、ゴムひもの伸びを測り、重さと伸びの相関をグラフに描くといった実験を理科の授業で行なったという人も多いのではないだろうか。だが、厳密なことを言うならば、フックの法則は「完全に均質な弾性体」でしか成立しない。それゆえ、ゴムひものような必ずしも均質ではない物質で厳格に成り立つわけはないのである。そして、この世界に完全に均質な弾性体などありはしないだろうから、すべての物質はただ近似的にのみフックの法則を満たすにすぎない。つまり、フックの法則はわれわれのこの世界のあり方を正確に描写したものではない。

他にも例えば、気体の体積・圧力・温度の間に成り立つ関係を与えるボイル＝シャルルの法則は、気体分子の間に力が働かないとされる理想気体において成り立つものであり、現実のいかなる気体でも成立しない法則である。あるいは、万有引力の法則は宇宙に二つの物体しかないときにお互いに働く力を規定したものであるが、宇宙にただ二つの物体しかないというのはありえない状況であるから、現実の宇宙において正確にその法則に従う現象が観察されることはない。それゆえ、これらの法則もまた、現実世界のあり方を描写したものではない。

　では法則は、世界のあり方を描写したものではないとすれば、何なのか。――探求の指針を与える。これが、自然科学において厳格な法則がもっている役割にほかならない。すなわち、「この法則が維持されるように現実を解釈せよ」と探求の指針を与えるのである。

　こうした指針は、法則と現実世界のあり方がずれていることを、むしろ積極的に認める。ゴムひもの伸びがフックの法則からずれるのは、ゴムひもが完全に均質な物質ではないからである。空気がボイル＝シャルルの法則からずれたふるまいをするのは、気体分子が分子間力をもつからである。逆に言えば、これらの法則が語り出しているのは現実世界ではなく、完全に均質な物質や理想気体から成り立つ理念的な世界にほかならない。われわれは、自然科学が描き出した理念的な世界を現実世界にあてがい、その理念的な世界からこの現実世界を透かし見て、そのずれを見積もることにより、この世界についてさまざまに語り出していくのである。[2]

決定論の話に戻ろう。決定論は、「できごとAが生じると、それが原因となってつねに必ずできごとBが生じる」という厳格な因果法則がこの世界には成り立つ、と信じている。この信念に対して、自然科学は援軍となりうるのか。

ここまでの私の議論がまちがいでなければ、答えは否定的である。厳格な法則はそもそも世界を描写したものではない。それゆえ、それは世界が決定論的なあり方をしていることを示すものではありえない。なるほど、科学は決定論的な理念的世界像を描き出すかもしれない。だがそれは、けっして世界がその通りであるという主張として素朴に理解されるべきではない。現実世界は科学が描き出す決定論的な世界像からずれ、はみ出し続ける。科学はそのずれを見積もるべく、決定論的世界像を現実世界にあてがい、そこからこの現実世界を透かし見るのである。

現実には、人間が関与する現象は言うまでもなく、自然現象もまた、まったく同じことが繰り返されるということはない。毎日毎年同じように昇っているように見える太陽も、完全に同じ昇り方をすることなどありはしない。枝から落ちる木の葉は言うまでもなく、手から放したリンゴでさえ、厳密には二度と同じ落ち方はしない。あらゆる現象は二度と反復されることのない一回的なものである。他方、自然科学は、厳格な法則を提示し、条件さえ揃えば完全に同じ現象が何度でも反復されるという自然像を描く。だが、この現実世界は、そのような自然科学の自然像からつねに、しかも思いもよらぬ仕方で、はみ出していく。[3]

科学が世界を語り尽くせないのは、科学の限界のゆえではない。そもそも世界は語り尽くせないのである。世界は、私を驚かしうる。実在は、自然科学を含め、言語によって語り出されたあらゆる理念的世界からずれていく。実在とは、語られた世界からたえずはみ出していく力にほかならない。その力を自分自身に、人間の行為に見てとるとき、そこにこそ、「自由の物語」を語り出す余地も生まれる。[4]

第26回　註

1　リサーチ・プログラム論

「探求の指針としての法則」という私の議論は、イムレ・ラカトシュのリサーチ・プログラム論（I. Lakatos, *The Methodology of Scientific Research Programmes*, Cambridge U.P.,1978. 村上陽一郎他訳『方法の擁護』、新曜社）と重なる。

ラカトシュは、自然科学を完成された知識体系としてではなく、進行中の活動として捉えることを主張した。われわれ素人は、科学というとつい教科書にあるようなもの——すでに確立された真な命題の集合——と考えてしまいがちになるだろう。だがそれは科学のごく限定された一面にすぎない。科学はつねに問題を抱え、それに答えようと試行錯誤する運動としてである。そのとき、例えば素粒子論であるとか複雑系科学であるといった（あるいはもっと細分化された形の）特定領域を特徴づけるものは、その研究活動を導く一定の諸規則と指針にあるとラカトシュは考えた。（これに対して、特定の科学活動を特徴づけるものは規則のような明文化されたものではありえず、実際に見本・手本とされる研究活動（パラダイム）なのだと主張したのが、トマス・クーンである。）そしてラカトシュは、そうした規則や指針より成る活動形態を「リサーチ・プログラム」と呼んだ。

リサーチ・プログラムは二つの層をもっている。一つは「堅い核」と呼ばれる層であり、もう一つはその堅い核を守るための「防御帯」と呼ばれる層である。堅い核はその研究領域における基本的な諸前提および中心的な法則から成る。例えば、ニュートン力学の運動の三法則と万有引力の法則は、ニュートン力学というリサーチ・プログラムの堅い核を成している。それに対して防御帯は補助仮説等、すなわち、現時点での事実認識や観察・実験の方法といったことがらから成る。そしてリサーチ・プログラムは、「堅い核を維持するように防御帯の方を修正せよ」という指針をもつのである。

それゆえ、例えばニュートン力学というリサーチ・プログラムの内部では、ニュートン力学の堅い核を構成する基本法則を反証することができない。それらの基本法則が反証されるのは、ニュートン力学というリサーチ・プログラムが全体として他のリサーチ・プログラム（例えば相対性理論）に取って代わられることによる。

私の議論は、基本的にこうしたラカトシュのリサーチ・プログラム論を引き受けたものとなっている。

2　厳格な理念的物語

ここで「理念的な世界」と呼んだものは「理念的な物語」と言ってもよい。そしてそれによって私は、自然科学が開く厳格な理念的物語と日常言語が開く典型的な物語の親近性を示唆したい。例えば日常言語における「鳥」という語は、そこに典型的な鳥の物語を開く。同様に、素粒子論において「クォーク」という語はクォークの物語を開くだろう。しかしその物語は、「鳥」の場合のような典型的な物語とは異なった特徴をもっている。「鳥」の場合には「典型的な鳥」とか「鳥らしい鳥」といったことが言え、ふつうの鳥から変な鳥への推移は明確な境界をもつものではなく、曖昧さがある。他方、

「クォーク」の場合には「典型的なクォーク」とか「クォークらしいクォーク」といった言い方は為されないだろう。その物語は、典型的な物語とは違って厳格な物語であり、物理学の場合であればむしろ数学的モデルと言った方が適切であるようなものとなっている。

実は、こうした数学的とも言える厳格な理念的物語は専門的な科学においてだけではなく、日常の生活の中にもごくふつうに開けている。単純な例を挙げよう。二つの歯車A、Bが嚙み合っており、Aは歯の数が10枚、Bは20枚だとする。そのとき、われわれはAが2回転するとそれに応じてBが1回転すると考える。だが、これは数学的モデルにおける計算であり、現実は必ずしも計算通りの動きをするとは限らない。現実の歯車は変形したり破損したりするかもしれない。あるいは軸がひっかかって回転しないかもしれない。もっと複雑な機械であれば、計算通りにいかないなどというのは、そう珍しいことではないだろう。ここで、われわれは目の前の二つの歯車を数学的に――Aが2回転するとそれに応じてBが1回転するという理念的な物語とともに――見る。ここには、空を飛んでいる鳥を、典型的な鳥の物語とともに見ることと、同様の構造があるだろう。

ウィトゲンシュタインは、このような仕方で見られた機械を「シンボルとしての機械」と呼ぶ。引用しよう。

いかに作動するかについてのシンボルとしての機械。機械――とりあえずは「機械」と言っておいてよいだろう――は、その機械自身の内にすでにその作動の仕方をもっているように見える。どういうことか。その機械を熟知しているならば、いま見えているだけでないすべてのことが、すなわち機械が為すであろうこれからの動きが、すでに完全に決定されているように見えるのだ。

われわれは、機械の部品について、それがこのように動くことしかできず、それ以外の動きは為しえないかのように、語る。どうしてか。それはつまり、その部品が曲がったり、折れたり、溶けたりするといった可能性をわれわれが忘れているということなのか。その通り。われわれは多くの場合そうした可能性をまったく考えていない。われわれは機械、ないし機械の像を、特定の作動の仕方を表わすシンボルとして用いるのである。(『哲学探究』第一九三節)

シンボルとしての歯車は、完璧に計算通りに動く。そして重要なことは、われわれはごくふつうに、現実の具体的な機械や道具をそのようにシンボルとして捉えているということである。もちろん実際には現実の機械や道具はときに計算通りには動かないだろう。例えば車を運転するとき、予期せぬトラブルに見舞われることもある。しかし、とくに異常を示す徴候がない場合には、われわれは、アクセルを踏めば加速しブレーキを踏めば減速することを当然のこととして、それを暗黙の前提として運転する。もっとささやかな道具、例えばボールペンを使うときでも、杖をついて歩くときでも、同様である。われわれは、それらが当然そうなるはずの動き（ノックすればボールペンのペン先が出てくる、多少体重をかけても杖は折れたり曲がったりしない、等々）を暗黙の前提として、それらを使用するだろう。

　このように、日常の暮らしの中でも多くのものが「シンボル化」している。（私としては「数学化」しているとさえ言いたくなる。）「シンボル」とは、厳格な理念的物語がそこにこめられた対象である。厳格な理念的物語の特徴は、それが規範性を帯びているという点にある。これは、典型的な物語には見られない特徴である。例えば、先の例に出した歯車AとBは、Aが2回転するとそれに応じてBが1回転するべきものとして捉えられる。あるいは車であれば、アクセルを踏めば加速すべきであり、ブレーキを踏めば減速すべきなのである。もしその通りにならなければ、それは現実の方に何かおかしなところがあるに違いない。そうしてわれわれは例えば車の故障を見つけるだろう。ここには、リサーチ・プログラムと同様の構造がある。われわれは、厳格な理念的物語を維持するように、現実を解釈する。

　厳格な理念的物語においては、原因と結果は「かくあるべし」によって厳格に結びつけられている。決定論とは、厳格な理念的物語の形式なのである。

3　因果律

前回の註1において、私は、因果律（すべてのできごとには原因がある）と同一原因‐同一結果の原理（同じ原因に対しては同じ結果が生じる）を認めるならば、そこからは決定論が帰結する、と述べた。それゆえ、決定論を拒否するとしたならば、因果律か同一原因‐同一結果の原理のどちらか（あるいは両方）を拒否しなければならない。どちらを拒否すべきなのだろうか。

正直に言って、私は因果律にも同一原因‐同一結果の原理にもかなりのもっともらしさを感じている。しかし、決定論を拒否するのにさほどためらいを感じないくせに、因果律か同一原因‐同一結果の原理のどちらかを拒否するのにはためらいを禁じえないというのは、おそらくは、たんなる知的弱さにすぎないだろう。

きっぱり言おう。まちがっているのは因果律である。

いまかりに因果律を認め、同一原因‐同一結果の原理だけを拒否してみよう。そのとき、同じ原因Aに対して、異なる結果BとCが生じうることになる。だが、Bが生じたとして、なぜCではなくBが生じたのか。すべてのことに原因があるならば、Cが起こらなかったということにも原因があるはずだろう。しかし、それはAではありえない。AはCを引き起こす原因なのだから。では、Cが起こらなかった原因をαとしよう。しかしそうだとすると、CではなくBが生じた原因はA＋αである。そしてA＋αという原因を考えるならば、そこからはもはや異なる結果BとCが生じうるということにはならない。それゆえ、因果律を認めるならば、同一原因‐同一結果の原理もそこから導かれるということになる。かくして、反決定論者の敵は因果律に絞られる。

だが、因果律を拒否するからといって、必ずしも因果律の否定を主張することになるわけではない。「すべてのできごとには原因がある」を否定すると「原因をもたないできごともある」となる。私は相対主義者であるから、このような反因果律的な信念をもっている人々を想像することは可能であるし、そのような人々もけっしてまちがっているわけではないと考える。しかし、これはわれわれの信念ではない。因果律は、われわれ（もちろん私も含めて）の根本的な信念であるように私には思われる。そして、決定論を拒否するために因果律を拒否することは、私の考えでは、けっしてわれわれにこの根本的な信念を廃棄するよう求めるものではない。

廃棄されるべきは、因果律に対する解釈である。「すべてのできごとには原因がある」、われわれはこれを世界のあり方を述べたものと理解してしまうだろう。だが、その理解はまちがっている。因果律は、あらゆる経験科学において、そのリサーチ・プログラムの堅い核に属する原理にほかならない。それは、探求の指針を示している。同様に、同一原因－同一結果の原理も、探求の指針を示すものなのである。何か問題となるできごとが発生したときに、われわれはそのできごとにはそれを引き起こした原因があるはずだと考え、その原因を探求する。あるいは、似たような原因なのに異なる結果が生じたならば、そこには異なる原因が働いていたのだと考え、その差異のありかを探求するだろう。われわれはそのようにして世界のあり方を探求し、そこにおいて因果律や同一原因－同一結果の原理は基本的な指針となる。

だが、自然現象は本質的に一回的である。反復可能な形で世界の秩序を捉えても、世界はたえずそこからはみ出していくだろう。ある場合にAが原因でBが結果として生じたことが観察され、しかし、次の機会にAが生じたのにBではなくCが生じたとしよう。そのときわれわれは、因果律や同一原因－同一結果の原理を捨て去るのではなく、それを維持するように現実の方を解釈する。そして、Bが生じるのはA＋αが原因の場合であり、Cが生じるのはA＋βが原因の場合であるというように、原因をさらに細かく特定するだろう。だが、これでも世界はそこからはみ出ていく。次の機会にA＋βが生じたのにCではなくDが生じるといったことが起こる。あとはこの繰り返しである。そのときにもわれわれは、因果律や同一原因－同一結果の原理を維持するように現実の方を解釈する。そして、Cが生じるのは$A+\beta+\gamma$が原因の場合であり、Dが生じるのは$A+\beta+\delta$が原因の場合であるというように、原因をよりいっそう細かく特定するだろう。自然現象が本質的に一回的であり、かつわれわれの探求が因果律と同一原因－同一結果の原理を堅い核にもっているというのは、つまりこのようないたちごっこが終わることなく続くということにほかならない。われわれの経験的探求は反復可能な形で世界を捉えようとし続け、世界はそれから逃れ続けるだろう。

私は、決定論を拒否することにおいて、決定論的な構造をもった探求――決定論的な理念的物語を紡ぎ出す探求――の仕方を拒否するわけではない。そのような探求が成功をおさめ、豊かな成果を出してきたことにはまったく異論はない。ただ、世界が決定論的な秩序をもつという考え方、いわば決定論的世界観を拒否する。同様に、因果律に基づく探求の仕方を拒否するわけではない。その意味では、因果律に対するわれわれの信念を捨て去れと言いたいわけではない。ただ、世界が因果律的な秩序をもつということ、因果律的世界観を拒否するのである。

4　自由の物語

われわれはどのような「自由の物語」を語り出しているのだろうか。それは、行為や行為の意図に関わることでもあるだろうし、あるいはまた倫理・道徳に関わることでもあるだろう。それはさらに立ち入って慎重に検討されねばならない。おそらく、ある程度は両立論的に語り出せるに違いない。例えば一つのジョークを思い出す。凶悪な殺人犯が裁判において、決定論を主張し、自分が連続殺人を犯すことは決定されていたのだから、自分には責任がない。したがって無罪であると主張した。それを受けた裁判長は静かにこう告げた。私も、あなたに死刑を宣告するよう決定されているのです。――殺人を罪とし、犯罪者を処罰することも、決定論と両立するのである。

だが、われわれは自分たちの行為に、「しないでもいられた」あるいは「他のことも為しえた」という反事実的な思いをこめ、その行為を自由の相貌のもとに見る。それは決定論と両立不可能な人間観である。そうしてわれわれは決定論と両立しない物語を現に生きている。それがどのような物語であるのかは今後検討していくこととして、ここでは一つのことだけを指摘しておこう。

後悔するということは、事実に反する思いを含んでいる。「ああすればよかった」というのは、そうしなかったという事実に反する思いであり、「あんなことしなければよかった」というのはそんなことをしてしまったという事実に反する思いである。後悔には、「しないでもいられた」ないし「他のことも為しえた」という反事実的な思いがこめられている。それゆえ、もし決定論的な世界観のもとに生きているのであれば、その人々は後悔という感情を馬鹿げたものとみなすか、そもそも後悔という感情を抱かないだろう。だが、われわれはそうではない。後悔はけっして馬鹿げた感情ではない。猫は後悔しないが、人間は後悔する。あるいはときに後悔とは逆の感情として、自分の為したことを――たんに運命として甘受するのではなく、自分の手でつかんだこととして――満足をもって肯定するだろう。

あとがき

講談社のPR誌である『本』は実に奇特な媒体で、よくこんなものを連載するなあというような難解なものが掲載されていたりする。それに比べれば私の連載はまだ愛想があった方だと思うのだが、それでも執筆しながら、よくこんなものを連載させてくれるなあと思っていたものである。編集の上田哲之さんにはその暖かいまなざしに感謝したい。

ふつうPR誌に書くというと一般向けの軽いものを考えるだろう。だが、私ははなからそのつもりはなかった。ときに冗談をまじえながら、可能なかぎり読みやすい文章を心がけたが、それは読者サービスではない。それが私自身の思考のスタイルなのである。だからここで私は読者に歩み寄るなどという気持ちの悪いことをしているのではなく、ただたんに自分の素顔を晒しているにすぎない（そっちの方が気持ち悪いなどと言わないように）。内容的にも、読者を啓蒙しようなどとはまったく考えていない。私はひたすら自分の哲学的思索の最前線を毎回刻み込んでいった。これが、私の哲学の現在位置にほかならない。

研究者というのは、一般に論文を書くものとされる。だが、どうも自分の哲学的思索を論文という形では書きにくくなってきた。それで、論文を書くかわりに、この連載を引き受けた。つまり本書は、既出論文を水割りにして口あたりをよくしたものではなく、原酒であり原液なのである。最後に、そのあたりの事情を書いたものとして、『科学』二〇一〇年九月号（岩波書店）に掲載した短文を付してあとがきに代えることとしよう。

論文が書けない

ますます論文というものが書けなくなってきた。とはいえ、やる気がなくなったとかアイデアが枯渇したというのではない。やる気はそこそこ（つまり昔と同じくらい）あるし、中なり小なりのアイデアも出る。なるほど、大学も昨今はバタバタと忙しくて、研究や論文執筆にじっくりと腰を据える時間がとりにくくなってきたというのも、事実ではある。しかし、私に関して言えば、やはり哲学と向き合っている時間が生活の中で一番長いし、哲学上の洞察が得られて、少しでも見晴らしが開けた感じがしたときは、なによりもうれしい。

ひとつには、なかなか論文になりにくいテーマに踏み込んでしまったということもある。ウィトゲンシュタインの『論理哲学論考』は「語りえぬものについては、沈黙せねばならない」という最後の一言で知られるが、私は『論理哲学論考』に反して、「語りえぬもの」の姿をなんとかあぶり出そうともくろんでいる。だが、いかんせん、「語りえぬもの」は……語りえないのである。

しかし、論文が書けないもっと大きな理由がある。長年哲学をやっているうちに、自分自身の哲学的風景とでも呼べるようなものが開けてくるようになった。「語りえぬもの」を巡ってあれやこれや考察しているうちに、それが以前からの考察とも結びついて、なんとはなしにまとまり始め、とはいえそれはけっして哲学体系と呼べるようなものではなく、まさに一つの風景のようなものとして広がってきたのである。その哲学的風景をともに見てもらうためには、私のいるところに立ち、ともにそのあたりをあちこち歩きまわってもらわなければならない。これはなかなか論文という形式になりにくい。

先日も博士論文の中間発表会で、提示された学生の論文の目次予定を見て「この論文には序論と結論はないいんですか？」と鋭い口調で質問した先生がいた。いわく、序論と結論がないということは、何が問題で、それにどう答えられたのかがはっきりしないということです。いや、まったくそのとおりなのだが、入口も出口もなく、たまたま立ちつくしたところから始め、茫然と立ち止まったところで一休みするというのも、哲学のふつうのあり方なのである。

かつては私も問題を立て、それに答えを出そうとする形で論文を書いていた。いまでも、序論と結論を強調した先生と同様に、学生にはそんなふうに指導したりもする。だが、自分ではなかなかそうもいかなくなってきた。薄ぼんやりと見えてきた風景の中をうろつきまわり、私の目に映るものをたどたどしく語り出すことしかできない。それが私一人の幻影でないことを願いながら。

解説

古田　徹也

株立ちの木と、そこから次々に伸びる枝

五百頁近い本書『語りえぬものを語る』は、まさに大著と呼ぶにふさわしい。しかし、その重厚な印象は読み始めればすぐに消えるだろう。それは、内容が薄いということではない。むしろ、多彩かつ密度の濃い論考がこれでもかと詰まっているにもかかわらず、本書はとても近づきやすいのだ。いったんページを繰り出すとなかなか止められず、読後には心地よい頭の疲れとともに、哲学以外では得られない不思議な種類の満足感が残る。

その理由はふたつあるだろう。ひとつは、言うまでもなく文章と内容の力だ。私たち読者は、著者の野矢氏一流の洗練された文体に目を預けるうちに、難解なはずの哲学的な諸問題の内実を自然に理解し、それらを解くために提示されるアイディアを新鮮な驚きをもって受けとめることができる。実際私も、この解説を書くために数年ぶりに本書を読み返しながら、哲学することの純粋な楽しさを久しぶりに味わった。

そしてもうひとつは、本書の特異な体裁である。「はじめに」で説明されているように、

本書は、それぞれがある程度独立した読み物になっている「本文」二十六編と、本文中の各箇所に絡んで書き足された「註」七十四個から成っている。読者が自分でそれらの間の緩やかな連続性をたどり、全体を見渡すことで、眼前に「一つの哲学的風景が立ち上がってくること」（4）が本書では目指されている。

著者自身がそう述べている通り、本書を「一本の木に喩えるならば、本文が幹であり、註が枝ということになる」（3）だろう。ただしその木は、単幹ではなく、複数の幹が密集して絡み合った株立ちの木にほかならない。

また、枝よりも幹の方が重要とはかぎらない。たとえば、第9回の註2で論じられている、概念の浅い理解と深い理解の区別は、幅広い議論領域に光を当てうるきわめて啓発的な議論である。また、第23回の註1における「ふつうの男」と「男らしい男」の違いをめぐる議論なども、読者がこの論点をどう引き継ぐかに応じて、さらに豊かな展開をもたらしうる。本書の「枝」は、よく伸びつつある生長途上のものであり、多様な可能性を胚胎し、それ自体として独自の魅力を湛えているのである。

お行儀のよい学術書や論文は、序論から結論へと向かって直線的に無駄なく進む。したがって、そこでは枝は刈り取られ、主題はひとつに絞られ、それゆえ主題同士の意外な連関が示唆されるということもない。しかし、自然と展開していく議論の先や、自然と移行していく議論と議論の間にこそ、しばしば新しい思考のアイディアが生まれ、新しい物事の見方が開かれうる。本書はまさに、その効果を実際に発揮している類い稀な哲学書なのである。

以下の解説では、本書全体の中核を成すと思われるキーワードやアイディアなどを確認し、最後にひとつ疑問も示す。その作業はどうしても、本書の内容を一定の方向に整形し、その豊かさを損なうものにはなってしまう。たとえば、相対主義や懐疑論、決定論と自由の問題といった、哲学上の古典的領域をめぐる本書の興味深い議論の詳細をたどることはできない。ただ少なくとも、本書を通して私に見えてきたひとつの哲学的風景の報告にはなるだろう。


私が生きているこの論理空間の外部を予感する試み

思考の可能性は言語によって開かれる。もう少し具体的に言おう。私は現実の世界を様々な概念に分節化して捉えている。そして、その手持ちの概念を組み替えることで、非現実の可能性を表現し、理解することができる。

本書のキーワードのひとつ「論理空間」は、そのような表現の可能性の限界を指している。すなわち、「豚が空を飛ぶ」のであれ、「私が大リーグでホームランを打つ」のであれ、私に語りうること＝思考可能なことを集められるだけ集めたその全体が「論理空間」である。したがって当然、「論理空間の内部に収まらないものは、語りえず、思考することもできない」(21)。

そして、本書にとって重要なのは、論理空間のいわばサイズ——私に語りうることの総体——は、私がどのような概念を所有しているかに依存しており、したがって、私の経験に依存しているということだ。たとえば私は、「アクチン」や「ミオシン」がどのような概念か（あるいは、そもそも概念なのかどうか）を全く知らない。それゆえ、化学の本をぱらぱらめくって目に入った「アクチンとミオシンが互いに横滑りすることで筋収縮が起こる」という記号列は、少なくとも私にとっては意味不明であり、論理空間のなかの語りうる（＝思考可能な）事態とは言えない。

私がこれから経験を積み、新しい概念を習得すれば、その分だけ論理空間は大きくなるだろう。また、これまで知っていたはずの概念の中身を忘れてしまえば、その分だけ論理空間は小さくなるだろう。いずれにせよ、私の経験を基にして私の思考可能性の全体たる論理空間は張られるのであり、この空間に欠けている概念を含む他の論理空間なるものは思考不可能でしかない。

いや、「「他の論理空間は思考不可能」と主張することは、「他の論理空間」を「思考不可能」なものとして思考するという背理に陥っている」(31)。それゆえ、他の論理空間については実は思考不可能とさえ言えないことになり、同時に、私の論理空間という言い方もポイントを失うことになる。

私の知らない諸概念を他者が所有しており、それらの諸概念を基底にした他者の論理空間が存在する、などと言葉を並べてもナンセンスにしかならない。だとすれば、私はただ語りうることを端的に語り、それ以外については沈黙に徹する以外にないのだろうか。本書で野矢氏は、こうした沈黙への誘いに抗して、「私が生きているこの論理空間の外部を予感しようと試みる」(21)のである。

理解の運動において示される、異なる論理空間の存在

私は「猫」という概念を所有しており、ある家で飼われているタマをこの概念で捉えている。これを野矢氏は、タマは私にとって猫という相貌をもっている、とも表現する。

では、タマを別の概念で捉える(＝タマが別の相貌をもつ)ことはできるだろうか。野矢氏は次のような想定を行っている。ある文化圏の人々は、猫にあたる概念も掃除機にあたる概念ももっておらず、逆に、猫と掃除機をともに指す「クリーニャー」という概念をもっている。それゆえ彼らは、タマを「クリーニャー」という概念で捉える。彼らには、タマはクリーニャーという相貌をもっている——「クリーニャーとして見える」(109)——のである。

しかし私には、タマはどうしたって猫にしか見えない。クリーニャーとして見えるようになるには、彼らがこの概念をどう使いこなしているか——関連する諸概念とともに、この概念とともにどう生活しているか——を知り、自分でも使いこなせるようになる必要がある。その定義——すなわち、「クリーニャーとは、猫または掃除機のことだ」といった翻訳——

自体は頭に入る。しかし、そのポイントが分からない。彼らはなぜ、そのような奇妙な概念をもち、各々を個別に指す概念をもっていないのか。それが合理的であるような生活形式とはどのようなものか。そのことを身をもって理解する必要があるのだ。その意味で、猫からクリーニャーに概念を変えるというのは「生き方を変える」(110)ことだとも言える。私は現在は猫という概念を生きており、彼らはクリーニャーという概念を生きているのである。

もちろん、彼らがクリーニャーという概念をもっている、というのは思考実験上の仮定にすぎない。私が「クリーニャー」という記号を彼ら同様に使いこなせるようになり、タマがクリーニャーに見えるようになってはじめて、「クリーニャー」が私にとって未知の概念だったことが分かるのである。総じて、未知の概念であるものなどありえない。概念を概念として習得したときには、当たり前だが、それはすでに未知ではなくなっているからだ。

そしてこのことが、他者の論理空間の存在という問題に対する野矢氏の解答に直結している。「クリーニャー」という架空の概念はともかくとして、私は日常的に様々な概念を新たに習得しており、そのような「習得による理解は、まさにそこに異なる概念があったことを示している」(148)。私にとって未知であった概念はたいてい、他者がすでに知っていた概念である。そして、その概念を含む他者の論理空間は当然、私の論理空間とは異なるものだったことになる。つまり、現在形で「未知の概念が存在する」とか「他者の論理空間が存在する」と語るのはナンセンスだが、新たな概念を習得し、私の論理空間が変化した後であれば、「未知の概念が存在した」とか「他者の論理空間が存在した」と確かに言うことができる。未知の概念の存在、ひいては異なる論理空間の存在は、そうした「理解の運動において」（149）示されるのである。

われわれを触発し語らせる、非言語的な体験の場

以上の洞察を起点に、野矢氏は「語りえぬもの」を独自の仕方で輪郭づける議論を次々に展開していくことになる。

まず強調されるのは、ある概念が論理空間に含まれているからといって、必ずしもその概念を十分に理解しているとは限らない、ということだ。あるいは、語ることができるからといって、必ずしも十分に理解できているとは限らない、と言ってもよい。

たとえば私は、「クリーニャー」を「猫または掃除機」に翻訳できるから、クリーニャーについて語ることはできる。その意味では、クリーニャーとは何かを私は理解していると言える。しかし、「猫」や「掃除機」とは違って、「クリーニャー」という文字列を使いこなすことはできない。タマがクリーニャーという相貌をもって立ち現われてくることはない。クリーニャーは猫と掃除機の両方を指すものだと言われて「そうなのかと頭では理解するが、いわば体がついていかない」（173）のである。その意味では、私はクリーニャーを理解していない。

論理空間には、語りうるものが文字通りすべて含まれるから、クリーニャーも論理空間に含まれる。しかし、私の行為に関わる可能性の空間――これを野矢氏は「行為空間」と名づける――には含まれない。（同様に、論理空間には含まれるが行為空間には含まれない概念として、グッドマンの「グルー」（165）やクリプキの「クワス」（250）なども本書では詳しく取り上げられている。）

私は「クリーニャー」という文字列でもって何をしたらよいのか全く分からない。今後、これを日常的に用いる人々のなかに入り込み、ともに生活していけば、やがてこの使い方を覚えて使いこなすことができるかもしれない。それとともに、よそよそしかった「クリーニャー」の印象が馴染んだ感じに変わり、タマがクリーニャーとしても見えるようになるかもしれない。すなわち、タマがクリーニャーの相貌をもって立ち現われてくるかもしれない。そのとき私は「クリーニャー」という概念を手にしたと言えるだろう。以上の点を野矢氏は次のようにまとめている。

概念を所有するとは、それゆえ言葉を使用するとは……ある技術を身につけることである。……相貌とは、こうした技術知（know-how）が対象に投影されたものにほかならない。（257）

たとえば、いま目の前にいる猫に対して私は、これから撫でたり、キーボードに寝ないように警戒したり、餌をあげたりしようという構えのもとに、それを見ている。同様に、「私は、目の前のコーヒーカップに対して、これからそれを手に取り、コーヒーを飲もうとする構えのもとに、それを見ている。われわれはそうした運動の方向に対する感受性を確かにもっている。その現われが、相貌にほかならない」(413)。

この一連の消息は、「相貌をはみ出したもの、あるいは相貌という小島を取り囲む海、すなわち非言語的な場」(340)の存在を示唆する。それ自体としてはいまだ分節化されざる非言語的な体験に触発され、ある技術知の習得を経て、ある分節化された体験が成立する。たとえば、「猫」が視界を横切るといった知覚である。そして、われわれの知覚体験はそうしたいわば概念的なものには尽くされない。周囲を見渡せば、「概念的に捉えられる以上のものがそこにあるのは明らか」(382)である。たとえば、「われわれが目にしている微妙な色合いの多く(ほとんど?)に対して、われわれはその色合いを表わす概念をもっていない」(384)。非概念的な知覚は、それ自体は語りえず、われわれを触発して語らせる力である。それは、われわれがいま語りうる知覚の隙間から常に溢れ出し、「いつか語り出されるかもしれないそのときを待っている」(386)のである。

過去も同様だ。「過去自体が私を触発して、私に過去を物語らせる」(350)。その過去自体は、まさに語られる以前の過去であるのだから、それ自体を語ることはできない。しかしそれは、私が（あるいは、われわれ皆が）いま語りうる過去よりもはるかに豊かなものだろう。

「新しい物語」が語り出されていくダイナミズム

もちろん、非概念的な知覚であれ、過去自体であれ、それらは非言語的な体験の場であるのだから、原理的に語りえない。ここで、人には三種類の選択肢があるだろう。まず、何も語らずに沈黙すること。次に、語りえぬものは存在しないと主張すること。そして最後に、語りえぬものは存在すると主張することである。野矢氏は最後の選択肢を選ぶ。本書の道筋は基本的に、日常の実感にも即したこの選択が最も自然であることを、多様な角度から説得的に描き出すものだと言えるだろう。

ここで私は、言語的に分節化された体験を、圧倒的に豊かな非言語的体験の場が取り巻いているというイメージを抑えることができない。非言語的体験が言語を触発し、触発された言語が非言語的体験を分節化する。そうして言語化され分節化されたものは、非言語的体験のごく一部であるに違いない。もちろん、非言語的体験なるものがいったいどのようなものであるのか、語ることはできないし、それが豊かなものだなどというのも、無根拠どころか意味不明だということは承知している。また、非言語的体験の場などというものが存在することさえ、論証することはできない。それでも私は、非言語的体験が存在することを、しかもそれが豊かなものであることを、確信している。言語は、あるいは言語的に分節化された体験や世界は、非言語的な体験の海に浮かぶちっぽけな島にすぎない。
(329)

野矢氏が強調するのは、言語が見せる相貌の世界は「あくまでもスタート地点……「初期設定《デフォルト》」」(405)に過ぎない、ということだ。

たとえば、目の前のものが猫という相貌をもって立ち現われているとき——私が「猫」という概念でそのものを捉えているとき——、私は、猫にまつわる通念に従ってそのものを見ている。言い換えれば、ふつうの猫の物語に登場するキャラクターとして見ている。「猫」という概念を理解するとは、猫にまつわる諸々の通念(=猫にまつわる典型的な物語)を理解することであり、「相貌を知覚するとは、その概念のもとに開ける典型的な物語をそこにこめて知覚することにほかならない」(402)。

しかし、そのような相貌の世界(=典型的な物語の世界)とは異なり、現実の世界は際限なく豊かなディテイルをもち、意表を突く驚きをもたらしうる。そして、その点にこそ世界の実在性(リアリティ)があると野矢氏は言う。たとえば、現実の猫は、その猫のみの形や色をしていて、個別の家や飼い主などとの独特な関係を形成している。また、ふつうの猫

（典型的な物語が描く猫）から逸脱した、変わった習性や振る舞いを示す。同じことは、椅子であれ、料理であれ、服装であれ、現実のあらゆる事物に言えるだろう。われわれがさしあたり暮らしているのは相貌の世界だが、そこから「世界の実在性に突き動かされ、新たな物語へと歩を進めるのである」(405)。

こうして野矢氏は、典型的な物語からの逸脱から新たな物語が語り出されていくダイナミズム――概念が形成される動的過程――そのものに着目し、それを明晰に摑み取ることへと次第に焦点を合わせていく。そして、それは終盤近くの、新語導入（言語変化）の運動として隠喩を捉える議論（第24章）へと結びつくことになるのである。

いつか語られうるものと、いつまでも語りえないもの

以上、本解説で触れることのできた本書の議論は限られているが、それだけでも、実に多様な論点へと波及する魅力的なアイディアが提示されているのは明らかだろう。その射程は哲学だけではなく、言語学や人類学など広範な分野に及ぶものだ。

この点を確認できたところで、哲学徒の習い性として、抑えがたい疑問を最後にひとつ挙げておきたい。それは、「語りえぬもの」の種類をめぐる疑問である。

「クリーニャー」（および、「グルー」、「クワス」等々）について、その定義を教えてもらえれば、われわれはそれらについて最も広い意味での理解を得ることはできる。野矢氏が慎重

に言葉を選んでいる通り、「一応理解はする」（174）ことができる——あるいは「通り一遍の理解は示せる」（194）——のである。そして、本書における野矢氏の論敵である前期ウィトゲンシュタインは（また、おそらくはデイヴィドソンも）、この水準で理解というものを捉え、語りうるものの限界をこの水準の理解可能性に重ねている。つまり「クリーニャー」は、「猫または掃除機」に翻訳できるという意味で一応理解できる。そしてそのかぎりで、語りうるものに含まれるのである。

もちろん、これも本書で説得的に論じられている通り、その程度の理解では、われわれは「クリーニャー」でもって何もすることができない。言い換えれば、「クリーニャー」は論理空間には含まれるが、行為空間には含まれない。このこと自体はきわめて重要な区別だ。しかし、前期ウィトゲンシュタイン自身の関心が集中しているのは、理解可能性をどれほど広く設定したとしても、それでもなお決して理解できないもの——その意味で、語りえぬもの——なのではないか。

本書における「語りえぬもの」は、「いつか語り出されるかもしれないそのときを待っている」ものとして特徴づけられる。（それには、「クリーニャー」のようにすでに翻訳済みだがいまだ習得されざるものもあれば、翻訳という契機を挟まずに直に習得されうるものもあるだろう。）他方で、前期ウィトゲンシュタインが「語りえぬもの」として示す事柄、たとえば、世界が存在するという神秘や、独我論的な主体、倫理、美といったものは、少なくとも彼自身にとっては、いつまでも語り出される可能性がないものであるはずだ。そして、私が「語りえぬもの」として素朴にイメージするのも、そうした、永遠に論理空間の外部にあり続ける何か――手垢のついた曖昧な哲学用語でいえば、超越的なもの――である。それゆえ、本書で示されるいわば脱神秘化された「語りえぬもの」とは、ずれを感じるのである。

たとえば、前期ウィトゲンシュタインであればこう言うだろう。われわれは普段の生活のなかで、何が美しいかについてはよく語っている。たとえば、この夕焼けは信じがたいほど美しい、などという風に。しかし、その夕焼けの何が美しいのか、なぜ美しいのかと問われたとき、その夕焼けの様子や特徴などは事細かに語れるとしても、その美それ自体を語ることは決してできない、と。(なお、これに関連して言えば、論文「隠喩の意味するもの」におけるデイヴィドソンの関心も、生きた隠喩の芸術的ないし美的特徴のみにあるように私には思われる。当該論文の要点は、生きた隠喩として成功している文が含意しうる認知的内容をどれだけ語っても、その文の美ないし芸術性それ自体を語ったことにはならない、という点を主張することにこそあるのではないか。)

はたして、「語りえぬもの」にそのように種類の違いを認めることが本当にできるだろうか。もしできるとすれば、本書の議論は、決して語りえぬもの(あるいは、超越的なもの)にどのように関係しうるだろうか。たとえば「倫理」や「美」や「神」といった概念を、私は習得しているようにもいないようにも思える。私は日々の生活のなかでこれらの概念を

(それほど頻繁ではないにしろ)さまざまな仕方で実際に使っている。しかし、実は使いこなしていないのだろうか。あるいは、使いこなしているけれども語りえない、ということもあるのだろうか。

興味は尽きないが、見当もつかない。本書を読み終えて私は、「行為空間」と「相貌」という卓抜したアイディアを与えられて、もつれ糸が解けるような清々しい納得感を覚えている反面で、上述のような困惑にも見舞われている。本書の議論を通して、典型的な物語に覆われた窮屈な風景が、意外な可能性に開けた風景に変貌したような感覚を味わったが、その一方で、視界のなかによく見通せない部分が生じてもきている。この新たな困惑、そして、それを解けという促しを含んだ不可解な風景こそが、本書がいま私にもたらしてくれる哲学的風景にほかならない。

(東京大学准教授・哲学、倫理学)

語りにくいもの・いまの私には語りえないもの・永遠に語りえないもの

野矢茂樹

ウィトゲンシュタインは独我論について、「独我論の言わんとするところはまったく正しい。ただ、それは語られえず、示されているのである」（五・六二）と論じる。これに対して私はこう主張したい。「独我論の言わんとするところはまちがっている。ただ、それは語られえず、示されているのである。」まずその点について少し述べよう。

『論理哲学論考』は一見すると実に不思議な構成で、要素命題と呼ばれる最も単純な命題の話や、要素命題を否定したり「かつ」でつないだりする真理操作の話をしていたと思ったら、唐突に「この見解が、独我論はどの程度正しいのかという問いに答える鍵となる」と、独我論の話が始まる。そしてそれが一段落すると、六番台になって、数学の話などが続いていく。

本書の第2章において、私は単純化した言い方ではあるが「私の論理空間は私の経験に依存している」と述べた。そしてそれは私の思考可能性の総体であるから、私は私の論理空間と異なる他者の論理空間を思考することができない。これが、「独我論はどの程度正しいのかという問いに答える鍵」である。そして私は本書において、ウィトゲンシュタインに叛旗を翻し、独我論がまちがいであることを示そうとした。ひとことで言えば、いまの私の論理空間だけが唯一のものであるはずがない、ということである。論理空間の変化はなるほど語りえない。しかし、これまでの私は自ら自分自身の論理空間の変化を経験してきた。そしてまた、他者とのコミュニケーションにおいて、私と異なる他者の論理空間の存在は確かに示されているだろう。

だが、『論理哲学論考』には続く六番台がある。ここでウィトゲンシュタインは「論理は語りえない」「倫理は語りえない」と論じ、「謎は存在しない」と昂然と言い放つのである。そして私の解釈では、五番台と六番台の間には決定的な違いがある。詳しい説明は省かざるをえないが、せめて「基底」と「操作」という用語は導入させてもらおう。要素命題を否定したり「かつ」や「または」でつなげて複合命題が作られる。要素命題を否定したり組み合わせたりすることは「操作」と呼ばれる。それに対して操作が施される要素命題の方は「基底」と呼ばれる。何が基底になるかは私の経験に依存しているが、操作は私の経験には依存せずに成立している。

五番台までは私の経験に依存した論理空間のあり方が論じられていた。それゆえその思考不可能性は私の論理空間を超えているからというのが理由だった。他方、六番台では操作に関わるア・プリオリ性が論じられている。論理は操作のあり方に関わっており、それゆえア・プリオリとされる。そして操作は私の経験には依存しない。それゆえ、それはもはや独我論についての議論がもっていた「私の」という限定がとれているのである。

かりに他者の論理空間が存在することをウィトゲンシュタインも認めたとしよう（本音では彼だってそれを認めていたと私は思う）。しかし、どのように論理空間が作られようと、私の論理空間であろうと他者の論理空間であろうと、それが論理空間であるかぎり論理は語りえず、倫理も語りえない。『論理哲学論考』はそう主張しているのである。（私はかつて『『論理哲学論考』を読む』において、このあたりの事情を「弱いア・プリオリ性」と「強いア・プリオリ性」という用語を提案して論じた。）

さて、以上を準備として、古田さんの疑問に応答を試みよう。古田さんが焦点を当てたのは、本書における行為空間と論理空間の違いだった。「クワス」や「グルー」や「クリーニャー」は私の言語ゲームでは使えない概念でしかない。それらは私の論理空間には属していても、行為空間には属していないからである。では、それらは「語りえぬもの」と呼ばれるべきなのだろうか。古田さんは私が本書においてそれらを「語りえぬもの」として提示していると理解した。『語りえぬものを語る』という書名の本で論じられているのだから当然だろう。しかし、古田さんの指摘する通り、それは『論理哲学論考』において語りえぬとされたものたちではない。そして私もそれらを「語りえぬもの」とみなすつもりはない。あえて言えば「クワス」や「グルー」や「クリーニャー」は「語りにくいもの」である。語りえぬものについては沈黙するしかないが、語りにくいものについては、口ごもるしかない。

私の論理空間の中にはあるが行為空間の外にあるものは「語りにくいもの」であり、私の論理空間の外にあるものが「語りえぬもの」とされる。しかし、たんにいまの私の論理空間の外にあるだけで、論理空間が拡大ないし変化したならば語れるようになるものもある。例えば「アクチン」や「ミオシン」はいまの私には使えない概念でしかないが、勉強していつか使いこなせるようになるかもしれない。いまの私の論理空間の外にある「語りえぬもの」の中には、このように「いまの私には語りえないもの」もあるのである。

それに対して論理や倫理は、『論理哲学論考』の議論を受け入れるならば、論理空間が論理空間であるかぎり語りえぬものとなる。すなわち、永遠に語りえないとされる。

かくして「語る」ことに関して四つの層があることになる。

① ふつうに語りうるもの
② 語りにくいもの
③ いまの私には語りえないもの
④ 永遠に語りえないもの

改めて本書を振り返ってみると、古田さんの指摘の通り、④の「永遠に語りえないもの」について私は本書においてほとんど何も論じていない（語っていないだけではなく、何ごとかを示そうとしてもいない）と言わざるをえない。そこで、倫理と論理の語りえなさについても少しだけ述べてみたい。

倫理についてあまり考えはない。ただ、ウィトゲンシュタインに反して、道徳命題にも真偽は言えるという主張には多少の共感を覚える。例えばジョン・マクダウェルのような哲学者であれば、第二の自然とかを持ち出して、論理空間の中に平然と価値や規範を組み込んでくるだろう。（ただし、私はマクダウェルと違って倫理的相対主義である。しかし、私はそもそも真理の相対主義に立つので、道徳命題に真偽が言えることと倫理の相対主義は両立する。）

論理については、これもまたウィトゲンシュタインに反して、永遠に語りえぬものではないと言いたくなる。『論理哲学論考』は、操作のア・プリオリ性から論理の強いア・プリオリ性を導いたが、そもそも操作が強いア・プリオリ性をもつという点が怪しい。『論理哲学論考』は二回否定するとキャンセルされて肯定になるような操作を考えて論理空間を形成したが、直観主義ならばそのような仕方で否定を捉えることを拒否するだろう。古典論理と直観主義論理の対立が果たしてまともな「語り合い」になっているのかどうかは定かではない。しかし、確かにそこには対立があり、論争がある。それに対して「沈黙せよ」と言うのはあまりにも力のない野次にすぎない。
だから、そう、沈黙してなんかいられないのである。

KODANSHA

本書の原本は二〇一一年に小社から刊行されました。

野矢茂樹（のや　しげき）

1954年，東京生まれ。東京大学教養学部卒業。同大学大学院博士課程単位取得退学。東京大学教授を経て，現在立正大学教授。専攻は哲学。著書に『論理学』『心と他者』『哲学の謎』『無限論の教室』『哲学・航海日誌』『『論理哲学論考』を読む』『新版　論理トレーニング』『大森荘蔵――哲学の見本』『心という難問』『増補版　大人のための国語ゼミ』ほか。

講談社学術文庫

定価はカバーに表示してあります。

語《かた》りえぬものを語《かた》る

野《の》矢《や》茂《しげ》樹《き》

2020年11月10日　第１刷発行
2023年８月21日　第６刷発行

発行者　鈴木章一
発行所　株式会社講談社
東京都文京区音羽 2-12-21 〒112-8001
電話　編集（03）5395-3512
販売（03）5395-4415
業務（03）5395-3615

装　幀　蟹江征治
印　刷　株式会社ＫＰＳプロダクツ
製　本　株式会社国宝社
本文データ制作　講談社デジタル製作

ISBN978-4-06-521615-6

「講談社学術文庫」の刊行に当たって

これは、学術をポケットに入れることをモットーとして生まれた文庫である。学術は少年の心を養い、成年の心を満たす。その学術がポケットにはいる形で、万人のものになることは、生涯教育をうたう現代の理想である。

こうした考え方は、学術を巨大な城のように見る世間の常識に反するかもしれない。また、一部の人たちからは、学術の権威をおとすものと非難されるかもしれない。しかし、それはいずれも学術の新しい在り方を解しないものといわざるをえない。

学術は、まず魔術への挑戦から始まった。やがて、いわゆる常識をつぎつぎに改めていった。学術の権威は、幾百年、幾千年にわたる、苦しい戦いの成果である。こうしてきずきあげられた城が、一見して近づきがたいものにうつるのは、そのためである。しかし、学術の権威を、その形の上だけで判断してはならない。その生成のあとをかえりみれば、その根は常に人々の生活の中にあった。学術が大きな力たりうるのはそのためであって、生活をはなれた学術は、どこにもない。

開かれた社会といわれる現代にとって、これはまったく自明である。生活と学術との間に、もし距離があるとすれば、何をおいてもこれを埋めねばならない。もしこの距離が形の上の迷信からきているとすれば、その迷信をうち破らねばならぬ。

学術文庫は、内外の迷信を打破し、学術のために新しい天地をひらく意図をもって生まれた。文庫という小さい形と、学術という壮大な城とが、完全に両立するためには、なおいくらかの時を必要とするであろう。しかし、学術をポケットにした社会が、人間の生活にとってより豊かな社会であることは、たしかである。そうした社会の実現のために、文庫の世界に新しいジャンルを加えることができれば幸いである。

一九七六年六月

野間省一

1015・1120
柄谷行人著（解説・野家啓一）
探究Ⅰ・Ⅱ

闘争する思想家・柄谷行人の意欲的批評集。本書は《他者》あるいは《外部》に関する探究である。著者自身をふくむこれまでの思考に対する「態度の変更」を意味すると同時に知の領域の転回までも促す問題作。

1019
市川 浩著（解説・中村雄二郎）
精神としての身体

人間の現実存在は、抽象的な身体でなく、生きた身体を離れてはありえない。身体をポジティヴなものとして把え、心身合一の具体的身体の基底からの理解をめざす。身体は人間の現実存在と説く身体論の名著。

1035
新田義弘著（解説・鷲田清一）
現象学とは何か

《客観的》とは何か。例えばハエもヒトも客観的に同一の世界に生きているのか。そのような自然主義的態度を根本から疑ったフッサールの方法論的改革の営為を追究。危機に瀕する実在論的近代思想の根本的革新。

1071
市川 浩著（解説・河合隼雄）
〈身《み》〉の構造 身体論を超えて

空間がしだいに均質化して、「身体は宇宙を内蔵する」という身体と宇宙との幸福な入れ子構造が解体してゆく今日、我々にはどのようなコスモロジーが可能かを問う。身体を超えた錯綜体としての〈身〉を追究。

1092
G・ル・ボン著／櫻井成夫訳（解説・穐山貞登）
群衆心理

民主主義の進展により群衆の時代となった今日、個人の理性とは異質な「群衆」が歴史を動かしている。その群衆心理の特徴と功罪を心理学の視点から鋭く分析する。史実に基づき群衆心理を解明した古典的名著。 電P

1157
森 三樹三郎著
老子・荘子

東洋の理法の道の精髄を集成した老荘思想。無為自然に宇宙の在り方に従って生きることの意義を説いた老荘。彼らは人性の根源を探究した。仏教や西洋哲学にも多大な影響を与えた世界的思想の全貌を知る好著。

哲学・思想・心理

1394
荀子
内山俊彦著

戦国時代最後の儒家・荀子の思想とその系譜。秦帝国出現前夜の激動の時代を生きた荀子。性悪説で名高い人間観をはじめ自然観、国家観、歴史観等、異彩を放つその思想の全容と、思想史上の位置を明らかにする。電P

1424
反哲学史
木田　元著（解説・保坂和志）

新たな視点から問いなおす哲学の歴史と意味。哲学を西洋の特殊な知の様式と捉え、古代ギリシアから近代への歴史を批判的にたどる。講義録をもとに平明に綴った刺激的哲学史。学術文庫『現代の哲学』の姉妹篇。電P

1477
〈戦前〉の思考
柄谷行人著（解説・鎌田哲哉）

国民国家を超克する「希望の原理」とは？「終わり」が頻繁に語られる時、我々は何かの「事前」に立っていることを直観している。戦前を反復させぬために〈戦前〉の視点から思考を展開する著者による試論集。

1481
哲学の教科書
中島義道著

平易なことばで本質を抉る、哲学・非-入門書。哲学とは何でないか、という視点に立ち、哲学の何たるかを探る。物事を徹底的に疑うことが出発点になる、哲学センス・予備知識ゼロからの自由な心のトレーニング。電P

1515
カント
坂部　恵著

哲学史二千年を根源から変革した巨人の全貌。すべての哲学はカントに流れ入り、カントから再び流れ出す。認識の構造を解明した『純粋理性批判』などカントの独創的作品群を、その生涯とともに見渡す待望の書。電P

1544
西田幾多郎の思想
小坂国継著

自己探究の求道者西田の哲学の本質に迫る。強靱な思索力で意識を深く掘り下げた西田幾多郎。西洋思想と厳しく対決して、独自の体系を構築。西田哲学とはどのようなものか。その性格と魅力を明らかにする。

2196
アリス・アンブローズ編／野矢茂樹訳
ウィトゲンシュタインの講義 ケンブリッジ1932―1935年
規則はいかにしてゲームの中に入り込むのか。言語、意味、規則といった主要なテーマを行きつ戻りつ考察。「言語ゲーム」論が熟していく中期から後期に到る、ウィトゲンシュタインの生々しい哲学の現場を読む。

2207
小此木啓吾・河合隼雄著
フロイトとユング
二十世紀、人間存在の深層を探究した精神分析学界の二人の巨人。日本を代表する両派の第一人者が、みずからの学問的体験と豊かな個性をまじえつつ、巨星たちの思想と学問の全貌を語りつくした記念碑的対談。
電P

2223
中沢新一著
バルセロナ、秘数3
秘数3と秘数4の対立が西欧である。3は、結婚とエロティシズムの数であり、運動を生み出し、世界を作る。4は3が作り出した世界に、正義と真理、均衡を与える。3と4の闘争に調和を取り戻す幸福の旅行記。
電P

2231
小泉義之著
デカルト哲学
デカルトは、彼以前なら「魂」と言われ、以後なら「主観」と言われるところを「私」と語ることによって画期的な哲学を切りひらいた。あらゆる世俗の思想を根こそぎにし、「賢者の倫理」に至ろうとした思索の全貌。
電P

2232
木田　元著
わたしの哲学入門
古代ギリシア以来の西洋哲学の根本問題「存在とは何か」。中世～近代に通底する「作られてあり現前する」という伝統的存在概念は、ニーチェ、ハイデガーにより見直されることになる。西洋形而上学の流れを概観。
電P

2237・2238
池田知久訳注
荘子（上）（下）全訳注
「胡蝶の夢」「朝三暮四」「知魚楽」「万物斉同」「庖丁解牛」「無用の用」……。宇宙論、政治哲学、人生哲学まで、森羅万象を説く、深遠なる知恵の泉である。達意の訳文と丁寧な解説で読解・熟読玩味する決定版！
電P

2261
高田珠樹著
ハイデガー　存在の歴史
現代の思想を決定づけた『存在と時間』はどこへ向けて構想されたか。存在論の歴史を解体・破壊し、根源的な存在の経験を取り戻すべく、「在る」ことを探究したハイデガー。その思想の生成過程と精髄に迫る。
電P

2262
ヴィクトール・E・フランクル著／中村友太郎訳（解説・諸富祥彦）
生きがい喪失の悩み
どの時代にもそれなりの神経症があり、またそれなりの精神療法を必要としている――。世界的ベストセラー『夜の霧』で知られる精神科医が看破した現代人の病理。底知れない無意味感＝実存的真空の正体とは？

2266
木田　元著
マッハとニーチェ　世紀転換期思想史
十九世紀の物理学者マッハと古典文献学者ニーチェ。接点のない二人は同時期同じような世界像を持っていた。ニーチェの「遠近法的展望」とマッハの「現象」の世界とほぼ重なる。二十世紀思想の源泉を探る快著。
電P

2267
鷲田清一著
〈弱さ〉のちから　ホスピタブルな光景
「そこに居てくれること」で救われるのは誰か？　看護、ダンスセラピー、グループホーム、小学校。ケアする側とされる側に起こる反転の意味を現場に追い、ケア関係の本質に迫る、臨床哲学の刺戟的なこころみ。
電P

2276
コーラ・ダイアモンド編／大谷　弘・古田徹也訳
ウィトゲンシュタインの講義　数学の基礎篇　ケンブリッジ1939年
後期ウィトゲンシュタインの記念碑的著作『哲学探究』に至るまでの思考が展開された伝説の講義の記録。数を数えるとは。矛盾律とは。数学基礎論についての議論が言語、規則、命題等の彼の哲学の核心と響き合う。

2282
中島義道著
差別感情の哲学
差別とはいかなる人間的事態なのか。他者への否定的感情、その裏返しとしての自分への肯定的感情、そして「誠実性」の危うさの解明により見えてくる差別感情の本質。人間の「思考の怠惰」を哲学的に追究する。
電P

2293
宇野邦一著
反歴史論
歴史を超える作品を創造する人間は、歴史に翻弄される存在でもある。その捩れた事実を出発点に、ニーチェ、ペギー、ジュネ、レヴィ＝ストロースなど、数多の思想家とともに展開される繊細にして大胆な思考。
電P

2296
高橋哲哉著
デリダ 脱構築と正義
ロゴス中心主義によって排除・隠蔽された他者を根源的に「肯定」し、現前せぬ「正義」の到来を志向する「脱構築」の思想。散種、差延をはじめとする独創的な概念を子細に読み解き、現代思想の到達点を追究。
電P

2297
酒井直樹著
死産される日本語・日本人 「日本」の歴史―地政的配置
「日本語」や「日本人」は、近代に生まれたときには、古代に仮設した共同体と共にすでに死んでいた……。斬新かつ挑発的な問題提起で、刊行当初から幾多の議論を巻き起こした話題の書に新稿を加えた決定版。
電P

2309
野矢茂樹著（解説・野家啓一）
再発見 日本の哲学 **大森荘蔵** 哲学の見本
私に他人の痛みがわかるか？ 自己と他者、物と心、時間などの根本問題を考え続けた「大森哲学」の全貌とは――。独自かつ強靱な思索の道筋を詳細に描き出す力作。哲学ってのはこうやるもんなんだ！
電P

2324
木村　敏著（解説・野家啓一）
からだ・こころ・生命
精神病理学と哲学を往還する独創的思索の地平に「生命論」が拓かれた。こころはどこにあるのか？「からだ」と「こころ」はどう関係しあっているのか。「生きる」とは、そして「死」とは？ 木村生命論の精髄。
電P

2325
小泉義之著
ドゥルーズの哲学 生命・自然・未来のために
「反復」とはどういうことか？ ドゥルーズをファッションとしての現代思想から解き放ち、新しい哲学への衝迫として描ききった、記念碑的名著にして必読の入門書！『差異と反復』は、まずこれを読んでから。
電P

哲学・思想・心理

2409
セーレン・キェルケゴール著／鈴木祐丞訳
死に至る病

「死に至る病とは絶望のことである」。この鮮烈な主張を打ち出した本書は、キェルケゴールの後期著作活動の集大成として燦然と輝く。最新の校訂版全集に基づいてデンマーク語原典から訳出した新時代の決定版。

電P

2414
計見一雄著
統合失調症あるいは精神分裂病　精神医学の虚実

昏迷・妄想・幻聴・視覚変容などの症状は何に由来するのか？「人格の崩壊」「知情意の分裂」などの謬見はしだいに正されつつある。脳研究の成果も参照し、病の本態と人間の奥底に蠢く「原基的なもの」を探る。

電P

2416
池田知久著
『老子』その思想を読み尽くす

老子の提唱する「無為」「無知」「無学」は、儒家思想のたんなるアンチテーゼでもニヒリズムでもない。最終目標の「道」とは何か？　哲学・倫理思想・政治思想・自然思想・養生思想の五つの観点から徹底解読。

電P

2418
ジョン・E・マクタガート著／永井　均訳・注解と論評
時間の非実在性

はたして「現在」とは、「私」とは何か。A系列（過去・現在・未来）とB系列（より前とより後）というマクタガートが提起した問題を、永井均が縦横に掘り下げてゆく。時間の哲学の記念碑的古典、ついに邦訳。

電P

2424
竹田青嗣著
ハイデガー入門

「『ある』とか何か」という前代未聞の問いを掲げた未完の大著『存在と時間』を豊富な具体例をまじえながら分かりやすく読解。「二十世紀最大の哲学者」の思想に接近するための最良の入門書がついに文庫化！

電

2425
中島義道著（解説・入不二《いりふじ》基義《もとよし》）
哲学塾の風景　哲学書を読み解く

カントにニーチェ、キルケゴール、そしてサルトル。哲学書は我流で読んでも、実は何もわからない。必要なのは正確な読解。読みながら考え、考えつつ読む、手加減なき師匠の厳しくも愛に満ちた指導を完全再現。

電P

2645
伊藤亜紗著
ヴァレリー　芸術と身体の哲学
なぜヴァレリーは引用されるのか。作品という装置について、時間と行為について、身体について語られた旺盛な言葉から、その哲学を丹念に読み込む。著者の美学・身体論の出発点となった、記念碑的力作。

2650
高橋和夫著（解説・大賀睦夫）
スウェーデンボルグ　科学から神秘世界へ
一八世紀ヨーロッパに名を馳せた科学者が、五〇代にして突如、神秘主義思想家に変貌する。その思考の軌跡は何を語るのか。カント、バルザック、鈴木大拙……数多の著名人が心酔した巨人の全貌に迫る！

2677
マルティン・ブーバー著／野口啓祐訳（解説・佐藤貴史）
我と汝
経験と利用に覆われた世界の軛から解放されるには、全身全霊をかけて相対する〈なんじ〉と出会わねばならない。その時、わたしは初めて真の〈われ〉となるのだ――。「対話の思想家」が遺した普遍的名著！

2683
本田　済著
易学　成立と展開
中国の思想、世界観を古来より貫く「易」という原理の成り立ちとエッセンスを平易にあますところなく解説。占いであり、儒教の核心でもある易を知ることは、中国人のものの考え方を理解することである！

2684
大森荘蔵著（解説・野家啓一）
新視覚新論
視覚風景とは、常に四次元の全宇宙世界の風景である――。心、時間、自由から「世界の在り方としての私」を考える、著者渾身の主著。外なる世界と内なる心があるのではない、世界とは心なのだ。

2685
竹田青嗣著
言語的思考へ　脱構築と現象学
ポストモダン思想の限界を乗り越え、現象学が言語の「謎」を解き明かす！「原理」を提示し、認識の「普遍洞察性」に近づいていくという哲学的思考のエッセンスを再興する、著者年来の思索の集大成。